D0505483

LE RÊVE DE MADY
est le trois cent cinquante-sixième livre
publié par Les éditions JCL inc.

Catalogage avant publication de Bibliothèque et Archives Canada

Ruiz, Agnès, 1968-

    Le Rêve de Mady

    Suite de : Ma vie assassinée.

    ISBN 2-89431-356-X

    I. Titre.

PS8585.U527R48 2006   C843'.6   C2006-940687-1

PS9585.U527R48 2006

© **Les éditions JCL inc., 2006**
Édition originale : août 2006

Le Rêve de Mady

DE LA MÊME AUTEURE :

Ma vie assassinée, roman, Chicoutimi, Éditions JCL, 2001, 368 p.

L'Ombre d'une autre vie, roman, Chicoutimi, Éditions JCL, 2002, 329 p.

La Main étrangère, roman, Chicoutimi, Éditions JCL, 2003, 254 p.

Les éditions JCL inc.
930, rue J.-Cartier Est, CHICOUTIMI (Québec, Canada) G7H 7K9
Tél. : (418) 696-0536 – Téléc. : (418) 696-3132 – www.jcl.qc.ca
ISBN 10 : 2-89431-356-X
ISBN 13 : 978-2-89431-356-5

AGNÈS RUIZ

Le Rêve
de Mady

Roman

LES ÉDITIONS JCL

Illustration de la page couverture :
DANIELLE RICHARD
Tendre février (1991)
Pastel (19,5 X 26 pouces)
www.daniellerichard.com

Nous reconnaissons l'aide financière du gouvernement du Canada par l'entremise du Programme d'aide au développement de l'industrie de l'édition (PADIÉ) pour nos activités d'édition. Nous bénéficions également du soutien de la SODEC et, enfin, nous tenons à remercier le Conseil des Arts du Canada pour l'aide accordée à notre programme de publication.

Gouvernement du Québec – Programme de crédit d'impôt pour l'édition de livres – Gestion SODEC

Pour Mary-Gaëlle et Philippe

Chapitre I

Habillé tout de sombre, Arthur Martinon traversait la route, en pleine campagne normande, une bouteille presque vide à la main. Témoin de ses pas incertains, la lune offrait le seul éclairage en cet endroit. L'alcool embrumait son esprit et altérait ses perceptions sensorielles. Aussi, lorsqu'il entendit un bruit, ou plutôt un grondement, il se retourna en titubant. La violente lumière des phares manqua de lui faire perdre l'équilibre, et, par réflexe, il leva le bras droit pour protéger ses pupilles dilatées. Il cligna des yeux avant d'être frappé de plein fouet par la voiture.

Tout se passa très vite.

Projeté violemment dans les airs, Arthur Martinon retomba lourdement quelques mètres plus loin, sur le bas-côté de la chaussée. Il ne perdit pas connaissance pour autant. Dans sa torpeur, il put sentir que du sang glissait déjà le long de sa joue et s'infiltrait lentement dans la terre dure du fossé où il reposait dans une position bien peu confortable. Abruti par le choc, mais aussi par l'alcool, il releva péniblement la tête et jeta un regard hébété devant lui. Il crut alors distinguer les feux arrière du véhicule comme si celui-ci s'était arrêté.

Arthur Martinon soupira, mais réalisa presque aussitôt que le conducteur n'avait pas l'intention de se porter à son secours. Dans un ultime appel à l'aide, la victime leva tout de même un bras. En pure perte! La voiture s'éloigna, l'abandonnant dans ce misérable fossé.

L'homme laissa échapper un son guttural :

« Au secours... »

À part la lune et le chauffard en fuite, absolument personne n'avait été témoin de son accident. Mais comment s'était-il retrouvé dans ce coin perdu? Était-il ivre au point d'avoir marché autant sans même s'en rendre compte? Arthur Martinon n'en avait aucune idée.

À présent, le silence de la nuit l'entourait. En même temps que sa tête, son bras se rabattit lourdement sur la terre compacte. Il ressentait une douleur vive et lancinante, mais ne pouvait dire de quelle partie de son corps elle émanait précisément.

Il s'évanouit...

Deux heures plus tard, le froid piquant lui fit ouvrir les yeux, il soupira... Il faisait si noir autour de lui! Du coup, un vieux proverbe arabe lui vrilla les tempes, comme un leitmotiv : *Dans la nuit noire, sur la pierre noire, une fourmi noire. Dieu la voit.*[1]

« Et moi, qui donc va me voir? » souffla-t-il avec difficulté.

Sa bouche avait le goût de la terre. Son corps semblait hurler de douleur. Sa tête s'emplissait d'incessants bruits de tam-tam. Réels ou imaginaires? Il n'aurait su le définir. Il voulut crier pour mettre fin à ce vacarme, mais il en fut incapable, assailli par de violents frissons qui le firent gémir... Profitant d'une accalmie, il projeta de ramper vers la route afin de se rendre plus visible... Il agrippa, avec une énergie qu'il croyait perdue, les pierres scellées dans le sol durci de janvier. Il progressa lentement. Après avoir parcouru une courte distance qui lui parut pourtant des kilomètres, il s'arrêta, épuisé. En plus de la terre, un goût poisseux lui venait à la bouche. C'était son sang! À ce constat, la peur le saisit.

« Je ne vais tout de même pas crever ici! » s'insurgea-t-il.

Et encore ce proverbe lancinant : *Dans la nuit noire, sur la pierre noire, une fourmi noire. Dieu la voit.*

À moitié délirant, Arthur Martinon se mit à voyager dans le passé. Son esprit s'enflammait tandis que son corps s'engourdissait de froid et de douleur. Il songea brusquement à cet enfant qu'il avait renversé avec sa voiture.

C'était si loin...

---

1. « Entre guillemets – Nouveau dictionnaire de citations » Claude Gagnière, Éditions Robert Laffont, Paris, 1997.

Pour la première fois depuis longtemps, il se remémora la scène et reconnut qu'il aurait pu lui sauver la vie. Ce soir-là, en compagnie de son épouse, Gisèle, il revenait d'une fête de famille bien arrosée. Elle avait commencé vers treize heures et s'était éternisée à la faveur de l'ivresse. La nuit était déjà tombée. Le couple avait pris la route. « C'était à peu près à la même saison », se rappelait-il. Il se souvenait vaguement que sa femme avait tenté de le dissuader de prendre le volant. Offusqué, il lui avait ordonné sèchement de se mêler de ses affaires et, pour la provoquer, avait démarré à toute allure. Dans la voiture, l'atmosphère, déjà particulièrement lourde, avait rapidement pris la tournure d'une dispute acharnée. Peu encline à se laisser malmener sans souffler mot, Gisèle n'avait pas décoléré et lui avait servi un chapelet de reproches et de sarcasmes. Il avait bu plus qu'à l'accoutumée, et ça, Arthur Martinon s'en souvenait très bien, malgré les années passées.

Il revoyait encore ses mains crispées sur le volant. Et la voix acerbe de Gisèle... Son seuil de tolérance atteint, il avait levé la main sur sa femme... Au lieu de se taire, celle-ci, le visage déformé par la frayeur, s'était mise à crier de plus belle en pointant un doigt tremblant devant elle. Le temps pour lui de tourner la tête et il était trop tard...

Dans le reflet des phares, il revoyait clairement les yeux brillants du garçon, surpris et innocents. Puis le choc, tout aussi brutal que celui qu'il venait de vivre! Ensuite, l'espace d'une fraction de seconde, il se rappela avoir distingué par son rétroviseur le bras levé de l'enfant en direction de la voiture...

C'est là que les choses s'étaient gâtées pour de bon. Au lieu de faire face à la situation, paniqué et perdu dans les effluves de l'alcool et ce, malgré l'insistance emportée de sa femme, son seul geste avait été d'enfoncer la pédale de l'accélérateur.

Arthur Martinon émit un gargouillis de la gorge en évoquant ce souvenir.

« Pourquoi ne suis-je pas descendu pour lui venir en aide? s'interrogea-t-il. Par lâcheté, comme ce conducteur qui vient de me rendre la pareille? »

Ce passé lointain lui faisait terriblement mal. Sa concentration se dispersait à la recherche d'une parcelle de chaleur. Dans ses rares moments de lucidité surgissait une petite voix intérieure... sa propre voix :

« *C'est à cause de cette histoire que tu ne t'es pas arrêté ce soir-là! Derrière ton volant, tu étais habité par ta haine et ton besoin de vengeance.*

— Oui, c'est ça! cria Arthur Martinon avec un grotesque râlement de gorge qui amenuisait le peu d'énergie qu'il lui restait. Oui! Je voulais me venger pour le mal qu'il m'avait fait!

— *Mais te venger de qui?* reprit la voix, insidieuse. *Pas de ce pauvre enfant! Bien sûr que non! Lui n'avait rien à voir dans tout ça. C'est seulement qu'il t'a fait penser à l'autre...*

— Ça suffit! cria encore son esprit chancelant.

— *À quoi bon nier maintenant puisque tu vas mourir! Avoue que tu as tout gâché! Tu n'es qu'un raté et tu n'as causé que la souffrance autour de toi! Qu'est-ce qui a bien pu te rendre aussi médiocre, aussi vil?*

— Laisse-moi tranquille!

— *Mais vas-y, dis-le!* continua une partie de lui. *Tu vois bien qu'il n'y a personne d'autre ici à part toi... et la mort qui se rapproche.*

— D'accord! vociféra de plus belle Arthur Martinon. C'était de mon frère que je voulais me venger! J'aurais dû me débarrasser de lui quand nous étions jeunes... »

La douleur physique et morale devenait de plus en plus intolérable pour le père de Mady et Sarah.

« *Es-tu vraiment sûr que tu voulais te venger de ton frère? Tu te caches derrière cette demi-vérité. Ton frère n'était pas un ange, c'est vrai. Mais toi? La vérité, c'est que tu n'as jamais pu affronter la réalité en face. Tu as toujours préféré la fuite, les mensonges et les duperies. Toute ta vie, tu t'es cherché des excuses pour tes échecs. Mais voilà, il te fallait des coupables. La belle affaire! Combien de vies as-tu prises finalement pour assouvir ta haine et ta vengeance?* »

Dans un dernier effort, Arthur Martinon se hissa sur ses avant-bras et serra très fort les mâchoires. Puis il hurla dans la nuit :

« Par pitié, aidez-moi! »

L'homme retomba sur le sol. Son front fit corps avec la terre comme pour arracher ses derniers instants de lucidité. Le murmure du vent léger charriait dans ses modulations un ultime son, insensé, provenant de l'esprit d'Arthur Martinon. *Dans la nuit noire, sur la pierre noire, une fourmi noire. Dieu la voit...* Puis le vent changea brusquement de direction, laissant derrière lui une traînée de sifflements qui ressemblaient étrangement aux rires d'un enfant. En tout cas, c'est ainsi qu'Arthur Martinon les perçut.

Il s'éteignit en embrassant la terre silencieuse.

* * *

Non loin de là, le lendemain, à Pincourt, sur le coup de huit heures du matin, le facteur arriva au 125, rue des Pins. Il sortit une enveloppe à bulles marron de sa sacoche, puis la glissa dans la boîte rectangulaire.

L'homme, dans la quarantaine tout juste et arborant une moustache épaisse et bien entretenue, attendit quelques instants devant la barrière en fer forgé dans l'espoir que la propriétaire l'accueille et lui offre un petit café avant qu'il ne poursuive sa tournée. Il faut bien le dire, après toutes ces années, Mady Lestrey et lui avaient pris l'habitude de profiter de ce moment pour discuter de tout et de rien. Cette halte amicale était presque devenue un rituel.

Le facteur se résigna. De toute évidence, il ne verrait pas Mady ce matin. Il se flatta la moustache distraitement. Peut-être s'était-elle absentée ou, plus vraisemblablement, n'était-elle pas encore réveillée. Après tout, il avait commencé sa tournée avec une heure d'avance, en prévision d'un rendez-vous important en après-midi. Un tantinet déçu, l'homme partit sans plus insister en jetant néanmoins un dernier regard vers la porte d'entrée qui resta close.

* * *

Mady Lestrey sortit d'un lourd sommeil après avoir cru entendre une sonnerie. Il lui fallut un certain temps pour se rendre compte qu'elle était dans sa chambre. Le songe qu'elle

13

venait de faire était encore bien présent dans son esprit. Il semblait si réel. Elle se revoyait prendre l'avion pour y retrouver Guillaume... Du coup défilèrent clairement les moindres détails de ce voyage imaginaire : son arrivée à Montréal, Guillaume qui l'attendait vêtu d'un gros blouson et d'une casquette, leurs premiers mots échangés, puis ce trajet en voiture et leurs discussions tendues une fois rendus chez lui. Sans oublier cette autre femme dans sa vie, du nom de Connie!

Ensuite, le moment où elle lui avait révélé l'existence de leur fille Marianne et la bague de fiançailles que Guillaume lui avait offerte dans la chambre d'amis et qu'elle avait gardée durant toutes ces années. Au paroxysme de son rêve, le mur du passé qui les séparait avait fini par s'écrouler pour laisser place à un amour et une vie à deux de nouveau possible.

Mady en avait la chair de poule. « Comment un rêve peut-il être aussi réel? » s'interrogea-t-elle, bouleversée.

D'un mouvement distrait de la main, elle mit de l'ordre dans ses cheveux bruns, empreints de gris. Ses doigts massèrent un peu sa nuque, là où s'arrêtaient ses mèches.

L'approche de la quarantaine pouvait-elle être la cause de ce tourment nocturne?

Soudain, elle sursauta en entendant la sonnerie de la porte d'entrée, cette même sonnerie qui l'avait sortie de ce songe si étrange. Ses yeux bruns consultèrent rapidement le radio-réveil, puis elle souleva vivement les couvertures, enfila sa robe de chambre bleue et ses chaussons pour accueillir son visiteur. Elle avait à peine ouvert que sa sœur Sarah, son aînée de six ans, l'interpella aussitôt sans lui laisser le temps de parler.

« Que se passe-t-il, Mady? Je sonne depuis au moins cinq minutes! Es-tu devenue sourde? »

D'une voix étrange, Mady tenta faiblement de se justifier :

« Je suis désolée, Sarah. Je dormais. Je ne t'ai pas entendue. Mais dis-moi, comment se fait-il que tu sois venue me voir si tôt sans même me téléphoner avant? »

Sarah baissa la tête vers le plancher de bois franc. Puis elle affronta le regard de sa sœur tout en avançant dans le corridor.

« C'est papa...

— Quoi, papa? Qu'est-ce qu'il a encore fait? »

Mady n'aimait pas du tout ce début de matinée...

Comme pour aider sa sœur à effacer ses idées noires, Sarah hocha la tête négativement, entraînant ses boucles blondes dans son mouvement. Elle jeta bien vite :

« Il a eu un accident.

— Quoi? »

Mady se demandait si elle ne rêvait pas encore une fois. Elle chancela et Sarah lui toucha le bras.

« J'ai reçu tout à l'heure un appel de la préfecture pour m'annoncer qu'on l'avait retrouvé sans vie dans un fossé ce matin.

— Oh, mon Dieu!

— Tout porte à croire qu'il aurait été renversé par une voiture cette nuit.

— Renversé par une voiture, tu dis? Comme cet enfant... Quelle ironie!

— Mady, je t'en prie...

— Oh! je n'ai pas l'intention de le pleurer, si tu veux savoir. »

La voix de Mady était dure tout à coup.

« Je ne te le demande pas non plus, reprit doucement Sarah. C'est ta référence à l'enfant qui me fait mal...

— Oui, bien sûr... »

Mady se mit soudainement à pleurer et se laissa prendre dans les bras de sa sœur. Contre toute attente, la nouvelle du décès de son père la bouleversa, malgré tout le mal que ce dernier lui avait fait subir. Maintenant qu'il était mort, elle devrait renoncer à comprendre cette haine qui l'avait poussé au fil des ans à s'acharner sur elle pour détruire sa vie. Elle s'écarta et demanda :

« Est-il mort sur le coup?

— Je ne sais pas. Ils ne m'ont rien dit à ce sujet. Est-ce vraiment important? »

Mady pinça les lèvres et inspira longuement.

« Non. Sans doute que non. Je me sens si confuse. D'un côté, je souhaite qu'avant de mourir, il ait eu le temps de faire la paix avec ce qu'il avait sur la conscience... Et, d'un autre, je ne peux m'empêcher d'espérer qu'il a souffert... C'est si terrible de penser ça! »

Sarah secoua la tête et soupira en posant une main sur l'épaule de sa sœur. Elle revit ses jeunes années, l'époque où Mady et son père s'entendaient si bien. D'ailleurs, elle avait éprouvé une certaine jalousie face à leur complicité. Puis, plus tard, quand il avait rendu la vie impossible à sa sœur, elle s'en était voulu d'avoir éprouvé ce sentiment. Encore aujourd'hui, elle avait toujours du mal à comprendre pourquoi, du jour au lendemain, leur père avait changé aussi radicalement. Du père aimant, attentionné et joueur, il était devenu alcoolique, violent et imprévisible. Il avait même disparu pendant un an pour ressurgir tout aussi brutalement. La famille en avait beaucoup souffert, particulièrement Mady qui n'était encore qu'une enfant. Pourquoi leur père s'était-il acharné sur elle au fil des ans? C'était un mystère, un effroyable mystère qu'Arthur Martinon avait à tout jamais emporté avec lui dans sa mort...

Sarah enlaça à nouveau sa sœur.

« Je suis désolée de t'avoir annoncé la mort de papa comme ça. Il était inconcevable de te le dire au téléphone...

— Tu as très bien fait, Sarah. Ne t'inquiète pas.

— Je ne pensais pas que tu serais encore au lit à cette heure-ci. Tu te lèves plus tôt d'habitude!

— Oui, mais j'ai eu une nuit difficile.

— J'espère que tu ne nous couves pas quelque chose? »

Doucement, les deux sœurs s'éloignaient de la douleur de cette terrible nouvelle pour s'épancher, se raccrocher aux pouvoirs des mots, de la vie...

« Je ne sais pas, mais j'ai très mal dormi en tout cas. Je me souviens que j'ai fait un rêve étrange. Je me trouvais à Montréal. D'ailleurs, toi aussi, tu étais dans mon rêve. Tu m'accompagnais à Roissy. Je me rappelle même très bien la façon dont tu étais habillée. Tu portais un jean et un sweater vert avec, au centre, le motif d'un arbre au visage triste... Je sais, c'est idiot. »

Ce flot de paroles semblait vraiment apaiser les deux sœurs.

Sarah regarda Mady, visiblement surprise toutefois par ses propos.

« Comment savais-tu pour mon sweater? Je ne l'ai acheté qu'hier.

— Je l'ignorais. Je t'ai vue le porter dans mon rêve, c'est tout...

— Eh bien, toi, tu me surprendras toujours! Tu devrais peut-être ouvrir un cabinet de voyance. Qui sait? »

Les deux sœurs rirent de concert. Ce rire eut un effet bienfaisant sur elles. Finalement, Mady soupira :

« C'est peut-être un avertissement pour que je ne fasse pas ce voyage. Tu vois, tout n'est pas vrai dans mon rêve. D'abord, on était en hiver, et j'ai plutôt projeté d'y aller au mois d'août.

— Tu as peut-être tout simplement calqué la saison actuelle.

— Tu as sans doute raison.

— Oublie vite ce rêve, Mady. Ta récente discussion houleuse avec papa et l'arrivée de Marianne dans ta vie t'ont chamboulée coup sur coup... »

Sans crier gare, Mady souffla enfin les mots qu'elles se refusaient de prononcer ou plutôt qu'elles reportaient volontairement :

« Et pour papa... »

Le deuil n'avait côtoyé que trop cette famille et tout particulièrement Mady...

« Je vais m'occuper de toutes les formalités. »

Mady n'insista pas et hocha la tête dans une compréhension mutuelle. D'une voix blanche, elle proposa un café à sa sœur.

« Oui, je pense que cela nous fera du bien à toutes les deux... »

* * *

Sarah embrassa sa sœur et partit en lui promettant de la tenir au courant. Mady se dirigea à sa boîte aux lettres en regardant par habitude dans la rue pour y croiser le regard rieur de son ami le facteur. Il n'était pas dans les environs. C'était une bonne chose, elle n'aurait guère été d'agréable compagnie pour l'heure...

Mady se contenta de retirer l'enveloppe à bulles qu'il avait dû déposer plus tôt, puis rentra chez elle. Elle s'installa tranquillement. Sa main se mit soudain à trembler, puis ses larmes à couler...

L'image de son père la poursuivait.

Sa dernière rencontre avec lui. Son refus de lui dire le pourquoi de sa haine... Son air mauvais... Et maintenant il était mort... mort... Les larmes tombaient, se déposant de façon grotesque sur l'enveloppe brune. Mady laissa son cœur se déverser, puis se leva pour s'asperger le visage d'eau du robinet.

Plus sereine, elle tâta l'enveloppe gonflée et sentit quelque chose de dur. Intriguée, elle la décacheta, puis en sortit un boîtier carré noir, accompagné d'un petit mot. Son pouls s'accéléra quand elle constata que l'expéditeur était Guillaume Bélanger. La lettre était courte. Guillaume lui expliquait qu'elle trouverait à l'intérieur du boîtier une bague qu'il gardait depuis des années. Il l'avait achetée pour la lui offrir à l'occasion de leurs retrouvailles, après le complet rétablissement de sa sœur Manon. Tout ceci remontait à vingt et un ans déjà! Le temps avait passé, écrivait laconiquement Guillaume.

Mady choisit de faire une pause pour ouvrir le boîtier et découvrir le bijou. Avec émotion, elle caressa la pierre du bout des doigts et reprit sa lecture, le cœur frémissant. Guillaume terminait en lui enjoignant de garder la bague, qu'elle lui était destinée de toute façon et qu'il ne savait qu'en faire. La phrase parut froide et impersonnelle. Mady resta longuement à regarder le bijou qui brillait, comme si les reflets qu'il projetait se moquaient du chagrin qui l'assaillait. Elle se demanda pourquoi Guillaume avait choisi de se manifester maintenant et eut la fâcheuse impression qu'il voulait se décharger de tout ce passé.

« Que veut-il me dire exactement? » s'interrogea-t-elle.

Mady Lestrey ne se sentait pas heureuse. Même si elle savait leur histoire terminée depuis longtemps, un malaise persistait dans son cœur. La lettre ne montrait aucun signe chaleureux. En outre, une formule de politesse, des plus neutres, concluait la missive dactylographiée et un simple « G. Bélanger ».

« As-tu changé à ce point, Guillaume? » souffla-t-elle à la lettre.

Avec ironie, Mady songea que les deux événements de la journée semblaient se confondre. Elle croyait presque entendre son père rire de sa déconvenue... Mady réfléchissait, bouleversée plus qu'elle ne voulait l'admettre... Elle remit en question le bien-fondé de son projet de voyage au Québec. Dans les circonstances actuelles, pouvait-elle raisonnablement envisager de revoir celui que son cœur avait tant aimé et que la vie, ou plutôt la tyrannie d'Arthur Martinon lui avait arraché? « Peut-être que Guillaume n'a pas du tout envie de me revoir? songea-t-elle. Il y a de fortes chances qu'il soit marié, père de famille... En refaisant surface, le passé risque de nuire à bien du monde. C'est sans doute pourquoi il a choisi de m'envoyer cette bague de manière aussi impersonnelle, tenta-t-elle de s'expliquer. À quoi bon dans ce cas me rendre jusqu'à Montréal pour chercher à comprendre ce qui s'est passé il y a vingt et un ans? Je ferais tout aussi bien de régler les choses en lui écrivant à mon tour. »

Mady savait pourtant que ce voyage était nécessaire. Elle se devait d'éclaircir plusieurs points avant d'aller de l'avant dans sa vie. Encore plus maintenant que son père était mort...

* * *

Les obsèques d'Arthur Martinon avaient lieu à seize heures. La température était assez douce et le soleil semblait se rire du petit groupe réuni au cimetière. Mady Lestrey se tenait près de sa fille Marianne et de Sarah qui était accompagnée de son mari, André, et de leurs trois enfants.

Julien, âgé maintenant de vingt-huit ans et issu de la première union de son père, tenait tendrement la main de sa jeune épouse, Marie, enceinte de cinq mois; il l'encourageait à l'occasion par une pression discrète et ferme. Tous deux avaient longuement hésité avant de venir. Arthur Martinon n'était pas un homme que Julien avait porté dans son cœur. Il n'avait aucun lien de parenté avec lui de surcroît, en dehors de celui établi par le remariage de son père. De plus, Marie se sentait toujours mal à l'aise dans les enterrements. Elle se souvenait encore des funérailles de son grand-père quand elle était adolescente. Ce jour-là, durant la cérémonie, un fou rire incontrôlable les avait prises, sa sœur Béatrice et elle. Malgré leurs efforts pour s'arrêter, elles n'avaient pu empêcher cette cascade inexplicable de sortir de leurs bouches. Tous les yeux s'étaient jetés sur les jeunes impertinentes avant qu'une gifle, provenant de leur mère, ne retentisse tour à tour sur leur joue. Julien, navré d'apprendre cette malheureuse histoire, lui avait certifié qu'il n'y avait pas de raison qu'une telle chose se reproduise. Marie n'en était pas aussi certaine. Elle était terrorisée à l'idée qu'un pareil scandale se répète par sa faute. Et, cette fois, son jeune âge ne serait plus en cause, ni même sa grossesse qui, pourtant, pouvait autoriser certaines entorses...

Aux côtés du jeune couple se tenaient les demi-frère et demi-sœur de Julien. Frédéric affichait avec emphase son nouveau statut d'adulte avec ses dix-huit ans fêtés deux semaines plus tôt et Vanessa, la petite dernière, était en pleine adolescence du haut de ses quatorze ans.

Bientôt, les quelques personnes présentèrent les traditionnelles condoléances à la famille. Mady et Sarah remarquèrent presque en même temps un inconnu, tout habillé de noir, s'approcher en bout de file. De prime abord, l'homme avait une allure singulière. Ses yeux marron, enfoncés profondément dans leurs orbites, lui donnaient un petit air mesquin, accentué encore par la grosse barbe mal entretenue qui masquait à demi son visage. Un curieux galurin aux couleurs indistinctes était vissé sur son crâne qu'on tendait à croire presque dégarni. Quand son tour arriva, il leva la main droite comme s'il allait ôter son couvre-chef, mais sembla hésiter. Mady et Sarah lui serrèrent la main comme c'était de mise, mais l'homme, visiblement gêné devant les regards interrogateurs des deux femmes, finit par s'éloigner sans ouvrir la bouche...

Sarah se pencha vers sa sœur et lui demanda :

« Qui est cet homme? Tu le connais?

— Je ne crois pas, non, mais je ne vais pas tarder à le savoir! »

Aussitôt dit, Mady se dépêcha de rattraper celui qui avait

suscité leur curiosité. L'homme avançait d'un pas rapide, comme s'il avait senti qu'on le suivait de près.

Se refusant à le laisser filer, Mady l'interpella directement : « S'il vous plaît, monsieur, pourrais-je vous parler quelques instants? »

Mady était sûre que l'homme l'avait bien entendue. Quelque chose dans sa démarche laissait filtrer une hésitation. Au lieu d'obtempérer, l'individu pressa davantage le pas et traversa les portes du cimetière, au-delà desquelles Mady le perdit de vue momentanément. Quand elle arriva sur le trottoir, elle le repéra dans une Ford Sierra blanche qui démarrait déjà. Mady eut quand même le temps de lire plusieurs fois le numéro de la plaque minéralogique. Elle prit aussitôt un stylo dans son sac à main tout en se répétant mentalement le numéro et l'inscrivit bien vite dans la paume de sa main. « Qui est cet homme? se questionna-t-elle. Un ancien ami de papa? En ce cas, pourquoi ne l'a-t-il pas simplement dit? Et surtout, pourquoi est-il parti ainsi en feignant de ne pas m'entendre? »

Mady eut soudain l'impression que cet inconnu pourrait lui en apprendre davantage sur l'étrange comportement de son père. De toute évidence, il n'était pas venu à l'enterrement par simple curiosité même s'il arrive que certaines personnes le fassent. Non, quelque chose lui disait que cet homme, le barbu mesquin, comme elle décida de l'appeler, connaissait son père. Elle devait coûte que coûte tenter de retrouver sa trace afin d'en avoir le cœur net.

Elle voulait savoir.

Face à cet homme qui venait de surgir, il lui importait de tenter de guérir les blessures infligées par son père durant toutes ces années. Elle voulait reconstituer la vérité, faire la lumière sur tout. Et si cet inconnu était déjà un halo?

* * *

La nuit suivante, Mady refit le même rêve dans lequel elle se voyait à Montréal. Elle était seule chez Guillaume. En entrant dans la cuisine, elle vit une note sur la table. Guillaume lui expliquait qu'il était au bureau et qu'il n'avait pas voulu la réveiller en partant. Il lui avait laissé son numéro de téléphone pour le joindre au besoin.

En soupirant, Mady effleura du doigt l'écriture penchée et serrée.

Elle déjeuna puis erra dans la maison, s'arrêtant de-ci, de-là pour admirer un bibelot, un meuble joliment travaillé. Elle éprouvait un bien-être dans ces lieux, sentant la présence de Guillaume partout.

Ce fut sans préméditation qu'elle poussa la porte de la chambre de Guillaume. Du coup, elle se sentit enveloppée. L'impression d'entrer dans son intimité, de pénétrer dans son cœur s'imposa avec une force qui la surprit. Le lit était défait. Elle s'y assit et toucha l'oreiller encore imprégné de son odeur. Elle le serra tout contre elle, puis y enfouit son visage. Des larmes de détresse lui montèrent aux yeux. Au bout d'un moment, elle releva la tête et remarqua le tiroir à moitié ouvert de la table de nuit.

Mady avait l'impression que les murs lui parlaient, que les objets la guidaient dans ses mouvements. À l'intérieur, un livre en cours, de la série *Les Enfants de la terre* de Jean Auel, attira son attention. Mady se souvenait l'avoir déjà lu. Machinalement, elle tendit la main pour faire défiler les pages sous ses doigts. Des passages lui revinrent en mémoire, ramenant avec eux ses états d'âme d'autrefois. Quand elle voulut remettre le roman à sa place, elle découvrit cette fois un boîtier noir. Curieuse, elle délaissa le livre et posa l'écrin velouté sur l'oreiller recouvrant encore ses genoux. Son contenu lui donna un choc.

« C'est pour sa demande de fiançailles à Connie, je suppose, s'exclama-t-elle à haute voix, émue plus qu'elle n'aurait voulu.

— Non, tu fais erreur... »

Mady releva vivement la tête. Guillaume se tenait dans l'encadrement de la porte, son front posé contre le montant. À voir sa position, il semblait être là depuis un certain temps. Mady se sentit comme une enfant prise en faute. Son cœur battit fortement dans sa poitrine devant l'expression particulière de Guillaume.

« Je suis navrée d'avoir fouillé dans ta vie privée... Je ne sais pas pourquoi j'ai fait ça... Je ne sais que dire...

— Je n'ai rien à te cacher... Jette un coup d'œil à l'intérieur de l'anneau, tu y verras une inscription... Cette bague était pour toi, Mady... Depuis vingt et un ans que je la garde... Il m'est arrivé souvent de t'imaginer la porter. »

Mady resta là, assise sur le lit, l'oreiller sur ses genoux et la bague entre les doigts. Guillaume s'avança et s'installa près d'elle. Le geste imprima un mouvement au matelas et l'attira tout contre lui. Leurs cuisses se touchaient, leurs épaules aussi. Mady respirait avec parcimonie.

« Tu peux prendre cette bague, Mady... Ça ne t'engage à rien... Elle est à toi de toute façon. »

Mady hésita. Elle n'était pas sûre de pouvoir accepter ce bijou sans donner en retour à Guillaume un gage d'espoir. Elle s'inquiétait aussi qu'au moindre mouvement elle rapprocherait davantage son corps de celui de Guillaume. Consciente que ses sens s'enivraient au-delà de sa volonté, elle craignait de ne pouvoir se contrôler et regretter les suites éventuelles de son égarement. Ce fut Guillaume qui prit les devants finalement et qui passa lui-même la bague à son doigt en plongeant son regard dans le sien. Mady ne se détourna pas.

« Crois-tu que nous puissions reconstruire quelque chose ensemble? » lui demanda-t-il avec une extrême douceur.

Se voulant le plus sincère possible, Mady lui fit part de ses doutes.

« Veux-tu tenter l'expérience au moins?

— Et Connie?

— Connie est ravissante et gentille, c'est vrai... Mais je n'ai jamais pu me résigner à m'engager plus avant avec elle, ni avec personne d'autre d'ailleurs. Je sais qu'elle n'attend qu'une demande de ma part, mais elle ne se fait pas trop d'illusions... Elle me connaît... »

Retournant nerveusement la bague dans son doigt, Mady ne put réprimer un mouvement de tristesse.

« La vie nous a joué un bien vilain tour...

— Oui, Mady... Mais elle nous offre aujourd'hui la possibilité de nous reprendre... De transformer nos épreuves en force... Qu'en penses-tu?

— Peut-être...

— Je te le redemande, Mady... Veux-tu essayer? Veux-tu

encore de moi? Si nous commencions par cette semaine à Montréal? J'ai déjà pris mes dispositions pour qu'on se passe de moi au bureau.

— Es-tu sûr que c'est ce que tu veux? insista Mady.

— Moi oui... Mais toi?

— Eh bien! Je ne dis pas non... J'ignore où nous conduira notre choix... Mais il nous faudra certainement être très forts... »

Comme si les mots enfin partagés lui donnaient un élan, Mady, plus détendue, fit appel aux voix de son cœur.

« Au nom de ce que nous ressentons toujours l'un pour l'autre... et au nom de notre fille, Marianne, qui nous a retrouvés et réunis à nouveau, il me semble que nous devrions essayer de toutes nos forces. Oui, Guillaume, j'ai envie d'être pleinement heureuse. »

Mady laissa glisser sa tête contre le torse de Guillaume. Avec tendresse, son compagnon lui passa la main dans les cheveux.

« Tu ne peux savoir combien je suis heureux que tu aies accepté de relever ce défi. Nous n'avons pas besoin de brûler les étapes, même si nous ne sommes plus tout jeunes...

— Tu sais, Guillaume, je crois sincèrement que nous pouvons réapprendre cette vie à deux. À condition de le vouloir de toutes nos forces, de tout notre cœur. Si Marianne n'était pas venue frapper chez moi... que serions-nous devenus? Quand le passé frappe à la porte, il ne faut pas toujours refuser de le recevoir, car qui sait ce qu'il a de merveilleux à nous révéler?

— C'est vrai, Mady. Et combien d'autres révélations nous sont-elles encore réservées? ajouta Guillaume dans un souffle.

— Cela t'effraye-t-il? interrogea Mady.

— Un peu... et toi? »

Mady ne répondit pas. Elle resta tout simplement contre le torse de Guillaume et écouta les palpitations de son cœur. Ce cœur qu'elle avait autrefois cru arrêté à tout jamais, voilà qu'il battait de nouveau, pour elle!

L'euphorie des songes étant forcément éphémère, Mady éprouva soudain une curieuse sensation au bout des doigts. Elle ouvrit les yeux pour découvrir que la chienne de sa voisine, qu'elle gardait pour quelques jours, était allongée tout contre elle. L'épagneul battit aussitôt de la queue et lui lécha vigoureusement le visage.

« Encore un rêve! s'exclama Mady, abasourdie. Mais qu'est-ce qui m'arrive à la fin? »

La chienne pencha la tête d'un air interrogateur.

« Rassure-toi, Roussiroux, tenta-t-elle d'expliquer à la bête. C'est moi qui deviens folle en ce moment... »

Son invitée à quatre pattes se leva prestement et Mady en fit autant. Sur la table de nuit, elle retrouva le boîtier noir qu'elle avait posé là la veille. Toujours habitée par son rêve, elle voulut contempler l'anneau. Elle plissa les yeux, chercha la lumière du soleil et lut l'inscription minuscule : « M & G, à deux pour toujours. » Éprouvant une sensation de brûlure, elle s'empressa de remettre le bijou dans son boîtier et s'adressa à nouveau à la chienne :

« Tu vois, Roussiroux, c'est sans doute cette bague qui a provoqué ce rêve. Trop d'émotions, cela ne me vaut rien. Bon! Et si on parlait d'autre chose? Es-tu contente de savoir que ta maîtresse est de retour aujourd'hui? »

La chienne se mit à aboyer comme si elle avait compris.

« Bien oui! Elle t'a manqué! poursuivit Mady Lestrey en caressant l'animal. Ta maîtresse sera bien contente de te revoir aussi. Par contre, moi je serai triste. Je le reconnais. »

Mady Lestrey se demanda s'il n'était pas temps pour elle de se trouver un animal de compagnie. Son attachement à Roussiroux lui rappela avec nostalgie son bon vieux Volcan que ses parents avaient acheté quand elle était adolescente. À la mort du colley tricolore, son chagrin avait été si grand qu'elle s'était promis de ne plus avoir de chien. Pourtant, ces quelques jours passés avec la bête de sa voisine lui avait redonné le goût de s'attacher.

Mady se pencha et câlina l'épagneul qui, pressant son museau tout contre elle, se laissa faire avec grand plaisir. Puis elle se redressa et songea encore bien malgré elle à son rêve. Sans prévenir, une fine sueur coula sur ses tempes, et, prise de vertiges, Mady dut s'installer sur le lit et s'enjoindre à respirer calmement. Son malaise n'avait pas échappé à la chienne qui se prit à haleter doucement près d'elle. L'attitude protectrice de Roussiroux la fit sourire :

« Ce n'est rien, ma belle, ne t'inquiète pas. Les émotions sont fortes, c'est vrai, mais j'en ai vu d'autres. Il faut dire que là, tout se bouscule... Hier, j'ai enterré mon père! Et aussi étrange que cela puisse paraître, je suis bouleversée. Son départ me laisse confuse : je me rends compte que je suis incapable de le haïr et, pourtant, il m'a fait tellement souffrir, oui tellement... »

La chienne pencha sa tête sur le côté et gémit, comme si elle compatissait. Son empathie dura peu cependant. Par la fenêtre, la bête avait remarqué que la neige commençait à tomber. Mady savait qu'elle ne tiendrait pas longtemps à rester enfermée. Roussiroux adorait jouer dans la neige. Prise d'une impulsion, Mady ouvrit la porte-fenêtre du jardinet pour la laisser gambader après les flocons. De l'intérieur, elle observa longuement la chienne et se rappela que Volcan jouait avec le même bonheur dans la neige fraîche. Une nouvelle vague de nostalgie la submergea. Décidément, son passé la rattrapait...

Cette pensée la ramena à l'homme du cimetière, le barbu mesquin! S'éloignant de la fenêtre, elle se tourna vers le placard et retrouva bien vite, dans la poche de son manteau, le papier sur lequel elle avait retranscrit le numéro de la plaque minéralogique. Elle posa le bout de papier sur la table, l'esprit en questionnement. Elle hésitait encore à engager des recherches pour tenter de retrouver l'étrange individu.

Qu'avait-elle à gagner en perçant son identité? Quand bien même le singulier bonhomme connaissait son père, rien ne permettait de dire qu'il aurait des révélations à lui faire...

« Oui, mais si d'aventure il détenait des informations susceptibles de me faire avancer, de me faire comprendre pourquoi il a agi ainsi avec moi ou avec ma mère? »

Chapitre II

Assis derrière son bureau, Guillaume Bélanger relut une dernière fois la lettre qu'il venait d'imprimer et qu'il comptait adresser à Mady Lestrey en réponse à son dernier courrier dans lequel elle le remerciait pour la bague. Elle lui disait aussi ne pas voir d'inconvénient à ce qu'ils correspondent par courrier afin d'éviter des conflits familiaux inutiles.

Guillaume était conscient que les missives ne pouvaient en aucun cas lever le voile sur certains événements troubles de leur passé. De mauvaise grâce, il invita tout de même Mady à passer quelques jours à Montréal, avant l'été si possible.

Il soupira et songea à Connie dont il n'avait touché mot dans sa lettre. Sans doute aurait-il dû le faire, juste pour que Mady comprenne bien qu'il n'avait pas passé sa vie à se languir d'elle. Mais était-ce vraiment la réalité? Il le croyait en tout cas. Le bien-fondé de son silence ne lui apparut pas pour autant comme une évidence et, pour se donner un moment de réflexion, il se tourna vers la fenêtre. Les cristaux de neige qui s'agrippaient âprement au double vitrage lui firent froncer les sourcils. Décidément, il supportait de moins en moins le climat glacial de février. Pourtant, chaque année, aux premières neiges, il s'émerveillait encore devant la blancheur et la pureté du paysage. Oui, chaque fois, c'était le même enchantement jusqu'à ce que janvier arrive. Il détestait le froid, mais, plus encore, il abhorrait la glace qui recouvrait les rivières en cette période... Cette glace traîtresse, toujours prête à surprendre celui ou celle qui ose s'aventurer sur son territoire sans précaution. Cette phobie de la glace, car il s'agissait bien d'une phobie, remontait à son adolescence...

Brusquement assailli par de confus souvenirs, Guillaume soupira plus violemment qu'il n'aurait voulu. Il se rejeta contre son haut dossier et posa une main à plat sur sa lettre. Il n'était toujours pas certain d'avoir envie de revoir Mady.

* * *

À sa descente de l'autobus, Mady Lestrey couvrit d'un pas alerte la courte distance qui la séparait de chez elle. Le temps était assez frais. Machinalement, elle plongea une main dans la poche de son manteau et vérifia la présence de la fiche cartonnée que son amie lui avait glissée en catimini en la raccompagnant à la sortie du commissariat.

« Claire, tu me dois bien ce service! » l'avait-elle suppliée.

La fonctionnaire s'était laissée attendrir. Après tout, sa confiance en Mady reposait sur du solide. Elle avait finalement obtempéré, sans pour autant lui révéler l'adresse de l'individu dont elle avait accepté de divulguer l'identité.

Pour avoir l'adresse de cet homme, Mady devait se débrouiller autrement, ce qui lui sembla assez accessible, vu qu'elle avait son nom.

Un sourire espiègle alluma son visage : « Ainsi, le barbu mesquin se nomme Gérard Bouduvent... » Même si elle était assez fière d'avoir pu obtenir l'information sur cet homme, elle préféra ne pas parler aussitôt de sa trouvaille à Sarah et à Marianne.

Arrivée chez elle, elle se rua vers l'annuaire téléphonique. Cependant, à sa grande déception, aucun « Bouduvent » ne figura à la lettre B. Loin d'être découragée, elle songea à Internet, dont Marianne lui avait récemment vanté les avantages. C'est d'ailleurs ainsi que sa fille avait réussi à retracer Guillaume au Canada. En deux temps trois mouvements, elle sortit et se rendit chez sa voisine, Aline Leroux. Bien au fait que son fils était un fanatique de l'informatique, Mady pensa qu'il pourrait peut-être l'aider.

À peine la porte ouverte, Roussiroux, la chienne d'Aline, se précipita sur elle et lui fit la fête. Prenant une pose irrésistible, la coquine roulait sur le dos à la recherche des caresses qu'elle comptait recevoir. Mady se plia de bon gré à la demande. Quand elle se releva en soufflant un peu, elle vit son amie Aline qui l'apostropha gaiement :

« C'est toujours la même chose avec toi, Mady! Tu dis bonjour à Roussiroux avant de me saluer! Ça ne va pas du tout! »

Mady se contenta de soulever les épaules, montrant son incapacité à résister aux simagrées de l'épagneul. Très vite, elle en vint au motif de sa présence et entreprit de se renseigner.

« Alors tu veux finalement te mettre au *Ouebe*?! s'étonna Aline en ouvrant de grands yeux devant l'incongruité de la requête. Ce n'est pas trop tôt tout de même. Mon fils m'a embarquée là-dedans depuis un petit bout déjà!

— Je sais, Aline. Tu ne cesses d'ailleurs de te moquer de moi à ce sujet.

— Oh! Ce n'est pas méchant. »

Les deux femmes pouffèrent de rire. La voisine ajouta, malicieuse :

« Par contre, Roussiroux apprécie beaucoup moins ce temps que je ne passe pas avec elle! Alors, attention...

— Elle n'a pas de soucis à avoir...

— N'en sois pas si sûre! »

Après un clin d'œil entendu, de sa voix aiguë qui portait loin, Aline Leroux appela son fils. Mady se rappela avec amusement que durant l'été, avec les fenêtres grandes ouvertes, il lui arrivait très souvent d'entendre de chez elle Aline héler son fils sur le même ton.

Jacques, un jeune gaillard d'une vingtaine d'années, pointa son nez en trompette dans la cuisine où les femmes s'étaient installées. Le pull rouge du garçon semblait avoir besoin d'un lavage et Mady ne se méprit pas sur le regard courroucé de sa mère. Aline ne fit pourtant aucun reproche à son fils, sur l'instant en tout cas, et expliqua plutôt :

« Mady aurait besoin de ton aide pour l'Internet. Elle n'y connaît rien, la pauvre! »

À ce moment, un gros sourire arriva sur les lèvres d'Aline. Elle évitait même soigneusement de tourner son regard vers son amie.

« Pas de problèmes. On peut commencer maintenant si vous voulez, proposa le jeune homme.

— C'est très gentil à toi, Jacques. Je ne te dérange pas, j'espère? Tu as peut-être des travaux à préparer pour l'université? ajouta vivement Mady.

— Non, non, ça va, rassurez-vous. Si je peux vous aider, ce

sera un plaisir... L'apprentissage du maniement de la souris est un véritable ravissement, parlez-en à maman! »

L'air narquois de Jacques attira un sourire chez Mady, surtout qu'elle avait bien remarqué les joues d'Aline s'empourprer.

« Allez, vas-y, Mady. Mais ne l'écoute pas trop, car il radote parfois. Comme quoi cela n'arrive pas qu'aux vieilles personnes! Tu vas voir, une fois que tu auras fait connaissance avec le *Ouebe*, tu ne pourras plus t'y décoller. C'est pour dire, il m'arrive quelquefois d'en oublier de préparer le repas... Heureusement, il y a Roussiroux qui me fait revenir sur terre. Quand j'exagère, elle ne manque pas de me le faire savoir en aboyant ou en me tirant le pantalon. Ce n'est pas comme Jacques. Celui-là, il faut parfois le supplier pour qu'il se mette à table.

— Oh! Je doute d'en arriver là! jeta Mady. Je voudrais simplement faire une petite recherche.

— Tu manges avec nous, bien entendu? »

Mady savait que ce n'était même pas une question et qu'il était en ce cas bien inutile de refuser. Aline avait toujours le dernier mot.

* * *

En compagnie de sa sœur Manon, une jeune femme aux cheveux noirs et aux pommettes hautes, Guillaume arpentait les vastes pièces à hauts plafonds de la propriété de ses parents. Dès que cette maison avait été mise sur le marché, l'homme d'affaires qu'il était s'était empressé de la racheter. Sise avantageusement sur le boulevard Gouin, près de la rivière des Prairies, à Montréal, la maison n'avait subi aucune transformation majeure, à l'exception d'une vaste véranda, à l'arrière, qui avait été aménagée par les précédents propriétaires.

Guillaume avait déjà apporté quelques malles et cartons qui encombraient depuis des années la cave de son appartement. La plupart renfermaient des souvenirs de jeunesse et des objets ayant appartenu à leurs parents. À plusieurs reprises, Manon l'avait invité à faire ensemble le tri de toutes ces vieilles affaires. Il repoussait toujours le moment. L'achat de la maison était sans doute propice pour s'y mettre enfin, mais Guillaume se dégagea encore une fois de cette tâche en entreposant aussitôt le tout dans le grenier. C'était pour l'instant le seul endroit occupé. Le reste de la maison était vide, presque sans âme, de sorte que les murs donnaient de l'écho aux propos de Manon.

« Je ne comprends toujours pas pourquoi tu as absolument tenu à racheter la maison de notre enfance.

— Parce que c'est justement la maison de notre enfance, insista Guillaume, mi-rieur, mi-sérieux.

— Qu'est-ce que tu vas en faire? Tu as déjà un appartement gigantesque dans le centre-ville. D'accord, il manque singulièrement de charme, mais là n'est pas la question, on en a déjà parlé si souvent...

— Mon appartement actuel me convient tout à fait. Ici, j'y viendrai surtout pour me détendre, l'été, et jouir de la vue sur la rivière.

— Je ne te crois pas! Tu oublies que ces lieux sont pénibles pour toi. »

Une ombre passa dans le regard marron de Guillaume.

« Qu'est-ce qui te fait dire ça, Manon?

— Tu le sais très bien, voyons!

— Tu fais sans doute allusion à cet accident sur la glace?

— Oui.

— Bah! Il y a longtemps que je n'y pense plus, assura Guillaume, pourtant mal à l'aise.

— S'il te plaît, arrête de me prendre pour une idiote. Je te connais très bien, tu sais. »

Guillaume leva les sourcils pour faire comprendre à sa sœur qu'elle se trompait totalement. Finalement, pris d'une impulsion, il lui attrapa le bras et l'entraîna vers l'escalier.

« Allez, viens, on va voir nos chambres! »

Manon protesta, mais son frère lui lança aussitôt le défi du premier arrivé en haut. En entendant le rire de Guillaume, elle se prêta au jeu. L'instant d'après, une course folle dans l'escalier s'ensuivit, comme au temps de leur jeunesse, à cela près qu'il n'y avait plus leurs parents pour les rappeler à l'ordre. Ils arrivèrent à l'étage essoufflés mais rieurs. Manon se tenait les côtes tout en secouant la tête.

Guillaume, lui, essayait de parler tout en reprenant son souffle.

« Tu vois que cet achat est une bonne idée! Nous voilà redevenus des enfants! En fait, qui sait? Peut-être ai-je découvert le secret de la vie éternelle?

— Je n'en suis pas si certaine, mais j'avoue que tu marques un point. Ne serait-ce que de te voir rire ainsi, cela me fait du bien. »

Ils entrèrent dans la chambre qu'occupait Guillaume.

« Ah ben, ça alors! s'exclama-t-il.

— Qu'est-ce qu'il y a?

— C'est la chambre. Je la voyais bien plus grande que ça dans mes souvenirs.

— Normal. Tu as vu ta taille! De toute façon, c'est toujours l'effet que l'on a quand on revoit sa chambre d'enfance après tant d'années.

— Tu as sans doute raison. C'est quand même délirant de la revoir.

— Délirant? Oui, tu viens précisément de trouver le mot juste pour expliquer ce que tu fais ces derniers temps. »

Guillaume fronça les sourcils.

« Comment ça? Je ne comprends pas.

— Eh bien, disons que je te trouve plutôt étrange en ce moment. Tu m'as téléphoné plusieurs fois ces dernières semaines pour me parler de notre enfance, de papa et maman. Et maintenant, voilà que tu as acheté la maison où nous avons habité. Aussi, j'aimerais bien que tu m'expliques ce qui se passe. C'est tout à fait normal que je m'interroge, non?

— C'est vrai que récemment j'ai beaucoup repensé à cette époque. Je ne sais pas trop pourquoi en réalité. À moins que ce ne soit... »

Guillaume s'arrêta, ce qui ne manqua pas d'agacer Manon.

« À moins que ce ne soit quoi?

— Eh bien, ça concerne Connie et moi... »

Manon se rembrunit aussitôt.

« Connie? Mais qu'est-ce que Connie vient faire là-dedans. Je ne vois pas le rapport avec ton comportement changeant de ces derniers temps!

— Pourtant, moi j'en vois un.

— Vas-y, parle!

— Eh bien, ma sœurette, je crois qu'il y a de l'engagement dans l'air!

— Voyons, Guillaume, tu n'es pas sérieux! Connie n'est ni plus ni moins qu'une arriviste! Elle ne vise que ton entreprise et ton compte en banque bien garni, voilà tout! »

Manon n'aimait pas Connie et elle ne le cachait pas à son frère. Guillaume rétorqua, sans se formaliser :

« Tu ne penses pas ce que tu dis. Je crois que tu la juges un peu trop vite. Tu devrais la connaître davantage...

— Oh! Grand bien m'en fasse. Les rares fois où je l'ai vue m'ont largement suffi, crois-moi. D'ailleurs, si papa et maman étaient toujours en vie, ils auraient dit la même chose, j'en suis sûre.

— Laisse papa et maman en dehors de ça, veux-tu? Comment peux-tu savoir ce qu'ils auraient pensé de Connie?

— Je le sais, voilà tout! répliqua Manon à son tour, butée.

— Pfft! Tu parles. C'est peut-être ton avis, mais pas le mien. Moi, je dis que s'ils avaient eu la chance de connaître Connie, eh bien, ils l'auraient tout de suite appréciée. Puis Jake l'aime bien, lui aussi!

— Ce n'est pas surprenant que mon Jake l'aime bien. C'est un gars! Et comme tous les gars qui se respectent, la première chose qu'il remarque chez une femme, ce sont ses pare-chocs avant et arrière.

— Quelle élégance, ma chère sœur!

— Oh! Ça va, hein! Mais c'est tellement vrai... »

Le frère et la sœur se tenaient face à face à se pointer mutuellement du doigt, plus vindicatifs l'un que l'autre, essayant de blesser là où ça faisait mal. Et ils ne s'en privaient pas!

Manon soupira soudain, se rendant compte qu'elle était encore une fois allée trop loin. Son tempérament avait la fâcheuse habitude de lui jouer des tours. Aussi, c'est plus doucement qu'elle murmura :

« Pardonne-moi. Je me suis un peu emportée.

— Bah! Ce n'est rien. Je l'ai un peu cherché aussi. N'en parlons plus.

— Es-tu en train de me dire que tu vas finalement renoncer à cette fille? demanda Manon à tout hasard.

— Je n'ai jamais dit ça!

— Ah, toi alors! Quelle tête de mule tu fais! Comme d'habitude, tu es bien décidé à n'en faire qu'à ta tête.

— C'est bien à toi de dire ça, Manon. Tu es aussi têtue que moi. »

Guillaume et Manon se regardèrent, puis éclatèrent de rire. Ils se laissèrent glisser d'un même mouvement le long du mur et restèrent longuement assis côte à côte, à même les plinthes en bois. La tension semblait soudain s'être évanouie. Le silence des lieux leur tenait compagnie.

« Cette maison me rappelle tant de souvenirs, avoua Guillaume dans un murmure.

— Moi aussi. Je reste quand même convaincue que ce n'est pas une bonne idée de l'avoir rachetée. C'est vrai que nous y avons vécu de très agréables moments, malheureusement, il n'y en a pas eu que d'agréables...

— Comment peux-tu te souvenir de tout ça, toi? Tu étais bien trop petite pour t'en rappeler...

— Détrompe-toi, Guillaume. Je me souviens de plus de choses que tu veux bien le croire.

— Si tu le dis... De toute façon, ce n'est pas cette vieille histoire qui va m'empêcher de revenir ici!

— Écoute, Guillaume. Je te passe le fait que tu ne m'aies pas dit plus tôt que tu avais l'intention de racheter cette maison. Tu es dans ton droit. Tu peux dépenser ton argent comme bon te semble. Cependant, je ne comprends pas l'importance que tu lui accordes... Et ne me ressors pas que c'est à cause de Connie! »

Manon avait hésité à ramener directement le sujet de leur dispute, mais à présent elle ne voulait plus faire machine arrière. Elle espérait que Guillaume s'épanche enfin et lui explique les véritables raisons de sa démarche.

L'alchimie qui était la leur autrefois sembla produire son effet par l'entremise de ces lieux, car Guillaume commença :

« Écoute, pour être franc avec toi, je ne sais pas vraiment si cela a un rapport avec Connie. »

Manon hocha la tête :

« Ça ne serait pas plutôt parce que Mady a repris contact avec toi?

— Mady? Mais non, voyons!

— Tu es sûr? »

La tension brièvement évanouie refit vite surface.

« Écoute, je ne vois pas ce que Mady vient faire dans cette histoire. Elle n'est jamais venue dans cette maison.

— Je sais, mais... Et puis, zut! Je ne sais plus quoi penser avec toi.

— Mouais. Tu ne peux prendre de décisions à ma place. C'est ma vie! jeta Guillaume en se levant brusquement. Bon, tu viens? On a assez vu la maison pour aujourd'hui. Je dois rentrer maintenant. »

Manon avait envie de jeter un propos acerbe. Elle choisit de se taire. Elle n'obtiendrait rien de plus, c'était évident...

* * *

Au volant de sa Renault 5 verte, Mady tourna une dernière fois sur la droite en apercevant le nom de la rue correspondant à l'une des deux adresses trouvées par Jacques Leroux, le fils de sa voisine. Elle arriva bientôt devant le numéro de porte relevé. Un coup au cœur la prit lorsqu'elle reconnut presque aussitôt la voiture du barbu mesquin, Gérard Bouduvent. Elle se gara en retrait et resta là, à observer les alentours. C'était bien la Ford Sierra blanche avec la même immatriculation.

Mady soupira.

« La première adresse a été la bonne finalement! »

Bien décidée à découvrir la relation entre cet homme et son père, elle sortit de sa voiture et se dirigea jusqu'au portail donnant sur une petite maison sans étage. Elle chercha la sonnette, mais ne la trouva pas. Elle tourna la poignée et s'engagea dans l'allée. Sans hésiter un seul instant, elle frappa à la porte, également dépourvue de sonnette. Elle attendit un peu et cogna à nouveau, plus fort cette fois.

Toujours pas de réponse.

Elle n'en était pas sûre, mais il lui semblait avoir vu un mouvement dans les rideaux de la fenêtre située sur la droite. À ce moment, Mady fit quelque chose dont elle ne se serait jamais crue capable. Elle tourna la poignée et sentit la porte céder à sa poussée. Il ne pouvait alors y avoir que deux explications. Ou bien Gérard Bouduvent était absent et n'avait pas verrouillé ou bien il était chez lui mais ne voulait pas répondre.

Elle prit une grande respiration et poussa la porte du bout des doigts pour l'ouvrir plus grand.

« Monsieur Bouduvent? Vous êtes là? »

Un homme se présenta enfin dans le hall, les yeux rétrécis par la colère, à moins que ce ne fût de suspicion? Mady n'aurait su le déterminer.

« Qu'est-ce que vous me voulez? Partez où j'appelle la police! Vous n'avez pas le droit d'entrer chez moi comme ça. »

Mady reconnut sans peine le barbu mesquin du cimetière même s'il n'avait plus son hideux galurin sur la tête.

« Pourquoi êtes-vous venu à l'enterrement de mon père sans prendre la peine de vous présenter et pourquoi avez-vous fait semblant de ne pas m'entendre quand je vous ai appelé?

— Je n'étais pas venu pour vous parler, jeta l'homme, abrupt.

— Ça, je m'en serais doutée, sachant que vous ne vouliez pas m'ouvrir alors que je vous avais très bien vu m'observer derrière vos rideaux.

— Laissez-moi tranquille! Je n'ai rien à vous dire.

— Non, vous ne vous en tirerez pas de cette façon. Je ne partirai pas tant que vous ne m'aurez pas révélé pourquoi vous étiez présent à l'enterrement de mon père! J'ai le droit de savoir... »

Mady avançait d'un pas décidé tout en parlant, tandis que le mystérieux barbu reculait, incrédule.

* * *

Le jeune homme, aux cheveux d'un blond presque blanc, observa son père monter dans sa voiture. Comme chaque samedi, il le salua avec le même cliché :

« Bon, j'espère que la pêche sera bonne aujourd'hui! »

Fabian de Runay, du haut de son mètre quatre-vingts, ne l'entendait pas de la même oreille. Il était convaincu que son père lui mentait. Cela faisait plus de deux mois qu'il rentrait presque toujours bredouille. Pas un seul poisson dans son épuisette, alors qu'on le savait bon pêcheur. Le jeune homme de vingt-trois ans n'était pas dupe, et ces deux truites ramenées la dernière fois ne suffiraient pas à noyer ses soupçons. Après avoir accompagné son père de nombreuses fois quand il était enfant, il avait appris à reconnaître la différence entre des poissons tout juste pêchés et ceux provenant du poissonnier du coin. En outre, c'était sans compter la fois où son père avait oublié de prendre ses appâts avant de partir. Il n'avait fait aucun commentaire sur son oubli à son retour, se contentant simplement de dire que la pêche n'avait pas été bonne à cause du vent changeant.

Le jeune homme tentait tant bien que mal de s'en dissuader, mais il était presque certain que son père avait une maîtresse. Il n'en avait certes pas la preuve, pourtant ça sautait aux yeux. En tout cas aux siens, car sa mère semblait n'avoir aucun soupçon, ou sinon, elle feignait très bien. « Qu'a-t-il bien pu se passer pour qu'ils en arrivent là? se questionna Fabian en voyant la voiture de son père s'éloigner. Tout semblait si bien aller entre maman et lui. » Il ne comprenait vraiment pas.

Fabian rentra déçu et se dirigea dans le bureau paternel, situé à l'étage. Sa mère et sa sœur regardaient la télévision en bas, dans le salon. Il avait le champ libre. Il ressentait toutefois une sueur froide le long du dos. Il ferma silencieusement la porte derrière lui et entreprit d'observer les lieux, sans rien toucher de prime abord.

Le bureau était impeccablement ordonné, comme d'habitude, à l'image de son père, Valery de Runay. Fabian ne savait pas exactement depuis combien de temps l'envie le démangeait de fouiller dans les quartiers très privés de son père. Il y avait toujours eu comme un mystère qui planait en ce lieu. Entre autres, ses absences brutales et impromptues qui ne semblaient pas reliées directement à sa profession.

Valery de Runay était depuis longtemps considéré comme un éminent gynécologue obstétricien. Il était reconnu par ses pairs pour ses nombreux écrits dans le domaine mais aussi pour les accouchements difficiles dont il s'était fait le spécialiste dans toute la région normande. Il adorait son métier et ne se privait pas de le dire et le répéter. Espérait-il ainsi inciter ses enfants à suivre ses pas? Malgré ses efforts, il n'avait pu convaincre ni son fils ni sa fille de faire médecine. Fabian étudiait en art, et sa jeune sœur Sylvie se destinait à une carrière de comédienne.

Le jeune homme poussa doucement le carnet de consultations. Tout ce qui était médical lui faisait horreur. Il ne supportait pas la vue du sang et tournait de l'œil à la moindre entaille. Ce comportement peu viril lui avait d'ailleurs valu pas mal de problèmes à l'école. Il avait été des années durant la tête de turc dans différents établissements jusqu'à ce qu'il trouve sa voie. Sa stature malingre n'avait pas aidé non plus. Devant sa placidité, les autres avaient fini pourtant par se lasser, se tournant vers un autre, plus coopératif peut-être. Fabian s'était dès lors ouvert un peu plus et fait des amis, de véritables complices. Une certaine réserve néanmoins colorait toujours son approche. Son passé de souffre-douleur l'avait amené à se forger une carapace que seule sa sœur Sylvie parvenait à percer. Il n'hésitait pas non plus à intervenir quand des plus jeunes se faisaient molester devant lui...

Fabian chassa ses pensées d'un mouvement de la main et ouvrit le tiroir de droite. Du bout des doigts, il consulta les papiers trouvés. Il ne savait trop quoi ni où chercher. « Et quand bien même ton père aurait une liaison, lui disait une petite voix, cela ne te regarde pas. »

* * *

Dans le salon du barbu mesquin, Gérard Bouduvent, l'heure était aussi à la recherche de la vérité.

« Oui, je connaissais Arthur... Depuis not' jeunesse, on était toujours fourrés ensemble.

— Pourquoi ne pas nous l'avoir dit quand vous nous avez salués lors de l'enterrement? »

L'homme parut mal à l'aise.

« Je sais pas. Les mots m'ont manqué. J'ai pas pu ouvrir

la bouche. Puis je savais que ces dernières années avaient été difficiles pour lui...

— Que voulez-vous dire? questionna Mady, pas très certaine de comprendre à quoi Gérard Bouduvent faisait réellement allusion.

— Eh bien... sur ses problèmes de boisson, quoi!

— Vous étiez au courant.

— Oui. Bah! il n'était pas le seul à connaître ces problèmes, croyez-moi. Pendant longtemps, j'ai connu le même enfer, moi aussi. »

À la suite de cet aveu, le ton de Mady se fit plus conciliant, même si elle persévérait dans ses réserves. Elle était consciente que, pour tirer quelque chose de cet homme, elle se devait de faire des efforts.

« Cela n'a pas dû vous faciliter la vie pour vous en sortir, tous les deux...

— C'est vrai. Si j'avais pas été aussi porté sur la bouteille, j'aurais peut-être pu l'aider à s'en sortir à l'époque où on traînait encore ensemble.

— Et aujourd'hui? osa demander Mady. Êtes-vous arrivé à surmonter cette épreuve, sans vouloir être trop indiscrète. »

Le ton narquois échappa à l'homme. Il était déjà parti dans ses souvenirs associés à cette période sombre de sa vie...

« Depuis un an, deux mois et onze jours, je n'ai pas touché à un seul verre d'alcool. Comme bien d'autres, grâce aux Alcooliques anonymes, je m'en suis sorti. Il était temps. J'avais touché le fond, si vous voyez ce que je veux dire... J'ai causé la ruine de mon couple. Ma femme m'a quitté depuis dix ans. Elle n'a pas eu la vie facile avec moi. À présent, je vis plus qu'avec mes regrets et ma maigre pension de retraité.

— Je suis désolée. »

Mady ne savait trop quoi dire, mais elle se voulait sincère.

L'œil de Gérard Bouduvent traîna sur elle, puis un rictus monta du coin des lèvres. Il jeta :

« Bah! vous avez pas à l'être. J'ai été un vrai salaud, vous savez. Y a pas d'autres mots.

— Je suis contente pour vous... enfin, que vous ayez pu vous tirer de ce cauchemar. J'aurais aimé que mon père puisse en faire autant.

— C'est loin d'être facile, vous savez. Le plus dur, je crois, c'est de se pardonner le mal qu'on a fait aux autres... »

Mady tiqua.

« Oui, sans doute. »

L'homme continua :

« Il faut d'abord affronter ses démons et demander pardon à ceux qu'on a mille fois trompés. Puis, même si vot' entourage fait preuve d'indulgence et de compréhension, il est impossible de réparer tout le mal qui a été fait. C'est vraiment dommage qu'il soit parti sans avoir eu le temps de faire la paix avec sa famille. »

Mady éluda et serra le poing involontairement. L'homme prêchait à une convaincue.

« Si au moins je pouvais m'expliquer pourquoi mon père en est arrivé là?

— Vous savez, le plus souvent ça vient progressivement... On se laisse entraîner entre copains. C'est comme ça que ça s'est passé avec Arthur et moi. Il y avait aussi Adrien et Maurice à cette époque. »

Mady secoua la tête, montrant son ignorance.

« Adrien et Maurice?

— On était toujours ensemble, tous les quatre. On s'est rencontrés en jouant dans la rue, puis on a fréquenté la même école. Plus tard, on a voulu jouer aux durs... les bagarres... et les beuveries... Enfin, vous voyez ce que je veux dire?

— Les quatre cents coups entre copains. »

Le sourire n'échappa pas à Mady. L'homme semblait regretter cette époque lointaine baignée par une amitié à toute épreuve.

« Voilà. Puis un beau jour Gisèle... enfin, vot' mère... est apparue dans le décor. Faut dire que c'était un beau brin de fille. Pas étonnant que nous soyons tous les quatre tombés sous son charme. C'est finalement Arthur que vot' mère a choisi.

— C'est tout de même étrange que mes parents ne nous aient jamais parlé de la façon dont ils s'étaient rencontrés...

— C'est pourtant ce qui s'est passé! Pour en revenir aux amours de vos parents, il s'en est fallu de peu pour que Gisèle choisisse le frère d'Arthur... »

L'homme se mit à rire en secouant la tête.

« Son frère? arrêta Mady. De qui parlez-vous au juste?

— Eh bien de Maurice! répondit Gérard Bouduvent, tout aussi surpris par la remarque de Mady.

— Vous voulez parler du Maurice qui faisait partie de votre bande de copains?

— Oui.

— Écoutez, là je suis un peu perdue. Mon père avait un frère? »

Gérard Bouduvent ne put réprimer son étonnement. Il souleva les épaules comme une évidence.

« C'est bien ce que j'ai dit. Vous le saviez pas?

— Non, je vous assure. Mon père, pas plus que ma mère d'ailleurs, ne nous ont jamais dit que nous avions un oncle de ce nom. Vous êtes bien certain que vous ne confondez pas?

— Alors là, je peux vous assurer que non! On était inséparables. On se connaissait comme les doigts de la main... »

Visiblement troublée par cette révélation et par la surprise manifeste de son interlocuteur, Mady Lestrey resta silencieuse un moment. Elle avait beau chercher au plus loin de son enfance, jamais, elle en était quasiment sûre, on ne lui avait parlé de cet oncle Maurice. Prise d'une inspiration soudaine, elle chercha à en savoir plus :

« Et où se cache ce frère? Vous le savez?

— Heu... Attendez un peu... Aux dernières nouvelles, c'est-à-dire, y a pas mal d'années déjà, il vivait en Australie. Je pourrais pas vous dire s'il habite encore là-bas, et encore moins s'il est toujours en vie! En vingt ans, il peut s'en passer des choses, vous savez. »

Mady était à nouveau songeuse. Elle apprenait maintenant que le frère de son père vivait peut-être en Australie. Un pays qui l'avait si souvent attirée pour ses grands espaces et son côté sauvage... Un peu comme le Canada. À brûle-pourpoint, elle demanda :

« Vous disiez un peu plus tôt que mon père avait failli perdre sa place de prétendant auprès de ma mère?

— Oui, c'est bien ça. Ah! On peut dire que ç'a pas été facile pour vot' mère au milieu de nous quatre. Même si je sortais avec sa meilleure amie, Simone, on était tous derrière elle... à commencer par Adrien... que Dieu ait son âme.

— Il est mort?

— Oh! ça remonte à loin déjà. Sa mort nous a tous portés un sale coup. En fait, il a été le premier à fréquenter vot' mère... jusqu'à ce qu'il nous la présente. Il aurait probablement pas dû. Il a eu du fil à retordre avec Arthur et Maurice. C'était de véritables voraces, tous les deux, vous savez... toujours prêts à prendre le meilleur morceau et à se le disputer. Adrien, lui, c'était le bon gars.

— Et vous? osa demander Mady, peu encline à l'enlever du tableau de chasse.

— Oh, moi! J'étais ni l'un ni l'autre. D'ailleurs, il y avait Simone. Du moment que ça faisait l'affaire de tout le monde, ça me convenait. J'étais pour ainsi dire le dernier de la liste parmi les prétendants de vot' mère. Il en fallait un de toute façon.

— Si je comprends bien, ma mère aurait pu faire sa vie avec mon oncle. Que s'est-il passé pour que mon père soit l'heureux élu?

— Tout ça remonte à loin! »

Mady fit la moue.

« ...

— Désolé, mais c'est tout ce que je peux vous dire à ce sujet. Après la mort d'Adrien, not' bande s'est dissoute. J'ai su un jour que Maurice était parti pour l'Australie. Arthur est resté avec vot' mère. Moi, je me suis engagé dans l'armée. J'y suis resté cinq ans avant de revenir dans la région. C'est à cette époque qu'Arthur et moi on a repris contact... avec les bons et les mauvais moments qui ont suivi... C'est sûr, j'ai pas été d'un grand secours pour vot' père, je dirais même que c'est plutôt le contraire...

— Que voulez-vous dire?

— Que les souvenirs de not' jeunesse insouciante nous ont rattrapés et ont fini par prendre le dessus. Aujourd'hui, on n'y peut plus rien. Le mal qui a été fait ne peut être balayé d'un coup. Arthur est plus de ce monde maintenant. Que Dieu ait son âme, lui aussi! »

Mady comprit que Gérard Bouduvent ne lui en apprendrait pas plus sur son père. Son esprit semblait s'être fermé tout d'un coup, comme s'il avait cherché à bloquer les souvenirs de ces années de descente aux enfers. Elle se leva doucement et le remercia d'avoir bien voulu lui accorder ces instants. Quand la porte se fut refermée, l'impression d'un vide intérieur la submergea. Elle s'employa à la combattre. Finalement, elle avait obtenu quelques éclaircissements, dont un de taille, sur le passé de son père. Ce n'était déjà pas si mal. Elle monta au volant de sa Renault 5 et rentra sur Pincourt.

Se cachant derrière le rideau de la fenêtre du salon, Gérard Bouduvent observa le départ de la fille de son vieil ami. Tous ces souvenirs ressassés avaient fini par chambouler sa quiétude précaire. À en juger par le tremblement de sa main droite qu'il ne pouvait contrôler, l'entretien l'avait éprouvé bien au-delà. Sa faiblesse se transforma en colère. Pour se soulager, il donna un violent coup sur la table en formica, avant de crier aux murs silencieux et froids :

« Mon Dieu, qu'est-ce que j'ai fait ? J'ai pas eu le courage de tout lui dire. Je suis rien qu'un misérable et je vaux pas mieux que Martinon ! Je serais aussi bien de crever là et de le rejoindre... »

* * *

Quelques jours plus tard, Sarah rattrapa sa sœur avant que cette dernière ne parte au volant de sa voiture.

« Mady. J'ai oublié... Tu m'avais dit vouloir récupérer les affaires de papa et maman pour les trier.

— C'est vrai. Je voulais te donner un coup de main. J'ai complètement oublié.

— Ce n'est pas grave. J'ai déjà commencé. Je te propose de prendre tout de suite les quelques cartons qui sont dans mon coffre arrière et de les trier chez toi. Ça te va ?

— Je ne veux pas que tout l'odieux de la tâche repose sur toi.

— Merci, Mady. Pour le reste, il faudrait aviser ensemble. Il y a des photos de famille. J'en ai trouvé plusieurs de nous, petites. »

Mady se mit à sourire.

« J'ai bien hâte de les voir.

— Au fait, je voulais te demander comment s'est passée ta soirée avec Jeremiah.

— Oh! C'était une agréable soirée, comme d'habitude.

— Pas plus?

— Ben, oui! Qu'est-ce que tu veux que je te dise de plus?

— Je ne sais pas, moi... qu'un jour prochain, vous deux... » Mady haussa les épaules en écartant ses deux mains.

« Mouais. Cette relation n'a pas l'air de t'emballer plus que ça. Est-ce que je me trompe?

— Jeremiah est charmant...

— Mais...

— Mais rien, je t'assure. On a du plaisir à être ensemble, à discuter.

— Bah! Après tout, rien ne t'oblige à t'engager plus que ça si tu ne le souhaites pas.

— Je te trouve bien entreprenante, Sarah. Serais-tu devenue conseillère matrimoniale depuis peu?

— Ça se pourrait... À mes temps perdus.

— Dans ce cas, je ne manquerai pas de faire appel à tes services si besoin. »

Les deux sœurs transportèrent les cartons, puis Mady s'en alla. Sur la route, à mi-chemin de chez elle, elle dut combattre l'envie de s'assoupir. Histoire de se stimuler, elle se gara sur le bas-côté et sortit quelques minutes. La fraîcheur lui fit du bien sans pour autant la réveiller tout à fait. Le reste du trajet lui parut si pénible qu'une fois arrivée chez elle, elle préféra laisser les cartons dans la voiture et se coucha sans même prendre une bouchée. Une terrible migraine s'était ajoutée à son épuisement. Mady était sujette à de nombreux maux de tête ces dernières semaines. Elle commençait à penser sérieusement à prendre un rendez-vous avec son médecin. Elle remit sa décision à plus tard et finit par s'endormir après avoir pris deux aspirines.

Chapitre III

Guillaume Bélanger avait invité sa sœur dans un restaurant du centre-ville de Montréal dans le but avoué de la convaincre...

« Je t'assure, Manon, tu es la personne la plus qualifiée pour donner à cette maison le charme qui lui convient.

— J'ai compris, inutile d'en faire des tonnes.

— Tu veux bien alors?

— Au risque de le regretter, je veux bien meubler et décorer cette immense maison que tu as fait la folie d'acheter!

— Je ne sais comment te remercier! » lui murmura Guillaume, attendri.

La jeune femme leva un bras en pinçant les lèvres.

« Tu me diras merci quand ce sera fini... Cela ne te plaira peut-être pas!

— Je suis sûr du contraire. Tu as un goût inégalable dans ce domaine. Tu devrais même te lancer en affaires.

— Tu me l'as si souvent répété que j'aurais déjà fait fortune!

— Ah! Tu vois!

— Cesse tes flatteries, j'ai déjà accepté! Maintenant, dis-moi plutôt ce qu'en pense Connie. »

Manon savait qu'elle prenait Guillaume de court et ne s'en cachait pas. Elle esquissa même un sourire quand elle vit son frère remuer sur sa chaise, soudain le regard au loin.

« Connie n'aime pas trop ce qui a trait aux aménagements.

— Bien. Voilà un point qui vous rapproche au moins...

— C'est-à-dire?

— Écoute, Guillaume, tu vis ta vie comme tu l'entends, c'est vrai. Mais il me semble que si vraiment vous deviez vous mettre ensemble tous les deux (Manon avait du mal à croire que c'est elle qui disait ça), et que vous deviez habiter cette maison, il serait préférable qu'elle participe à la décoration. Cela deviendra son univers tout de même.

— Manon, tu t'inquiètes pour rien. Tu gères ça à ta guise, je te donne carte blanche.

— Nous aurions peut-être pu arriver à nous entendre en faisant ce projet ensemble », insista encore Manon, conciliante pour une fois.

Guillaume secoua la tête, quelque peu incrédule. Il apprécia néanmoins la sincérité de sa sœur.

Dans un sourire de biais pourtant, il jeta, par-dessus sa tasse de café :

« Vous vous arracheriez le chignon en moins de deux. J'en suis sûr... »

Manon n'insista pas. Après tout, elle considérait qu'elle avait fait tout ce qu'elle pouvait à ce propos. Elle abhorrait l'idée d'avoir Connie comme belle-sœur, mais voulait faire avec malgré tout, si c'était le choix de Guillaume. D'un ton léger, elle poursuivit :

« Tu sais que je vais écumer les salles de ventes, les antiquaires...

— Je t'ai donné le budget que je voulais y consacrer... À toi de jouer maintenant. C'est toi l'artiste. J'y mettrai une seule condition cependant.

— Laquelle?

— J'aimerais que la décoration soit terminée pour avril. »

Manon ne releva pas l'échéance. Elle se contenta d'analyser intérieurement cette donnée en supposant que cette date devait correspondre au moment où Guillaume et Connie prévoyaient se marier. Un frisson la parcourut bien malgré elle...

* * *

Après une courte sieste, Mady apprécia la disparition de son mal de tête. Sans plus attendre, elle se décida à extraire de la voiture les effets de ses parents. Bientôt le dernier carton reposa sur le sol, dans le couloir. N'ayant guère de place pour les stocker longtemps, elle s'astreignit à installer les boîtes dans un endroit où elle devrait les trier rapidement. Elle savait qu'elle ne supporterait pas de les voir traîner là indéfiniment. D'ailleurs, elle avait hâte de s'en débarrasser. Elle se promit de commencer dès le lendemain après son travail, puis se rendit dans la salle de bain.

Mady était première vendeuse dans une boutique de vêtements pour enfants depuis plusieurs années. Elle était appréciée à sa juste valeur. En retour de sa constante fidélité et disponibilité, son employeur lui rendait la vie facile en lui laissant une grande liberté, aussi bien dans l'organisation de son travail que dans le choix de la période de ses vacances. Elle n'abusait toutefois jamais de cette confiance.

Sous la douche, elle attrapa son tout nouveau « Gel douche à la fleur de lotus du Laos » et huma son parfum délicat et apaisant. Ce simple geste était déjà une invitation au voyage. Elle se frictionna avec délectation, voulant à tout prix évacuer l'abattement persistant qui l'assaillait à tout moment depuis quelques jours.

Ce soir-là, en dépit de ses précautions, le sommeil lui fit faux bond! Après s'être retournée pour la énième fois, elle repoussa finalement les couvertures d'un geste rageur.

« Soit! Je vais commencer une boîte maintenant! »

Le silence de la pièce sembla approuver sa décision. Le carton sur le lit, elle commença à déballer des photos. Elle fit méthodiquement trois paquets distincts. Un pour Sarah, un autre pour elle et le dernier pour remettre dans le carton. Elle s'arrêta sur une photo où elle se découvrit soudain toute petite, quatre ou cinq ans pas plus, et entourée de ses deux parents. Quand, machinalement, elle retourna le cliché en noir et blanc, l'écriture de sa mère lui confirma qu'elle avait quatre ans à l'époque. Elle portait une salopette claire et des couettes. Sur la droite, un peu en retrait, elle distinguait vaguement un autre homme qui semblait jouer avec Sarah. Mady fronça les sourcils puis haussa les épaules. Elle reposa la photo dans sa pile et poursuivit son tri. À quelques reprises, le même homme apparut sur les clichés. Elle en déduisit que c'était quelqu'un de la famille ou un ami. À moins qu'il ne s'agisse de cet oncle Maurice? Elle se demanda un bref instant ce qu'était réellement devenu ce mystérieux parent. Les photos passées en revue, elle bâilla longuement et reposa le carton, vidé de moitié, sur le sol. Elle eut momentanément la tentation de se lancer à fond dans la pile de lettres entassées dans une boîte aux couleurs passées, mais, après les avoir effleurées du bout des doigts, elle décida de surseoir l'opération.

« Demain! » s'exhorta-elle en se forçant à se recoucher.

Le sommeil eut finalement raison d'elle et elle sombra dans un méandre de rêves plus ou moins agréables. L'un d'eux était particulièrement abracadabrant. Il s'agissait d'un grand kangourou brun qui venait sonner à sa porte. Il avait un bébé humain dans sa poche... Dans un autre, elle se retrouvait dans un couloir... qui lui semblait très familier. Puis soudain, son père surgissait au beau milieu de ce couloir inhospitalier. Il s'adressait à elle en criant. Une phrase revenait toujours :

« *Tu étais la chair de ma chair.* »

Mady tentait de parler, mais elle en était incapable. Puis il reprenait, sur un ton toujours hargneux :

« *Il n'y a rien de pire que de ne pas savoir... Ne pas savoir... Ne pas savoir...* »

Mady cria et se retrouva assise dans son lit, les yeux exorbités et sa chemise de nuit trempée par la sueur. Elle pressa le bouton de sa lampe de chevet pour empêcher la noirceur de poursuivre son œuvre malsaine et se mit à pleurer.

Elle prit conscience qu'elle croyait avoir fait le deuil de toutes les méchancetés de son père. Il n'en était malheureusement rien. Comme elle aurait voulu le haïr pour soulager un peu sa douleur. C'était au-dessus de ses forces!

« *Ne pas savoir, ne pas savoir...* »

Mady avait l'impression d'entendre encore ces mots qui l'avaient sortie de son sommeil comme si les murs eux-mêmes en étaient imprégnés. Elle pressa ses deux mains autour de son crâne comme pour en extraire ces paroles sournoises. Afin de se sortir d'un état d'angoisse qui semblait vouloir grandir, elle se leva et retira sa chemise de nuit. Il était trois heures du matin. Elle se doucha, enfila un tee-shirt long posé sur la machine à laver. Dans la cuisine, elle avala un verre d'eau avant de retourner se coucher.

De retour dans sa chambre, pour s'évader des voix intérieures qui menaçaient de la reprendre, elle syntonisa sur son radio-réveil une station de musique de jazz. Son stratagème réussit : le sommeil la rencontra de nouveau aux alentours de quatre heures.

* * *

Guillaume discutait avec son collaborateur, Grégoire Mongoufier, quand le téléphone sonna. Il s'excusa rapidement et décrocha le combiné.

« Guillaume Bélanger, j'écoute. »

Il s'enfonça dans son siège. Grégoire Mongoufier se leva dans l'intention de sortir, mais Guillaume lui demanda d'un mouvement de la main de rester.

L'homme se plia de bonne grâce et retourna à son fauteuil où, pour tromper le temps, il se frotta la barbe, une barbe naissante assortie à ses cheveux, qu'il avait aussi roux et touffus qu'un écureuil.

Grégoire Mongoufier travaillait au sein de la compagnie en tant que directeur depuis près de cinq ans. Engagé comme assistant, au départ, ses idées de développement de la société avaient rapidement plu à Guillaume Bélanger qui n'avait pas tardé à lui proposer le poste de directeur. C'était justement sur l'un de ses projets qu'ils discutaient avant que le téléphone ne sonne. Guillaume Bélanger et lui étaient cependant en désaccord sur la question de la mise en marché. Ennuyé par le fait que ce coup de fil compromettait le savant réquisitoire qu'il avait répété depuis le matin, et gêné d'assister à une conversation d'ordre privé, Grégoire Mongoufier se mit à se tortiller sur sa chaise. La discussion ne le regardait certes pas, mais il ne pouvait s'empêcher d'écouter. Guillaume s'exprimait d'une voix parfois douce, parfois plus ferme. Il avait compris qu'une femme se trouvait à l'autre bout du fil et, enfin, qu'il était question d'un rendez-vous.

Guillaume Bélanger soupira puis reposa le combiné sans un sourire.

« Désolé de t'avoir fait attendre si longtemps.

— Mauvaise journée, on dirait. »

Guillaume confirma d'un hochement de tête.

« Ce n'est pas important. Bien, continuons! »

Grégoire Mongoufier souhaitait mettre en avant son point de vue, mais ne savait plus trop comment le présenter. L'interruption l'avait quelque peu déstabilisé dans sa lancée. Il se jeta tout de même à l'eau sans tergiverser davantage :

« Pour être franc avec toi, Guillaume, j'ai du mal à concevoir la pertinence de cette étude de marché que tu préconises au préalable. Il n'y a pas de raisons d'attendre plus longtemps. Si nous ne prenons pas l'occasion qui nous est offerte maintenant, il sera trop tard.

— Peut-être bien, mais ce n'est pas de cette façon que je fonctionne, et tu le sais. Sans étude de marché, je n'engagerai pas les fonds de la compagnie dans ce projet. »

Le ton de Guillaume ne laissait rien paraître de ses pensées, et Grégoire Mongoufier sentait ses mains moites.

« Bien, comme tu voudras.

— Attends, je crois que tu interprètes mal ma pensée. Je ne rejette pas ton projet, loin de là. Je trouve simplement qu'il n'est pas encore prêt à être exploité.

— C'est bon, Guillaume, j'ai compris. Laissons tomber pour le moment. »

* * *

Mady, de retour du travail, se prépara un repas rapide puis s'installa devant une tasse de café en regardant le journal télévisé. Comme elle n'accrochait pas aux informations présentées, elle quitta le salon pour trier un peu plus les affaires de ses parents. Elle passa un coup d'œil rapide à la première liasse de lettres. Il y en avait une dizaine. Elles commençaient presque toutes par *Ma petite paloma*. Mady se mit à sourire en imaginant son père et sa mère amoureux et se donnant de doux noms.

« Paloma, je crois que cela veut dire colombe en espagnol », soupira-t-elle en caressant les mots du bout des doigts.

Ces paroles étaient bien loin de correspondre à celles qu'elle avait entendues de la bouche de son père durant la plus grande partie de sa vie. Elle reposa les lettres, ne se permettant pas de les lire. Devait-elle vouer à l'oubli ces reliquats reflétant si peu la réalité de leur famille? Finalement, elle les déposa avec sa pile personnelle de photos et poursuivit le tri.

« C'est sans doute maman qui a conservé toutes ces lettres, en souvenir de jours heureux! » pensa-t-elle, mélancolique.

Quand la sonnette de l'entrée résonna, elle avait entamé le second carton. Elle se leva avec un manque d'entrain évident. Elle fut tout à la fois surprise et heureuse de découvrir sa sœur.

Sarah entra vivement tout en s'exclamant :

« Bonjour, Mady. Désolée de venir encore une fois chez toi à l'improviste. J'ai préféré te remettre directement ceci (Sarah montrait une enveloppe.) C'est arrivé aujourd'hui dans ma boîte aux lettres. »

Mady fronça les sourcils en interrogeant sa sœur du regard.

« Qu'est-ce que c'est? » questionna-t-elle en acceptant l'enveloppe oblitérée par des timbres géants aux couleurs tropicales.

« Ouvre, tu verras. Cela nous concerne toutes les deux. »

Plus enthousiaste qu'elle ne l'aurait cru, Mady extirpa de l'enveloppe une lettre qu'elle lut sans plus attendre. Gênée, elle releva la tête et regarda Sarah...

« Cette lettre vient d'Australie...

— Oui, moi qui croyais que nous n'avions plus aucune famille en dehors de nous, souffla Sarah.

— C'est normal, c'est ce que papa et maman nous ont toujours dit », jeta doucement Mady, de plus en plus mal à l'aise.

Sarah ne remarqua toujours rien; elle poursuivit plutôt :

« Et cet homme prétend être notre oncle. Je ne sais pas comment il a su que papa était récemment décédé. Toujours est-il que ce qu'il évoque est assez intrigant.

— En effet! Écoute, Sarah... »

La phrase à peine entamée resta sur les lèvres de Mady, car sa sœur l'interrompit pour se questionner :

« Pourquoi ne nous fait-il connaître son existence que maintenant?

— Papa et lui étaient fâchés?

— Mmm! Tu as sans doute raison. Ça expliquerait probablement pourquoi papa et maman ne nous ont jamais parlé de lui. Mais dis-moi, Mady. Tu ne sembles pas si surprise d'apprendre que nous avions un oncle qui vivait en Australie... Tu as encore fait un rêve prémonitoire ou quelque chose du genre? »

Mady se mit à rire doucement pour cacher son malaise.

« Ce n'est pas ça. En fait, c'est moi qui lui ai écrit pour lui annoncer la mort de papa. J'ai appris, tout récemment, que papa avait un frère qui était parti vivre là-bas, et j'ai entrepris des recherches pour le retrouver. »

Sarah fronçait régulièrement les sourcils en écoutant les explications de sa sœur.

« Mais comment as-tu su que papa avait un frère? Puis pourquoi ne pas m'en avoir parlé plus tôt? »

Mady se mit à raconter toute l'histoire, survolant brièvement son entretien avec Gérard Bouduvent et sa recherche de l'oncle d'Australie. Ne voulant pas froisser inutilement sa sœur, elle chercha à la rassurer sur son silence, lui expliquant qu'elle avait toujours reporté l'annonce de son initiative faute de moment propice pour ce faire. Si Sarah la crut sur parole, une question la titillait toujours :

« Mais pourquoi est-ce chez moi que la lettre est arrivée?

— Il a peut-être choisi de nous répondre à ton adresse ou bien il a fait une erreur en recopiant les adresses, je ne sais pas. Je lui avais indiqué nos deux coordonnées au cas où il souhaiterait t'écrire. En un sens, cela prouve que je n'ai jamais eu l'intention de te cacher mes démarches... J'espère que tu ne m'en veux pas trop.

— Bien sûr que non. Ce n'est pas comme si j'avais brusquement appris un malheur ou l'existence d'un frère ou d'une sœur inconnus. C'est une bonne nouvelle. C'est assez spécial d'apprendre qu'on a de la famille dans un autre pays. Cela dit, sœurette, la prochaine fois que tu donnes mon adresse à quelqu'un, préviens-moi.

— C'est promis, Sarah. »

Le sourire de connivence des deux sœurs ne laissait pas insensible.

« Il est plutôt bel homme. As-tu remarqué qu'il nous a aussi glissé une photo? »

Mady fouilla dans l'enveloppe et en sortit un cliché qu'elle observa longuement.

« En effet, il n'est pas mal. Il a une ressemblance avec papa. Son visage me dit quelque chose... Je suis presque sûre de l'avoir aperçu sur certaines photos que j'ai triées, hier.

— Ça confirmerait qu'il dit vrai et qu'il est bien de la famille. »

Mady entraîna Sarah dans sa chambre et disposa côte à côte la photo reçue et les clichés plus anciens. Leur examen attentif permit aux deux sœurs de corroborer la version de cet oncle nouvellement apparu dans leur vie. De concert, elles élaborèrent un moyen de le rencontrer.

* * *

Fabian de Runay persévérait dans ses recherches. Ses deux premières investigations dans le bureau de son père n'avaient rien donné de concluant. Il poussa plus loin cette fois en accédant directement à l'ordinateur. Il savait que son père avait l'habitude de tout reporter sur son PC. Toutes les informations pertinentes sur ses affaires, ses occupations ou ses contacts devaient s'y trouver forcément, de sorte que Fabian finirait sans doute par trouver quelque chose sur les raisons qui poussaient Valéry de Runay à mentir à sa famille.

Muni de sa clé USB afin de pouvoir sauvegarder rapidement toutes les données jugées intéressantes, le jeune homme écumait méthodiquement chaque dossier. De temps en temps, quand un fichier lui paraissait plus pertinent, il le copiait pour pouvoir le consulter plus tard en toute sécurité. En bon limier des temps modernes, et pour éviter d'être surpris en flagrant délit, juste à côté, il avait posé son portable, qu'il avait eu soin de relier à deux mini-caméras de type webcam, placées à l'entrée de la maison et en haut de l'escalier. Le système qui devait le protéger de toute intrusion semblait impeccable. Il n'empêche qu'il y jetait régulièrement des regards inquiets et que son cœur battait à tout rompre.

Tandis qu'il passait en revue une liste de fichiers, il s'arrêta soudain en voyant le nom de sa sœur et le sien apparaître dans un même dossier. Son cœur s'accéléra.

* * *

Mady rendit visite à Sarah et lui tomba littéralement dans les bras. Vanessa, la benjamine de la famille, apparut brièvement pour saluer sa tante.

« Wow! Quelle couleur de cheveux! » s'exclama Mady en s'adressant à sa nièce.

La jeune fille ne fit aucun commentaire et partit directement dans sa chambre en courant.

« Je n'arrive pas à un bon moment, on dirait? comprit Mady en se tournant vers sa sœur. Que se passe-t-il? »

Mady avait chuchoté. Sarah leva la main en lui faisant signe de se rendre au salon.

« Ce n'est rien. Elle voulait aller dormir chez son amie, et j'ai refusé... Ça lui apprendra à se faire teindre les cheveux sans m'en parler au préalable, et... »

Sarah s'arrêta sur sa lancée. Pour la dérider un peu, Mady essaya de tergiverser :

« Ça lui va plutôt bien, pourtant, même si ça ne ressemble pas à grand-chose...

— Mouais. Difficile de donner un nom à ça.

— Oh! Ce n'est sûrement qu'une passade. Elle a sans doute voulu vivre une nouvelle expérience pour être dans le coup avec ses copines... On est passées par là, nous aussi. Tu ne l'aurais pas déjà oublié, j'espère?

— Non, c'est vrai... Bon, je te sers quelque chose?

— Je prendrais bien un café. Tu m'accompagnes?

— D'accord. »

Sarah revint quelques instants plus tard, un plateau dans les mains. Les deux sœurs restèrent silencieuses un long moment, absorbées dans leurs tasses et leurs pensées. Sarah avoua enfin :

« Bon, tu as compris qu'il y a autre chose... J'ai quelques difficultés avec Vanessa.

— Je t'écoute.

— Elle a été renvoyée du collège pour deux jours. Elle s'est battue avec une autre fille. D'après le directeur de l'école, c'est Vanessa qui a commencé.

— L'autre fille n'a rien de grave au moins?

— Non, non, ça va. J'ai rencontré la maman et nous avons eu une discussion à ce sujet. Plutôt houleuse, l'ambiance! Je crois tout de même que sa fille est à l'origine de cette histoire, mais Vanessa n'a pas voulu m'en dire plus.

— Ce n'est pourtant pas dans les habitudes de Vanessa de se battre. Il va falloir qu'André et toi soyez vigilants.

— C'est ce qu'on s'est dit. Ah! j'espère de tout cœur qu'il s'agit d'une passade, comme tu disais, pour son nouveau look.

— C'est peut-être d'ailleurs pour vous passer un message de détresse qu'elle s'est fait faire cette teinture, envisagea Mady. Qu'en penses-tu?

— Possible. Il va falloir que nous ayons une discussion sérieuse, toutes les deux, de mère à fille. Pour l'instant, elle n'a rien voulu me dire. Je crois bien que si je la confronte habilement, elle acceptera de s'ouvrir. Vois-tu, ce n'est pas tellement le fait qu'elle s'est fait une teinture qui me dérange... Il n'y a pas si longtemps encore, on se disait tout. Mais là... je ne comprends pas ce qui lui arrive. Si tu savais à quel point je suis inquiète. Depuis quelque temps, elle nous revient avec des objets ou des vêtements dont je me demande la provenance. Je sens qu'il y a anguille sous roche...

— Ce n'est pas avec son argent de poche?

— Pour certaines tenues, si, mais pas pour les autres. Si tu voyais sa garde-robe.

— Elle a peut-être emprunté des affaires à ses amies?

— Hum! je ne sais pas trop. Elle n'a rien voulu me dire à ce propos non plus.

— Et ses amies, ce sont celles qu'elle avait l'habitude de fréquenter et qu'elle invitait à venir ici?

— Là aussi c'est difficile à dire, car ses copines habituelles ne viennent plus à la maison; mais elle reçoit souvent des appels. Puis, il y a sûrement un garçon parmi ses nouvelles fréquentations, car j'ai remarqué un suçon sur son cou, il n'y a pas longtemps. De là à savoir si c'est un gentil garçon... »

Mady sentit la détresse de sa sœur.

« C'est sûr que tu ne peux laisser aller les choses ainsi!

— Enfin, je peux me tromper. Pour le moment, ce ne sont que des présomptions. Désolée de te parler de tout ça. Tu as tes propres soucis... Je ne voudrais pas en rajouter...

— Mais non, Sarah. Tu sais que j'aime énormément Vanessa. J'ai toujours eu un petit faible pour elle.

— Je sais.

— Je pourrais peut-être essayer de monter la voir pour lui parler? Si ça peut commencer à la libérer un peu pour qu'elle vous en parle ensuite... Qu'en penses-tu?

— Comme tu veux, Mady. Peut-être auras-tu plus de chance avec elle. Vous n'êtes pas en conflit, toutes les deux. Car avec nous, c'est un vrai mur!

— Qui ne tente rien n'a rien...

— Eh bien, je te laisse aller la voir. Ne te sens pas obligée de tout me dire, si elle veut que tu gardes un secret... »

Mady hocha la tête et passa sa main sur l'épaule de sa sœur. Elle savait qu'il devait lui en coûter de lui demander de l'aide pour sa propre fille avec qui elle semblait perdre tout contrôle. Elle se retourna finalement et monta à l'étage. Décidée, elle frappa trois coups brefs à la porte de la chambre de sa nièce. Le son des haut-parleurs baissa légèrement de volume. Mady s'enhardit à porter trois coups supplémentaires. La porte s'ouvrit presque à la volée et une Vanessa, le visage furieux, resta figée devant sa tante. Visiblement surprise, la jeune fille s'exclama, en se relâchant :

« Je croyais que c'était maman. Elle veut toujours que j'éteigne ma musique.

— Ah! Eh bien, non, ce n'est que moi! »

À cause de la musique, Mady devait lever la voix et tendre l'oreille pour comprendre sa nièce. Elle avait vraiment du mal à reconnaître la douce Vanessa. Elle regrettait maintenant de ne pas être venue plus souvent ces dernières semaines afin de passer un peu plus de temps à discuter avec elle.

« Tu voulais me demander quelque chose, tante Mady? questionna la jeune fille un peu abruptement.

— Non, pas vraiment. Je voulais simplement te voir. Je n'ai pas souvent été là. J'espère que tu ne m'en veux pas au moins.

— Pourquoi t'en voudrais-je? Je ne suis plus une petite fille. J'ai quatorze ans.

— Quatorze ans déjà, que le temps passe vite! Est-ce que je peux entrer quelques instants? Tu sembles avoir bien redécoré ta chambre, on dirait. »

Malgré une certaine hésitation, la jeune fille laissa entrer sa tante, puis referma la porte derrière elle.

* * *

Fabian de Runay pestait. Il était dans sa chambre, devant son ordinateur, et parcourait tous les dossiers pris sur le PC de son père.

Rien.

Il n'y avait rien de compromettant. Pas de petits mots doux dans sa messagerie, ni de photos de femmes inconnues, seulement des photos de bébés, toujours des bébés... Les bébés résumaient décidément toute sa vie.

« Et si je m'étais finalement trompé sur lui? s'interrogea le jeune homme. Pourtant, je suis presque sûr qu'il nous cache quelque chose... mais quoi? »

Fabian décida qu'il devrait s'y prendre autrement et envisagea de le suivre à sa prochaine escapade. Somme toute, c'était là le moyen le plus sûr de trouver la vérité. Il n'aurait qu'à se poster près de la maison, le prochain samedi, et attendre que son père s'en aille pour le suivre. L'idéal serait d'emprunter la voiture d'un ami, autrement son père aurait vite fait de le repérer sur sa moto. Il lui tardait d'être à ce jour pour mettre son plan à exécution.

Chapitre IV

Grégoire Mongoufier continuait à compiler les informations, car il tenait à présenter un dossier solide à Guillaume... Depuis qu'il était devenu l'un des directeurs, non seulement les rouages de l'entreprise lui étaient devenus familiers, mais il s'était identifié corps et âme à sa réussite. Aussi était-il assez fier maintenant de pouvoir présenter un plan d'action de son cru pour accroître les profits de la compagnie. Une réunion étant prévue à ce sujet pour le lendemain, il voulait être prêt.

Un e-mail arriva dans sa messagerie et attira son attention. Il émanait de Connie Suisseau. Il savait qu'elle était la petite amie de Guillaume Bélanger. Intrigué, il ouvrit le fichier attaché et imprima la lettre. C'était un document sans grand intérêt avec la signature numérisée de Guillaume. Sans doute une erreur d'envoi... Grégoire Mongoufier observa longuement le document, puis le rangea finalement dans ses affaires personnelles. Il aurait l'occasion de le retourner où il se doit.

* * *

Mady et Sarah avaient finalement répondu ensemble au courrier de leur oncle Maurice. Toujours de concert, elles profitèrent d'une petite promenade pour faire un détour jusqu'au bureau de poste. Quand la lettre glissa dans la fente, Sarah s'exclama :

« Eh bien, voilà! Nous n'avons plus qu'à attendre.

— Tu penses vraiment qu'il voudra nous voir après toutes ces années?

— C'est difficile à dire. On ne sait pas ce qui a pu se passer entre papa et lui.

— C'est vrai. En tout cas, nous verrons bien... Sinon, comment ça va avec Vanessa? »

Sarah pencha un peu la tête en faisant la grimace, puis répondit simplement :

« Disons qu'on prend un jour à la fois. Elle est toujours aussi fermée...

— Je suis vraiment désolée, Sarah.

— Ce n'est pas ta faute, Mady. Tu as fait ce que tu as pu en essayant de lui parler, et je t'en remercie. Je crois que c'est à André et moi de trouver l'ouverture qui nous permettra d'entrer dans son cœur et son esprit. Pour l'instant, ça n'a rien donné, mais nous sommes persévérants.

— Je n'en doute pas.

— Hier encore, André a essayé de discuter avec elle. Il n'a guère été reçu mieux que moi. C'est d'autant plus difficile à gérer que nous n'avons jamais rencontré ces problèmes avec les autres. Quand je la vois s'isoler ainsi, cela me fait mal, et je sais qu'elle souffre autant que nous...

— Elle va s'en sortir, n'aie crainte.

— Il le faut. Vanessa est une petite fille merveilleuse et si ouverte d'ordinaire. Mais là, c'est le jour et la nuit.

— Bien, ce n'est plus une petite fille, justement. »

Sarah se contenta de hocher la tête. Elle en était bien consciente...

* * *

Quand André Corneau rentra chez lui après le travail, il découvrit Sarah en pleurs sur le sofa. Il se précipita vers son épouse et lui demanda, inquiet, ce qui avait bien pu la bouleverser ainsi.

Sarah sécha maladroitement ses larmes et regarda toute penaude André. D'une voix tremblante mais ferme, elle s'expliqua :

« Je viens d'avoir une forte discussion avec Vanessa. Ça s'est très mal passé. On s'est disputées. Je t'avoue que je ne sais plus quoi faire maintenant. »

André fronça les sourcils en hochant la tête.

« Si au moins je pouvais être plus souvent à la maison, et prendre le relais. Je suis vraiment désolé que tu aies à subir cette situation durant toute la journée.

— Oh! Ne te sens pas responsable, André. Je sais très bien que la compagnie a besoin de toi plus que jamais et c'est moi qui ai décidé de prendre deux semaines pour être à la maison.

— Ce n'est pas une raison. Mon oncle sera tout à fait en mesure de comprendre si je lui raconte ouvertement ce qui se passe.

— Je n'en doute pas, mais dans son état, c'est peut-être risqué de lui causer du souci. Selon son médecin, il doit absolument se reposer. Il a suffisamment eu de problèmes de santé ces derniers temps. C'est pour ça qu'il t'a laissé les rênes... »

André contourna le sofa et se posta derrière sa femme. Il entreprit consciencieusement de lui masser les épaules et la nuque. Sarah soupira de contentement et se laissa faire. Pour faire diversion, André dit :

« Il faut que je te dise... Aujourd'hui une cliente s'est présentée juste avant la fermeture... Elle voulait en savoir un peu plus sur la société et aussi sur mon nom de famille.

— Pourquoi donc? »

Sarah sécha ses larmes et écouta, s'éloignant volontiers quelques instants de ces soucis familiaux.

« Eh bien, figure-toi qu'elle a fréquenté mon oncle dans sa jeunesse.

— Attends, est-ce que ça signifie qu'elle a connu ton père alors? C'est inouï...

— Eh oui! Le monde est petit... En tout cas, elle a été surprise d'apprendre que je ne portais pas le nom de Laberge.

— Tu ne peux nier que ce questionnement est on ne peut plus légitime.

— Dans ce cas, explique-moi pourquoi, toi, à l'époque, tu n'as pas posé de question du genre? »

Sarah rit doucement à l'évocation de leurs premières rencontres plutôt houleuses... Elle se détendait sous les doigts de son mari.

« Tu ne me laissais guère le temps de souffler, à l'époque, comme tu dis!

— Dois-je croire que tu le regrettes? »

La jeune femme sourit au travers de son chagrin. Elle murmura :

« En ai-je l'air?

— Je dirais que non.

— Tu as tout à fait raison de le penser. Alors, que lui as-tu dit à cette femme?

— Eh bien, que ma mère était une jeune veuve avec un enfant de six mois quand elle a rencontré le frère de mon oncle.

— Tu n'as pas perdu de temps en explications.

— C'est vrai, je l'avoue. Mais elle m'a tellement fait impression par sa gentillesse et sa douceur dans la voix que je n'ai pas hésité à lui en parler. À son âge, la curiosité n'est pas un défaut.

— Si tu le dis. J'ose donc espérer que tu en diras autant de moi quand je serai vieille.

— En douterais-tu? »

Sarah ne répondit pas. Elle sourit simplement. André continua de la masser. Il sentait sa femme prête à discuter plus sereinement au sujet de Vanessa.

« Finalement, pourquoi vous êtes-vous disputées?

— Oh! Pour des broutilles. Vraiment, c'est idiot. Depuis ce matin, sa musique jouait à tue-tête. À un certain moment, je lui ai demandé de baisser le volume. Elle n'a pas bronché. Je suis donc revenue à la charge, m'efforçant de rester calme. Au bout du compte, la crise est venue.

— Ah! Qu'est-ce qu'elle peut être entêtée!

— Oui, c'est épuisant de la rabrouer sans cesse pour la même chose...

— D'un autre côté, on ne peut pas la laisser envahir l'espace de tout le monde. Chacun a le droit d'avoir un peu de calme chez soi... »

Sarah approuva silencieusement.

« Nous pourrions peut-être insonoriser au maximum les murs de sa chambre. »

Le trait d'humour d'André étira un faible sourire sur le visage soucieux de Sarah.

« Bah! En fait, nous savons bien tous les deux que ce n'est pas le véritable problème.

— Disons que cela a accentué la mésentente?

— Oui, c'est une façon bien diplomate de le dire. À midi,

elle est venue à table sans ouvrir la bouche. Elle s'est contentée d'avaler son repas et n'a pas daigné lever le petit doigt pour m'aider. Mais surtout, elle était encore en pyjama. Je n'ai rien dit à ce moment, c'est vrai que je n'en pensais pas moins.

— Peut-être que tu aurais dû intervenir aussitôt plutôt que d'attendre que ta capacité de tolérance ne soit en dessous de zéro? »

André sentit Sarah se raidir devant ce commentaire, mais n'ajouta rien volontairement. Il préféra laisser sa femme y penser, puis elle expliqua, comme pour elle-même :

« Pfft! J'ai tellement essayé de méthodes que je ne sais plus à quel saint me vouer. J'ai tenté de suivre scrupuleusement les règles des livres destinés aux parents. J'ai gardé mon calme et j'ai réagi objectivement. Sans résultat. J'ai ensuite feint l'indifférence. Même résultat. J'ai essayé le chemin à mi-distance des deux méthodes. En fin de compte, on a quand même abouti à une dispute. Autant te le dire, j'en arrive à croire que je suis incapable de m'occuper correctement de ma propre fille. Je me sens impuissante et cela m'effraie. C'est la première fois que je ressens une telle tension dans notre famille. Nous avons traversé des périodes difficiles, mais jamais ainsi.

— Écoute, si je lui proposais de passer la journée avec moi demain? Rien que nous deux. Qu'en penses-tu?

— Oui, mais tu travailles demain.

— Le travail est une chose, ma vie familiale en est une autre et elle passe en premier!

— Difficile de ne pas être d'accord...

— Je vais monter la voir pour lui parler.

— Inutile, elle est sortie.

— Comment ça elle est sortie? Et pour aller où? »

Sarah leva une main dans le vague.

« Si seulement je le savais!

— Tu vois, Sarah, mon travail me tient trop éloigné de la maison. Je suis en train de perdre la trace de ce qui se passe dans ma propre maison.

— Pour une fois, je suis d'accord avec toi! »

Surpris par la voix de leur fille, Sarah et André tournèrent la tête vers la porte d'entrée.

« Te voilà! s'écria son père. Pourrait-on savoir où tu étais?

— Voyons, si je viens de rentrer, c'est que j'étais sortie! lança l'adolescente de façon sarcastique et un tantinet théâtrale.

— Oh! je t'en prie, Vanessa, ne te moque pas de moi! »

Au même moment, André Corneau sentit la main de sa femme serrer la sienne. Il comprit que la discussion était mal engagée et qu'il n'obtiendrait rien de sa fille de cette manière. Il se reprit aussitôt, d'un ton plus calme :

« Que dirais-tu si nous passions toute la journée de demain ensemble, tous les deux? Nous pourrions aller nous balader à Deauville... »

Vanessa regarda son père puis sa mère, avant d'objecter :

« Pour entendre tes sermons toute la journée? Non, merci! J'ai déjà été servie avec maman.

— Il n'est pas question de sermons, Van, mais de passer un peu de temps avec toi.

— Et tu crois que c'est en passant une journée ensemble, rien que nous deux, que tout va s'arranger? Tu rêves, ma parole! Je ne suis pas dupe, tu sais. Car dès le lendemain, tu repartiras travailler et on ne te verra quasiment plus. »

Sarah serra la main d'André qu'elle avait senti presser son épaule.

« Écoute, Van. Je comprends maintenant ce que tu ressens à ce propos. Je suis désolé.

— Désolée, moi aussi. Mais je n'ai plus le temps de discuter. On m'attend.

— Encore! Mais où vas-tu? Vanessa!!! »

Vanessa avait déjà fait demi-tour. En quelques enjambées, son père sortit la rejoindre. C'était trop tard. La moto sur laquelle elle venait de monter, derrière un jeune homme inconnu, démarra dans un vrombissement infernal et s'éloigna. André Corneau entra en pestant :

« Il est grand temps que je m'en occupe. Qui est ce gars?

— Quel gars?

— Eh bien, le gars avec qui elle vient de partir en moto... et sans casque en plus!

— Je n'en ai aucune idée. Elle est fermée comme une huître. C'est épouvantable!

— Sarah, inutile de te tracasser outre mesure. Tu as assez donné de ce côté. Je vais m'en charger. Ça ne peut plus durer comme ça.

— Qu'est-ce que tu comptes faire?

— Je ne sais pas encore, mais je trouverai.

— N'oublie pas que tu dois aussi te rendre à New York la semaine prochaine! rappela Sarah.

— Oui, c'est vrai. Je l'avais presque oublié. (André Corneau resta quelques instants à réfléchir.) Attends un peu. Et si je l'amenais à New York avec moi! »

Sarah regarda son mari.

« Tu es sérieux?

— Tout à fait.

— Crois-tu que ce serait vraiment judicieux?

— Pourquoi?

— Si elle pense que son mauvais comportement lui donne droit à un beau voyage...

— Je suis d'accord avec toi. D'un autre côté, un changement d'environnement pourrait influencer dans le bon sens sa façon de se comporter.

— C'est vrai, André. Mais tu vas à New York pour affaires. Donc si en plus tu dois t'occuper d'elle...

— Je peux toujours m'arranger pour qu'on y reste quelques jours de plus. Comme ça, nous visiterions ensemble la ville. Ça lui ferait sans doute du bien de voir un nouveau pays. Il y a tellement à faire à New York. Je pourrais m'arranger pour l'emmener dans de grandes maisons de disques, vu qu'elle aime la musique... Aller au théâtre voir des pièces de music-hall... faire du shopping... enfin, ce genre de choses, quoi. Qu'en penses-tu?

— J'avoue que ton idée se défend bien en fin de compte. En plus, son passeport est encore valide. Je pourrais m'arranger avec l'école en mettant en avant des raisons familiales, ce qui est le cas après tout. Puis, si le directeur m'objecte que cela risque de lui faire redoubler son année, eh bien, je lui dirai qu'il vaut mieux qu'elle redouble cette année plutôt que de continuer le chemin qu'elle a pris.

— Nous devons d'abord régler son problème de comportement. Si on arrive à la remettre sur les rails, elle pourra toujours rattraper le temps perdu en fin d'année ou l'année prochaine. »

Ils sentaient qu'ils tenaient peut-être la solution pour aider leur fille. Afin d'approfondir l'idée du séjour, Sarah demanda :

« Que vas-tu faire d'elle quand tu seras pris par tes réunions?

— Oh! Les activités ne manqueront pas à l'hôtel et dans les environs.

— De toute façon, vous pourrez toujours vous ajuster. Je trouve que tu as eu une excellente idée.

— Il reste maintenant à la convaincre.

— Nous allons tout faire pour en tout cas! » s'exclama Sarah en se levant énergiquement, à nouveau pleine d'espoir.

* * *

À des milliers de kilomètres de là, une femme à la peau cuivrée sortit sur la terrasse. Elle avait emprisonné ses cheveux épais sous un foulard à carreaux et donnait de furieux coups de balai sur le sol.

« Quand cette poussière rouge cessera-t-elle d'envahir notre maison? » bougonna-t-elle à l'adresse de l'homme installé dans un hamac.

Un visage buriné par le soleil et le grand air apparut sous le chapeau de paille qu'il venait de soulever nonchalamment. Il se contenta de commenter, d'une voix rauque :

« Quand l'Australie aura changé de couleurs!

— Mmm! Très drôle.

— Ah! Si tu voulais habiter la ville, il fallait le dire. Nous sommes en pleine cambrousse ici.

— Je ne me plains pas.

— Et ça s'appelle comment ce que tu viens de dire, Rhonda?

— Des lamentations à dos de balai », reprit la femme en enfourchant le manche de son instrument et en faisant semblant de s'envoler.

L'homme se mit assis sur son hamac en riant à gorge déployée. Il écrasa son mégot de cigarette dans un cendrier posé sur le sol et s'aspergea le visage avec le reste de son verre d'eau.

« Tu devrais arrêter de lire *Harry Potter*, toi! Les balais magiques, ça te monte à la tête, on dirait! »

La remarque sembla amuser la femme, car elle ajouta vivement :

« J'arrêterai quand J.K. Rowling arrêtera, c'est-à-dire au septième volume...

— On se fait une petite virée? »

La femme le regarda, indécise. Puis elle scruta son balai et le laissa choir sur le côté en ôtant son foulard de l'autre main, libérant ses cheveux noirs.

« Je suis partante, mon cher Maurice. J'ai besoin de changer d'air.

— C'est ce que j'ai cru comprendre. Laisse ton ménage pour plus tard.

— C'est facile à dire. C'est pas toi qui ramasses la crasse, mon *Boomer*[2].

— Je fais ma part. »

Rhonda ne sembla guère de cet avis et leva les yeux au ciel, se gardant bien d'émettre un commentaire. Elle entra dans la maison pour ressortir avec une petite glacière. Ils montèrent dans la jeep verte et Maurice se mit au volant.

« T'as reçu du courrier. Je l'ai apporté. Tu veux que je te l'ouvre? »

Maurice émit un assentiment de la tête en s'allumant une nouvelle cigarette.

« Faudrait vraiment que t'arrêtes de fumer.

— Je peux pas, tu le sais très bien...

— Si tu le voulais, tu pourrais, Maurice. C'est mauvais pour ta santé. Le docteur te l'a dit je ne sais trop combien de fois...

— Tu seras libre d'aller où bon te semblera si...

— J'ai pas envie d'aller où tu ne seras pas, rétorqua la femme aussi sec en déchirant le haut de l'enveloppe.

---

2. Expression utilisée pour parler des grands kangourous d'Australie.

— C'est gentil, ça.

— Ah! Plaisante pas! Tu sais bien que je tiens à toi, même si je te râle parfois après!

— Après toutes ces années ensemble, je veux bien le croire.

— Et tu fais bien!

— Bon, c'est quoi cette lettre? questionna Maurice, désireux de changer de sujet.

— Elle vient de la France.

— Ah... Sans doute la réponse à ma lettre.

— Quelle lettre? »

La suspicion se lisait soudain dans le questionnement de Rhonda.

« Tu as raison, je ne t'en ai pas parlé.

— Il serait temps maintenant, il me semble.

— Ne prends pas la mouche, Rhonda. C'est juste personnel. Enfin, je veux dire, il s'agit de ma famille, quoi. »

La femme roula de gros yeux puis jeta, rageuse :

« Et moi? Je suis quoi? Parce qu'on n'est pas mariés, je suis une étrangère? C'est pourtant toi l'étranger ici, que je sache!

— Ah! Là, tu marques un point. Pis, t'es pas une étrangère. T'es comme ma femme. Même si on n'est pas mariés, c'est pareil. En tout cas, je te jure que je le vois ainsi.

— Bien, si tu le dis. Mais t'aurais pu me parler de cette lettre plus tôt.

— Qu'est-ce que tu vas chercher... Mes nièces m'ont tout simplement écrit. »

La stupeur laissa Rhonda sans voix un bref instant. Enfin, elle s'exclama :

« Tu as des nièces, toi? Je croyais que t'avais plus de famille! Qu'est-ce que tu m'as caché encore? En plus de trente ans de vie commune, tu n'aurais pas pu m'en dire un peu plus long sur ta vie d'avant?

— Rhonda, t'emporte pas. Tiens, si tu lisais plutôt la lettre des petites?

— M'emporter? M'emporter? Elle est facile, celle-là. Bon, O.K.! Je vais te la lire, ta lettre, mais après, Maurice, je veux que tu me dises tout!

— Entendu. »

La route était désertique et le vent procurait un bienfait non négligeable en cette période de l'année. Rhonda dut se prendre à deux mains pour que la lettre ne s'envole pas. Quand elle eut terminé sa lecture, elle la glissa bien vite dans l'enveloppe, qu'elle enfouit dans son sac.

« C'est dommage tout ce temps passé, fit-elle en secouant la tête. Pourquoi tu n'es plus entré en contact avec elles, ni avec ton frère?

— On était fâchés, voilà tout.

— Je ne comprendrai jamais comment on peut en arriver là entre membres d'une même famille. Les hommes sont très forts pour ce genre de rupture.

— Bah! Toujours les stéréotypes... Tu vas vite en besogne... Puis, les femmes sont pas mal non plus de ce côté.

— Il y a une différence, Maurice. Car vous, quand vous vous fâchez, vous le faites pour longtemps, voire pour toujours.

— C'est vrai pour mon frère et moi en tout cas. Tu l'aurais pas aimé de toute façon!

— Qu'est-ce que t'en sais?

— Il était un peu spécial dans ses raisonnements. Il avait une vision étriquée du monde...

— En conclusion, avec vos chamailleries, je suis maintenant prise avec un zouave comme toi!

— Eh oui. Tu as décroché le jackpot, ma belle! »

Le couple partit à rire tout en s'arrêtant au bord de la ville.

« Qu'est-ce que tu vas faire maintenant? Les petites veulent te voir, elles l'écrivent en tout cas.

— J'avais compris.

— Pourquoi tu leur as écrit au juste?

— J'ai pas fait le premier geste, je dois te préciser. Pas que j'y ai pas pensé, bien des fois... Enfin, quand j'ai reçu une première lettre, la plus jeune de mes nièces voulait m'apprendre la mort de mon frère.

— Cela t'a fait de la peine, j'imagine... T'aurais quand même pu m'en parler.

— Bah! j'ai pas trouvé que c'était tellement important. Puis après, je me suis demandé si je devais répondre. J'ignore encore pourquoi je l'ai fait d'ailleurs. Quand j'ai appris que mon frère était mort, c'est plus le souvenir de ses fillettes qui m'est revenu. Pour moi, elles sont restées toutes petites.

— C'est évident, tu ne les as pas revues depuis que tu es arrivé ici. »

L'homme s'octroya un séjour dans ses souvenirs qu'il partagea à haute voix avec sa compagne.

« Il y avait Sarah, l'aînée, et Mady, la p'tite dernière.

— Et toi, mon *Boomer*, pourquoi t'as jamais voulu avoir d'enfant avec moi ou une autre avant moi?

— Quoi?

— Oui, pourquoi t'as jamais voulu en avoir? Moi, j'aurais pas dit non, tu sais. »

Maurice regarda Rhonda, un pli barrait son front.

« J'aurais pas fait un bon père. J'suis trop un drôle de zouave, comme tu dis.

— Je n'en suis pas si sûre. Des fois, je me dis que j'aurais bien aimé ça, moi.

— Pourquoi t'en as jamais parlé alors?

— Mais je l'ai fait, et à plusieurs reprises! T'as pas compris.

— Tu vois, je suis pas très bon pour tout ça.

— Oui, peut-être.

— T'aurais dû insister si c'était important pour toi, continua Maurice, en sentant un malaise chez sa compagne.

— Non, il faut croire que c'était pas si important pour moi non plus.

— Si tu l'dis. (Maurice Martinon était loin d'être sûr de la sincérité de sa compagne. Il continua pourtant.) C'est dommage... Je sais bien que j'suis pas toujours facile à vivre. Pourtant, je fais des efforts.

— Je ne suis pas de tout repos non plus, mais on se comprend... »

Un sourire mutuel scella leur complicité. Sans rompre leur conversation, Rhonda salua l'épicier :

« Alors, tu vas faire quoi avec les petites?

— Les p'tites, tu y vas fort. Elles sont plutôt grandes maintenant!

— Elles resteront les petites, pour toi.

— Oui, sans doute. Ben, j'vais voir ça. J'irai peut-être leur rendre une visite. Un p'tit voyage en France, ça te dirait? »

Les yeux brillants de Rhonda n'eurent pas besoin de s'appuyer sur des mots pour que Maurice comprenne.

* * *

Pour la première fois depuis longtemps, Vanessa écoutait ses parents sans les interrompre. Elle entendait parler de New York, de manquer l'école, et ce projet l'incluait! Quand le silence tomba, elle sentit qu'on attendait un commentaire de sa part.

« Pourquoi voulez-vous que j'aille à New York? »

C'est la seule chose qui lui venait à l'esprit. Le ton n'était pas aimable non plus.

« Eh bien, comme je te l'ai dit, c'est pour que nous puissions passer du temps ensemble. Qu'est-ce que tu en penses?

— Bof! Ici ou ailleurs...

— Bien, je vois que l'idée t'emballe », poursuivit son père, sarcastique, en haussant les épaules.

Il jeta un regard à sa fille et s'enhardit :

« Tu savais qu'à New York on trouve les plus grandes maisons de disques? Il n'est pas rare non plus qu'on puisse assister à de nombreux concerts là-bas. Mais bon, si tu préfères rester ici. C'est toi qui vois. »

Vanessa roulait de grands yeux. Elle craignait qu'en gardant son attitude aussi volontairement désintéressée, elle raterait sa chance. Elle décida de changer de stratégie.

« Ça me convient.

— Qu'est-ce qui te convient? Venir à New York avec moi ou rester ici?

— Bah! Papa, tu sais très bien ce que je voulais dire par là.

— Je ne veux surtout pas te forcer, susurra encore André Corneau pour dissimuler un sourire qui naissait et qui aurait peut-être tout gâché.

— Papa, s'il te plaît, arrête. Par contre, si je viens, ce n'est pas pour t'entendre me faire la morale à longueur de journée. Sinon ce sera vraiment barbant.

— D'accord. C'est promis. »

Sarah n'en revenait pas. À son grand plaisir, Vanessa et

André avaient eu quelque chose qui ressemblait à un vrai dialogue. Cela faisait bien longtemps qu'ils n'avaient pas discuté aussi plaisamment et surtout aussi longuement sans qu'il soit besoin de hausser le ton.

André résista à l'envie de regarder son épouse. Un nouvel espoir prenait sérieusement forme.

Chapitre V

Mady reposa le combiné. Sa sœur venait de lui annoncer que la maison de leur père avait été vendue. Sarah s'était occupée de tout, encore une fois, tout comme pour l'enterrement.

« Encore un autre lien du passé qui s'efface », songea Mady. Ce passé était si étroitement entremêlé de joie et de douleur qu'elle ne savait trop ce qu'elle ressentait en définitive... Ce lien fondamental avec la maison de son enfance lui fit repenser à un certain soir où Guillaume avait posé une échelle devant la fenêtre de sa chambre. Son père l'y avait enfermée après avoir appris qu'ils s'étaient embrassés en public! Ce soir-là, en fuyant, Guillaume et elle s'étaient offerts l'un à l'autre.

Elle se rappelait, comme s'il avait eu lieu la veille, cet instant magique passé dans la voiture de Guillaume. Mady soupira, puis sortit de chez elle, décidée plus que jamais à anticiper son voyage au Canada. Surtout que dans sa dernière lettre, Guillaume l'invitait, en toute amitié, à passer quelque temps à Montréal, avant l'été si possible. Il ne lui restait donc plus qu'à confirmer ses dates après avoir obtenu l'autorisation de son employeur. Elle était convaincue que ce dernier ne s'opposerait pas à sa demande en raison de la confiance réciproque qui existait entre eux. Il lui avait d'ailleurs souvent répété qu'elle pouvait, en toute liberté, prendre ses vacances à n'importe quel moment de l'année.

Le printemps était maintenant installé et les fleurs commençaient à s'exprimer çà et là dans l'herbe. Mady ressentit une bouffée d'espoir et, en poursuivant sa marche d'un bon pas, elle alla cogner plusieurs rues plus loin chez son ami de longue date, Jeremiah Lezimann.

Un homme trapu, au visage mangé de moitié par une

grosse barbe blonde, l'accueillit avec un empressement non feint, puis il referma la porte derrière elle.

* * *

Guillaume regardait les photos que sa sœur avait prises de la maison de Rivière-des-Prairies décorée par ses soins et s'extasiait du travail accompli.

« Franchement, tu t'es surpassée, ma sœurette! C'est digne d'un magazine...

— Pourquoi ne viens-tu pas le vérifier directement sur place? »

Encore une fois, Guillaume esquivait la question, se dit Manon qui l'avait invité à de nombreuses reprises avec le même résultat.

« Des fois, il est bon d'affronter ses démons, risqua-t-elle sans trop savoir à quoi s'attendre de la part de son frère.

— En tout cas, tout est fin prêt comme je te l'ai demandé. Tu es super. J'ai une grande dette envers toi... »

Manon soupira. Décidément, il n'y avait rien à faire avec son frère et ce passé trop noir de sa petite enfance... Résignée, elle jeta :

« Bon, je te laisse les photos. Je dois me sauver. J'ai une réunion au bureau. Tu me diras les commentaires de Connie... »

Manon ne laissa pas à son frère le temps de répondre et franchit sans plus tarder la porte de son bureau. Guillaume savait pertinemment qu'elle avait fait exprès de ne pas attendre sa réponse. Il y vit un coup bas. « Quand finira-t-elle par accepter que Connie et moi, nous allons faire notre vie ensemble? » ragea-t-il intérieurement.

En fin d'après-midi, il quitta son bureau pour rentrer chez lui, dans son luxueux appartement du centre-ville. Sans préméditation, il emprunta la bretelle qui menait directement à la maison de Rivière-des-Prairies.

« Qu'est-ce qui m'arrive? se sermonna-t-il. Voilà que je perds la tête maintenant! »

Guillaume s'apprêtait à rebrousser chemin quand il se ravisa.

« Bah! Puisque je suis là, autant faire un tour jusqu'à la maison. »

Quelques minutes plus tard, il se garait devant la maison de son enfance. La façade avait subi quelques modifications très subtiles. Guillaume se renversa sur l'appuie-tête et soupira. Le soleil couchant jetait des parcelles de lumière sur le gazon qui laissait voir de timides signes de verdure.

Soudain, un flash dans son esprit.

Il était en train de jouer avec des copains sur la rivière gelée. Depuis un long moment, profitant de leur liberté, les garçons se bousculaient dans un joyeux désordre. Tout à coup, sans le moindre signe, Guillaume s'était senti aspiré dans une eau glaciale... Très vite, il avait cherché à remonter à la surface, mais il s'était retrouvé prisonnier sous la glace. Saisi de panique, il s'était mis à nager dans un sens puis dans l'autre afin de trouver rapidement une issue. L'air commençait à lui manquer...

Un bruit comme si quelqu'un cognait sur une vitre résonna dans l'esprit de Guillaume qui se réveilla en sursaut. Tournant la tête sur le côté, il aperçut une femme qui se tenait devant sa portière. L'esprit encore empreint de son sempiternel cauchemar, il baissa la vitre :

« Est-ce que je peux vous aider?

— Oui. Je suis navrée de vous avoir réveillé, monsieur... »

Guillaume haussa les épaules.

« Ce n'est rien.

— J'ai perdu mon chien il y a une heure. Je le cherche désespérément. Vous ne l'auriez pas vu par hasard? C'est un fox-terrier.

— Non, je regrette. Je suis arrivé depuis peu.

— Merci quand même... » lui dit-elle d'un air aussi contrit que désappointé avant de repartir à la recherche de son Gourdy.

Guillaume la regarda s'éloigner. Un instant, il songea à lui proposer son aide. Il s'en abstint finalement. Il se sentait épuisé, sans doute à cause du travail qu'il avait accumulé au bureau ces dernières semaines. « Son chien n'est sûrement pas parti bien loin, chercha-t-il à se convaincre. Elle va très vite le retrouver ou bien il finira par rentrer de lui-même. »

Au même moment, il consulta sa montre et fut stupéfait de constater qu'il avait été garé depuis plus longtemps qu'il ne le croyait. Il remit son moteur en route et repartit en direction du centre-ville, bien décidé cette fois à regagner son appartement.

* * *

Fabian de Runay réussit à ouvrir la mallette de son père à l'aide d'un trombone trouvé dans le tiroir du bureau. Satisfait par sa prouesse, il remercia mentalement un de ses amis de lui avoir montré comment s'y prendre. Jamais, cependant, il n'aurait pensé qu'il y aurait un jour recours, et encore moins chez ses parents. Après un bref coup d'œil en direction des webcams, le jeune homme entreprit sans plus tarder d'examiner le contenu de la mallette. Deux documents attirèrent son attention. Il fronça les sourcils et prit le temps de s'asseoir. Il tenait dans une main un certificat de naissance et dans l'autre un certificat de décès, apparemment officiels et datés du même jour. Troublé, il découvrait que le même nom, celui d'un enfant, figurait sur les deux papiers...

Fabian de Runay ignorait jusque-là que son père avait aussi la tâche de remplir ces funestes documents. « Quelle terrible situation de devoir annoncer la mort d'un enfant après avoir assisté, le même jour, à sa naissance! » s'émut le jeune homme. Il eut un mouvement d'empathie pour son père qui s'était toujours gardé de faire vivre à sa famille le fardeau des difficultés inhérentes à la profession d'obstétricien. Pour la première fois de sa vie, le jeune homme mesura combien son père montrait du courage. « Heureusement que les naissances, beaucoup plus nombreuses, sont là pour lui donner la force de continuer. »

Un mouvement dans l'image de la caméra l'arrêta dans son investigation. Sa mère montait à l'étage. Fabian de Runay jeta aussitôt les papiers dans la mallette de son père et la referma non sans mal. Les appels répétés de sa mère le firent paniquer. De toutes les idées qu'il avait précédemment imaginées pour justifier sa présence ici, aucune ne lui venait à l'esprit. Il avait à peine eu le temps de replacer la mallette que la porte s'ouvrit.

Mme de Runay fronça les sourcils en l'apercevant près du bureau de son mari. Au grand soulagement de Fabian, elle lui demanda simplement :

« On se demandait où tu étais, ta sœur et moi! Est-ce qu'une partie de Scrabble avec nous te tenterait? »

Trop content de s'en sortir aussi facilement, le fils accepta avec empressement. Fabian remarqua néanmoins que sa mère jetait un regard interrogateur sur son ordinateur portable posé sur le bureau. Maîtrisant sa nervosité, d'un geste volontairement désinvolte, il en rabattit l'écran, puis entreprit de se justifier, plus pour lui que pour sa mère :

« Je vous rejoins tout de suite. Je voulais me connecter à Internet dans ma chambre, mais la ligne semble défectueuse. Alors, je me suis permis de venir dans le bureau de papa.

— Tu sais que ton père n'aime pas vraiment que l'on y entre quand il n'est pas là.

— Oui, maman, mais c'était exceptionnel. Rassure-toi, je ne lui ai rien cassé. Je ne suis plus un gosse. J'ai fini de toute façon.

— Très bien. On t'attend dans le salon?

— D'accord, j'arrive. »

Sa mère n'en rajouta pas outre mesure et, souriante, quitta la pièce. Soulagé de s'en être sorti à si bon compte, le jeune homme s'assit aussitôt sur le fauteuil. Il sentait ses jambes flageolantes. Il éteignit enfin son ordinateur portable et s'assura que tout était en place avant de sortir du bureau.

* * *

Mady passa la douane sans encombre, puis se dirigea dans le hall des arrivées où se massaient les proches venus à la rencontre des voyageurs. Autour d'elle, les cris et les grands gestes de certains exacerbèrent son humeur. Elle jeta à la volée des regards inquiets, incertaine de pouvoir reconnaître Guillaume du premier coup. Son rêve prémonitoire de cet hiver ne lui serait peut-être pas d'une grande utilité... Elle fit son chemin au milieu de la foule en s'exhortant au calme. Pourtant, quand elle entendit une voix féminine l'appeler, elle tressaillit.

« Madame Lestrey? »

Une femme aux cheveux noirs coupés court l'observait, un pâle sourire aux lèvres. Elles devaient avoir à peu près le même âge toutes les deux. Plusieurs taches de rousseur parsemaient ce visage que Mady jugea avenant dès le premier regard. D'une voix hésitante, elle demanda :

« Manon? Vous êtes Manon, n'est-ce pas? »

L'interpellée opina, élargissant son sourire.

« Je suis navrée, ce n'est pas moi que vous attendiez. Guillaume a eu un contretemps... Il a été retenu à son bureau. »

Manon regrettait d'avoir à mentir à Mady dès leur première rencontre. Pourtant, elle poursuivit, comme pour faire oublier l'absence de son frère :

« C'est moi qui vous servirai de chauffeur. Si vous voulez bien me suivre.

— Je vois que vous n'avez pas eu trop de mal à me reconnaître.

— C'est vrai. J'avais pris soin d'écrire votre nom sur un petit écriteau, au cas où, mais je dois vous avouer que vous n'avez guère changé. Guillaume m'a montré quelques photos de vous...

— Elles ont dû jaunir avec le temps. »

Mady s'était voulue légère, mais son état d'âme véritable n'échappa pas à Manon. Les deux femmes arrivèrent rapidement jusqu'à la voiture. Une fois sur la route, Mady eut la tentation de raconter qu'elle s'était déjà vue à Montréal en rêve. Elle souleva les épaules et se jugea puérile. Pour un premier contact, ce ne serait sans doute pas une bonne idée, jugea-t-elle, riant d'elle-même.

« C'est gentil de vous être déplacée, remercia-t-elle plutôt. J'aurais pu prendre un taxi. Cela n'aurait pas été un problème.

— Il n'en a jamais été question, voyons. D'ailleurs, Guillaume a prévu autre chose que l'hôtel. Vous verrez, vous serez beaucoup mieux. »

Mady se raidit en entendant l'information.

« Nous allons chez lui? »

Manon pencha légèrement la tête sur le côté tout en gardant les yeux devant elle. Finalement, elle jeta :

« Si on veut... Il vient d'acheter la maison de nos parents. Mais il n'y réside pas... enfin, pas pour le moment. Je viens tout juste de finir de la décorer et de la meubler. Vous serez la première à y habiter depuis qu'elle a été rachetée. J'aimerais bien que vous me disiez franchement ce que vous en pensez.

— Je ne voudrais pas que vous vous donniez tout ce mal...

— Tut! tut! Pas de discussion, la coupa gentiment mais fermement Manon. Tout le plaisir est pour nous.

— Très bien, comme vous voudrez.

— On pourrait peut-être se tutoyer. Qu'en pensez-vous?

— Avec plaisir. Je sais qu'au Québec, on se tutoie plus facilement... C'est très bien.

— En ce cas, autant commencer tout de suite. J'espère que tu apprécieras ton séjour. »

Mady se mit à rire doucement. La familiarité toute neuve de Manon l'avait décidée à se lancer. Aussi folle était l'idée, elle s'empressa de lui expliquer, de peur que celle-ci ne se méprenne sur ce rire :

« J'ai déjà rêvé que nous nous étions rencontrées toutes les deux... Mais ça ne s'était pas vraiment bien passé entre nous. Tu étais très froide avec moi et assez désagréable... »

Manon souleva une épaule.

« J'imagine dans ce cas que tu as dû appréhender ce moment? fit-elle.

— Un peu, je l'avoue. »

Manon semblait trouver le sujet des plus plaisants.

« Et alors? Maintenant que c'est fait, m'as-tu trouvée froide et désagréable?

— Pas du tout, justement. Bah! tu sais, les rêves sont souvent loin de la réalité.

— Les miens sont assez absurdes aussi... En fait, je ne rêve que de choses très banales. Peut-être suis-je banale, tout simplement... »

Mady eut spontanément un geste de dénégation.

« Je suis sûre qu'il n'en est rien. D'ailleurs, quand ton frère me parlait de toi, c'était toujours en termes élogieux. Il admirait, je crois, ton audace et ta fantaisie. »

Manon sourit, puis son visage se ferma. Elle soupira :

« Ah! Guillaume... il a changé depuis. Il est plus distant

maintenant. Même avec moi... Mais ne t'inquiète pas, tout se passera bien quand tu le verras. C'est juste que ça n'a pas été très facile pour lui...

— Pour moi non plus! » coupa Mady.

Manon sentit que sa passagère avait été piquée au vif par ses dernières paroles. Elle se reprit aussitôt :

« Je n'ai pas voulu te blesser, Mady, crois-moi.

— Il n'y a pas de mal, Manon. De toute façon, ma seule intention en venant ici est de comprendre ce qui a pu se passer, c'est tout... d'éclaircir quelques points...

— C'est vraiment la raison de ce voyage?

— Absolument. Je ne veux pas que vous croyiez que je suis là pour vous causer des ennuis, à Guillaume et à toi. »

Manon eut soudain un pincement au cœur. Elle repensa à l'immense chagrin de son frère quand il avait découvert que Mady s'était mariée sans l'attendre. Une pointe de ressentiment commença à percer malgré tout. Elle ne put retenir sa langue plus longtemps.

« Mon frère a beaucoup souffert de votre rupture; il a été longtemps tout *débiné*. »

Mady comprenait à demi-mot même si elle était loin de maîtriser toutes les expressions québécoises. Dans la voiture, le ton amical s'était altéré sans qu'elles y prennent garde. Se raidissant, Mady regarda la sœur de Guillaume avec rancune. Pourquoi sentait-elle le besoin de se justifier? Et, surtout, de quoi?

« Il ne faudrait pas oublier que lui aussi m'a fait du mal. Enfin, pas directement... Tu ne connais pas toute l'histoire! »

* * *

Marianne de Fourtoyes, la fille adoptive d'Éléonore et Roland de Fourtoyes, jonglait avec ses idées. Elle se faisait du souci à propos de ses parents biologiques qui allaient devoir mettre au clair leur situation présente et élucider les causes réelles de leur rupture. Cette perspective, qui la concernait aussi, lui parut simple et compliquée à la fois. Elle souhaitait sincèrement nouer une belle relation avec eux...

En compagnie de son ami Philippe, la jeune femme s'était

réfugiée à l'intérieur d'un petit café, car une fine pluie s'était mise à tomber. À moitié désert, l'endroit manquait singulièrement d'atmosphère. Après quelques minutes, Philippe s'était éclipsé pour passer un coup de fil. Il devait comme de coutume arranger un rendez-vous galant, car il tardait... Cette pensée fit sourire Marianne qui se demandait pourquoi il n'utilisait pas de cellulaire pour ses appels. Depuis le temps qu'ils se connaissaient, tous les deux, les tactiques amoureuses de son ami d'enfance lui étaient assez familières.

En observant la pluie tomber et glisser en rivières sinueuses le long de la baie vitrée, elle repensa à son récent anniversaire. Il avait plu aussi ce jour-là. Comme deux alliés indéfectibles, ses parents adoptifs avaient participé à son bonheur. Voir Mady Lestrey, sa mère biologique, assister pour la première fois à son anniversaire était le plus beau cadeau qu'elle pouvait espérer pour ses vingt-deux ans. L'instant avait été immortalisé à grand renfort de photographies. Marianne en avait très vite fait encadrer une, entourée de ses trois parents, pour l'exposer dans sa chambre.

Marianne souleva une longue mèche châtain et esquissa un sourire au souvenir de cette journée. Plus que jamais, elle était convaincue d'avoir bien fait de remonter à ses origines, ne serait-ce que pour connaître les raisons qui avaient pu pousser sa mère biologique à l'abandonner à sa naissance. La présence et les explications de Mady avaient dissipé toutes les zones d'ombre... « Et dire que j'ai souvent pensé qu'elle m'avait délibérément abandonnée! » se remémora-t-elle.

« Comme quoi il ne faut jamais juger avant de savoir. Combien de fois mère me l'a dit. » Marianne de Fourtoyes faisait référence à sa mère adoptive, Éléonore de Fourtoyes.

« Puis-je rendre vos pensées plus douces, chère demoiselle? »

Marianne sursauta presque sous la voix grave qui venait de l'interrompre.

Debout, à côté d'elle, un homme brun au regard sombre en amande lui souriait :

« Je vous demande pardon? s'enquit la jeune femme un peu sèchement.

— Vous aviez l'air si mélancolique en observant la pluie que je me suis proposé d'adoucir aussitôt vos pensées...

— Mais je ne suis pas mélancolique, objecta Marianne.

— Ce n'est pourtant pas l'impression que j'ai eue.

— Comme quoi tout le monde peut commettre des erreurs! »

La jeune femme n'avait guère apprécié qu'un inconnu l'aborde de cette façon.

« Vous permettez? » fit-il en esquissant son intention de s'asseoir.

Marianne serra les dents devant tant d'impertinence.

« Je ne suis pas seule.

— Oh! Je croyais que... »

L'homme chercha avec ostentation une présence aux alentours, mais Marianne ajouta très vite :

« Mon ami ne va plus tarder. Il était parti téléphoner...

— Faire attendre aussi longtemps une si charmante personne que vous n'est pas très convenable de sa part...

— Rassurez-vous, je suis une grande fille! »

Le ton caustique de Marianne sembla plaire davantage encore au jeune homme qui insista :

« Puis-je tout de même vous tenir compagnie en attendant le retour... de cette personne?

— Il n'en est pas question!

— Mon nom est Hishimo Mortling, continua l'homme sans tergiverser plus avant. Ce faisant, il tendit une main large que Marianne négligea de façon désobligeante.

— Très bien, monsieur Moring, vous vous êtes...

— Non pas Moring, Mortling.

— Peu importe. »

L'agacement se lisait dans la voix de la jeune femme. À cet instant, un grand brun à l'allure décontractée se présenta.

« Quelque chose ne va pas, Marianne?

— Non, ce n'est rien, Philippe. Ce monsieur allait partir. N'est-ce pas, monsieur Mortling?

— Bien sûr. Ravi de vous avoir rencontrée, mademoi-selle... »

L'inconnu tendit respectueusement la main au jeune homme, puis s'éloigna non sans un dernier salut destiné à Marianne. Elle lui adressa un regard noir avant de se tourner vers son ami.

« Il y en a qui ne manquent pas de toupet!

— Pourquoi dis-tu cela? Cet homme t'a ennuyée?

— Il était surtout insistant. Quand je lui ai dit que je n'étais pas seule, il s'est quand même incrusté...

— Si j'avais su, je ne me serais pas gêné pour le faire déguerpir au plus vite.

— Tu sais, je peux me défendre. Nous ne sommes plus au temps des règlements de compte purement masculins.

— Là n'est pas la question. »

Philippe avait levé un peu la voix, sentant le ton agressif de Marianne.

« Écoute, n'en parlons plus. Ça n'en vaut pas la peine.

— Comme tu voudras, Marianne. Je te reconduis chez toi?

— Avec plaisir, la pluie semble avoir cessé. »

* * *

Les yeux brillants, Maurice Martinon regarda sa conjointe avant de monter dans l'avion :

« Alors, ma douce, prête pour ton baptême de l'air?

— Je dois t'avouer que j'ai un peu peur.

— Il n'y a pas de raisons, voyons. Tu vas aimer ça, j'en suis sûr. Je te connais.

— Heureusement que c'est pas un vol direct. On trouverait tout ce temps assis sur ces sièges bien trop long. Bon, quel est le numéro de nos places? »

Maurice Martinon entreprit de guider sa compagne vers le hublot demandé expressément lors de l'enregistrement, puis rangea les bagages à main en hauteur, dans les casiers.

« Tu vas voir, la vue du contour des côtes est fantastique. La mer explose de ses couleurs, on distingue bien les courants aussi. C'est assez chouette en fait.

— D'après ce que tu me dis, t'as pris l'avion pas mal de fois! »

Maurice attendit un peu avant d'acquiescer, le temps d'ajuster confortablement son siège :

« Tu sais bien que j'ai pas mal roulé ma bosse avant de me poser définitivement en Australie. Il faut croire que j'ai eu la chance de trouver ce que je cherchais.

— C'est gentil, ce que tu dis, Maurice. Tu regrettes pas de m'avoir rencontrée alors?

— Bien au contraire! On est bien tous les deux. J'aime notre vie... j'aime cette liberté que nous avons. Je crois que je suis fait pour ça. »

Rhonda observa machinalement l'extérieur par le hublot. Puis, la gorge un peu sèche, elle soupira :

« En tout cas, j'espère que tes nièces ne vont pas être surprises de me voir avec toi...

— Pourquoi seraient-elles surprises? Tu fais partie de la famille. Ne te fais pas de soucis pour rien. Je vais te faire visiter mon coin... là où j'ai grandi. Ce ne sera plus pareil quand je t'en parlerai après! »

Quand l'avion décolla, Rhonda serra fortement la main de son compagnon, un poids sur la poitrine. Maurice, lui, se sentait tout retourné. Il avait toujours su que tôt ou tard il devrait faire ce voyage. En revanche, il n'était pas si sûr de vouloir aller au fond des choses. Avec ce retour aux sources, il risquait de bouleverser sa vie à tout jamais, sa vie pourtant si loin de l'Hexagone!

* * *

Assise à une table de café, la jeune Vanessa Corneau goûtait au plaisir évident de se retrouver au loin. Loin de qui, de quoi? Son père aurait bien voulu le savoir.

Arrivés à New York depuis deux jours, ils s'étaient peu quittés. Vanessa n'avait pourtant montré aucun désir de s'épancher. Le malaise qui surgissait parfois se dissipait aussitôt que son père et elle partaient à la découverte des merveilles de la *Grosse Pomme*. Dans un square encerclé de drapeaux venus de toutes les nations, ils faisaient maintenant face à une superbe sirène dorée surplombant un bassin. À l'instigation de son père, ils s'étaient amusés à deviner le plus de pays possible avant que, rieuse, elle ne déclare forfait.

André Corneau était heureux. Depuis leur départ, sa fille souriait plus souvent. Elle se montrait presque détendue, déjà différente, de sorte qu'il avait bon espoir d'arriver à quelque chose pendant ce voyage.

« Je vais devoir m'absenter deux heures cet après-midi.

— Je sais, papa, on n'est pas vraiment en vacances! se rembrunit Vanessa soudain.

— Ce n'était qu'un rappel. Je voulais simplement que tu puisses t'occuper pendant ce temps. As-tu quelque chose en tête? »

Vanessa souleva les épaules en tournant son verre vide.

« Je pourrais faire un tour de la ville, risqua-t-elle.

— Dommage! Mauvaise réponse. Merci d'avoir participé, plaisanta son père en singeant les jeux télévisés. Non, sérieusement, je voudrais bien, mais New York est une trop grande ville pour que je t'y laisse déambuler seule. Je ne la connais pas suffisamment moi-même. »

Normalement, devant un tel refus, Vanessa aurait adopté son air bourru, mais les pitreries de son père eurent raison de son changement d'humeur.

« Tu sembles heureux d'être là, papa. Est-ce que je me trompe? »

André Corneau fut surpris par le commentaire de sa fille.

« Que veux-tu dire au juste?

— Je te trouve différent.

— J'ai bien fait de t'emmener alors. C'est grâce à toi!

— Tu n'arrêtes pas de plaisanter. Tu es détendu...

— Est-ce que cela te dérange?

— Non, non, ça va. Mais ces derniers temps, je trouve que tu riais moins. »

Vanessa fixait la terrasse de café située de l'autre côté de la rue, comme pour éviter d'affronter le regard de son père.

« Je suis désolé, ma chérie... Tu sais, avec le boulot... les problèmes de santé d'oncle Raymond... J'ai été plutôt débordé. Ce n'est pas vraiment une excuse, je le reconnais...

— C'est bon, n'en parlons plus, papa.

— Et si on allait visiter Manhattan après ma réunion?

— D'accord.

— Super. Tu pourrais aller à la piscine de l'hôtel en attendant que je revienne.

— Ça me va.

— Demain, nous passerons toute la journée ensemble

Nous pourrons aller du côté de ces maisons de disques dont je t'ai parlé. En soirée, que dirais-tu d'un restaurant chinois avant le cinéma?

— Pour enrichir mon anglais?

— Pas de sarcasmes, Vanessa. Ton anglais est excellent, tu le sais. Non, ce serait plutôt pour épater tes amies à notre retour... Tu pourras ainsi te vanter d'avoir vu un film américain avant qu'il ne sorte en France. Tu ne trouves pas ça cool?

— Mouais, c'est cool... »

André Corneau venait apparemment de marquer un point, car il nota l'œil brillant de sa fille.

* * *

Mady était à présent seule dans la vaste demeure que Guillaume avait mise à sa disposition. Si elle se sentait quelque peu perdue, en même temps elle était soulagée de pouvoir reprendre contact avec elle-même. Ajoutée à la fatigue du voyage, sa discussion tendue avec Manon avait mis à l'épreuve sa quiétude d'esprit.

Après avoir enfilé un vêtement confortable, elle entreprit de visiter les lieux. L'intérieur de cette maison lui plaisait beaucoup. Chaque pièce dégageait un charme particulier tout en obéissant à la même recherche d'harmonie. Elle se sentait attirée par les lieux. Le temps de faire le tour et elle fut conquise. Dès l'entrée, elle n'avait pas tari d'éloges sur les talents de décoratrice de Manon.

Après sa visite, Mady retourna dans sa chambre aux murs vert pomme et s'allongea sur le lit. Le matelas était ferme à souhait. Elle sentait son corps las. Ses paupières se fermaient, mais elle refoulait ce sommeil. Elle se laissa finalement vaincre sans s'en rendre compte.

* * *

dé à un bar, devant une bière brune, Guillaume
a montre. « Elle doit être arrivée à présent »,
se trouvait bien lâche d'avoir confié à sa sœur le
'ir Mady. Qu'est-ce qui l'avait poussé à agir ainsi?

La peur que son douloureux passé ne refasse brusquement surface quand il serait mis en présence de celle qui avait été son amour de jeunesse? Ou tout simplement la perspective de mettre un trait définitif à une histoire inachevée? Il n'aurait su le dire. Le nez dans sa chope, il se demandait s'il devrait aller la saluer sans plus attendre ou reporter encore cette rencontre au lendemain. Il décida plutôt de commander une autre bière...

* * *

Mady déambulait dans le parc public qui longeait la propriété, à l'arrière, quand une fillette aux cheveux blonds et bouclés l'interpella. Elle avait les yeux pétillants et un sourire à faire craquer n'importe qui.

« Vous êtes la nouvelle propriétaire de la maison?

— Non, elle est à... un ami, avoua finalement Mady. Il m'a invitée. Je ne suis là que pour quelque temps. J'habite en France.

— C'est pour ça que vous parlez avec un accent!

— Eh oui... Et toi, tu habites dans le quartier?

— Oui. Je m'appelle Yolande, mais mes amies m'appellent Yoyo.

— Eh bien, Yoyo, enchantée de faire ta connaissance », répliqua Mady en se présentant à son tour.

Au même moment, provenant du boisé à proximité, un aboiement vint rompre leurs échanges.

Mady chercha le chien du regard. Quand elle voulut poursuivre la discussion, la fillette s'était volatilisée.

« Ce n'est pas possible! Elle n'a pas pu disparaître aussi vite... »

Mady eut beau scruter les alentours. Aucune trace de la fillette.

De nouveau, l'aboiement déchira la quiétude des lieux. Il se répéta inlassablement jusqu'à ce que Mady sorte finalement de son sommeil.

« Encore ces rêves! » s'exclama-t-elle.

La nuit était tombée. Mady consulta l'heure. Comme il était encore tôt, elle jugea préférable de se lever pour ne pas être perturbée à cause du décalage horaire. Un bruit, en bas, lui rappela qu'elle n'avait pas fermé la porte à clé après le départ de Manon. Elle écouta plus attentivement, peu rassurée. Des pas! Et ils se rapprochaient. Il y avait bien quelqu'un dans la maison. Elle essaya de se détendre un tant soit peu, puis appela à tout hasard :

« Manon, c'est toi? Je suis là-haut... » osa-t-elle dire, pas très sûre cependant d'avoir choisi la bonne solution.

Comme pour lui donner raison, une voix masculine se fit entendre dans le couloir. Son cœur bondit, mais ce n'était plus de peur... C'était la voix de Guillaume, elle en était sûre. Vivement, elle ouvrit la porte.

* * *

Fabian de Runay s'en voulait des suppositions qu'il avait entretenues à propos de son père. Il en était même arrivé à accepter que si ce dernier avait vraiment une aventure, sa conduite était dictée par le besoin viscéral d'évacuer le stress d'une profession éprouvante. Il n'empêche qu'il devait parler avec son père! Cette situation le rongeait de plus en plus.

Aux grands maux les grands remèdes... Il conçut le projet de le cueillir au vol dans le stationnement de l'hôpital. Il attendait la sortie de son père depuis plus d'une heure quand il le vit apparaître tenant un couffin recouvert d'une couverture claire. Le jeune homme ne sut trop quel comportement adopter. Quand son père arriva devant sa voiture, Fabian décida de ne pas aller à sa rencontre et de l'observer discrètement.

Il était une heure du matin. Si la pleine lune laissait deviner qu'il y avait quelque chose à l'intérieur du couffin, le jeune homme ne put conclure pour autant en la présence d'un bébé. Voilà que son père semblait faire un tour d'horizon avant de poursuivre son manège. Fabian de Runay se laissa glisser de son siège. La position n'était guère confortable, mais il pouvait r' ' sans risquer d'être découvert. Il s'exhorta au calme.

Chapitre VI

À peine le seuil franchit, Mady s'arrêta. Elle ne s'était pas trompée... Guillaume se tenait devant elle. Ses cheveux bruns n'avaient pas subi l'assaut du temps. Son costume lui donnait un air sérieux que Mady ne lui connaissait pas. Elle voulut dire quelque chose, mais les mots restèrent au fond de son cœur.

Guillaume semblait éprouver lui aussi de la difficulté à rompre la glace. Leurs yeux se fondaient comme par le passé. Dehors, le chien avait repris son concert. Cela aida Mady à réagir.

« Bonjour, Guillaume.

— Bonjour, Mady. »

Tous deux ne savaient trop s'ils devaient s'embrasser sur la joue ou se serrer la main. Absurdité du moment. C'est Guillaume qui tendit machinalement la main, un peu gauche. Mady répondit à son geste tout en riant doucement.

« Mmm! Ça fait un peu cérémonieux, c'est ça?

— Un peu, oui. Après tant d'années, c'est normal...

— Sans doute. »

Guillaume s'approcha finalement et fit la bise à Mady avant de s'écarter promptement :

« Tu as fait bon voyage?

— Oui, merci. Pas l'ombre d'un problème, même aux douanes.

— Je suis désolé de ne pas être venu à l'aéroport...

— Ce n'est pas grave. Manon m'a expliqué. Je comprends ce que c'est. Le mari de ma sœur travaille aussi beaucoup. Il est dans les affaires... Elle s'implique d'ailleurs aussi dans l'entreprise. »

Guillaume hocha la tête. Il avait du mal à cacher sa gêne et surtout à trouver les mots de circonstance. Il opta pour ce qui lui passa en tête sur le moment :

« J'espère que je ne t'ai pas fait peur? J'ai frappé à la porte, puis j'ai sonné deux fois. Tu ne répondais pas. Je suis allé voir si, à tout hasard, tu étais dans le jardin, à l'arrière. Je suis revenu, et après avoir sonné à nouveau, je me suis permis d'entrer. La porte n'était pas verrouillée.

— Je m'étais assoupie. En fait, ce sont les aboiements d'un chien qui m'ont réveillée...

— Je crois que c'est moi qui l'ai fait aboyer en allant à l'arrière. »

Guillaume esquissa un sourire. Mady en fit autant, en précisant :

« Ça m'a au moins réveillée! Il faut croire que je suis devenue sourde puisque je n'ai pas entendu la sonnerie.

— Tu n'es pas habituée à l'entendre, à mon avis. C'est bien vaste ici. Je vais faire vérifier le système électrique.

— Elle est jolie, cette maison.

— C'est Manon qui l'a décorée. Je suis content qu'elle te plaise. Je n'ai pas eu beaucoup l'occasion d'y venir depuis la fin des travaux... »

Guillaume regardait tout autour de lui en parlant, comme s'il voulait meubler les longues années par des phrases anodines. Il voulait aussi masquer son malaise, provoqué tout autant par les lieux que par la présence de Mady.

« Ce n'était pas la peine de te donner tout ce mal pour mon séjour.

— Tu ne crois quand même pas que j'allais te laisser aller à l'hôtel alors que nous disposons de suffisamment d'endroits pour t'accueillir. Il y avait la maison de Manon ou mon appartement. On s'est dit que tu serais plus tranquille si tu habitais ici.

— C'est gentil.

— Il y a tout ce qu'il faut dans la cuisine, rassure-toi. Manon a pris soin de tout préparer pour ton arrivée.

— Je ne manquerai pas de la remercier à nouveau.

3ien. Et si nous allions manger quelque part? À moins
référes rester ici pour te reposer... »
souleva les épaules, hésitante.
veux pas que tu te sentes obligé de m'inviter.
? fait plaisir.

— Très bien. Laisse-moi juste le temps de me préparer pour sortir.

— Prends le temps qu'il faut. Je vais en profiter pour jeter un coup d'œil au système de sécurité... »

* * *

Guillaume se trouvait au salon, près de l'imposante cheminée de pierre qui prenait une bonne partie du mur, quand son cellulaire sonna. Il hésita à répondre, pensant que Connie cherchait à le joindre. Finalement, quand il obtempéra, la voix flûtée de la jeune femme confirma ses appréhensions.

« Tu devais m'appeler pour me dire l'heure.

— Te dire l'heure? Mais de quoi parles-tu, Connie?

— Eh bien pour notre soirée de demain, voyons, mon *pitounet*! Aurais-tu oublié que nous allons au théâtre? Tu devais appeler pour les réservations... »

Guillaume donna un léger coup de poing sur le manteau en bois de la cheminée. Il serra les lèvres, puis lui sortit une excuse.

« Quoi? Tu veux dire que tu as oublié? Demain, c'est la dernière représentation...

— Je sais. Je te répète que je suis vraiment navré...

— J'espère qu'il n'est pas trop tard. Si tu essayes maintenant, peut-être aurons-nous encore des places?

— C'est possible, mais... Je suis *mal pris, là*... Il serait peut-être préférable que ce soit toi qui les appelles?

— Tu m'avais pourtant promis que tu t'en chargerais, Guillaume! Ça fait déjà trois fois que tu repousses nos rencontres. Nous avions enfin une occasion de passer une soirée, rien que toi et moi. »

La voix était boudeuse à présent.

« Écoute, on pourrait aller au cinéma à la place.

— Au cinéma? pesta Connie à l'autre bout du fil. Mais tu plaisantes, j'espère. Tu ne peux pas comparer le cinéma avec le théâtre!

— Te fâche pas, Connie. Ce n'est pas ce que j'ai voulu dire, tu le sais.

— Qu'est-ce qui se passe, Guillaume? Tu ne retournes

pas les appels que je laisse chez toi ou à ton bureau... *Pis* quand j'arrive à t'avoir sur ton cellulaire, c'est tout juste si on se parle... En fait, c'est bien simple, ça fait plus de deux semaines que tu n'as pas pris le temps de m'appeler. C'est toujours moi qui le fais.

— Il faut que tu comprennes, Connie. J'ai été pas mal débordé ces derniers temps. »

Le peu de conviction de Guillaume démentait pourtant ses sentiments. Il tenait à Connie et ne comprenait pas pourquoi il s'était montré aussi négligent à son endroit. Elle avait tout à fait le droit d'être en colère, même s'il détestait ça. Sa voix résonnait très haut et elle en avait pour longtemps à exprimer ses récriminations. Il prit son mal en patience et l'écouta.

« Je suis inquiète, Guillaume. Tu *fais dur* en ce moment! Il faut qu'on se voie et qu'on se parle sérieusement. Où es-tu? »

Guillaume ne s'attendait pas à ce que Connie veuille le rejoindre sur-le-champ. Il essaya d'obtenir un sursis.

« Demain, c'est promis, je passe te voir. Ce soir, c'est impossible.

— Tu es encore au bureau, c'est ça? »

La situation lui échappait. Il se passa la main dans les cheveux, à la recherche d'une réponse plus satisfaisante. Il ne pouvait tout de même pas, comme ça au téléphone, avouer à Connie où il était et encore moins avec qui. Elle l'aurait très mal pris. Il se demandait pourquoi il ne lui avait toujours pas parlé de la visite de Mady. Après tout, elle était en droit de savoir... Il était incapable de s'expliquer les motifs de son silence coupable.

À l'autre bout, la voix toujours accusatrice de Connie poursuivait :

« Pourquoi ne me réponds-tu pas, Guillaume? On dirait que tu me caches quelque chose. As-tu rencontré quelqu'un d'autre? Dis-moi la vérité.

— Mais non, Connie, tu n'y es pas du tout!

— Alors, c'est quoi le problème? Tu ne veux plus de moi?

— Vraiment, Connie, tu te fais des idées.

— Dis-moi au moins où tu es. »

De guerre lasse, Guillaume lâcha :

« Je suis à la maison de Rivière-des-Prairies.

— La maison de tes parents?

— Oui, c'est en plein ça.

— Je peux venir te rejoindre dans ce cas. J'arrive tout de suite. »

Guillaume voulut répliquer, mais Connie avait déjà raccroché. Il émit un juron et pressa la touche de recomposition automatique. Il ne connaissait pas Connie aussi jalouse... Comment pouvait-elle imaginer qu'il y avait quelqu'un d'autre?

À l'étage, Mady hésitait à descendre. Elle avait distinctement entendu Guillaume soutenir une conversation et en avait conclu qu'il était au téléphone. Elle pensa un instant qu'il s'adressait à sa sœur, mais, très vite elle avait reconnu le nom de Connie...

Jugeant que cela ne la regardait pas, Mady refusa d'abord de se perdre en conjonctures et voulut regagner discrètement sa chambre, histoire d'attendre la fin de la conversation. La curiosité l'emporta. Elle s'était blottie dans une encoignure près de l'escalier quand elle entendit Guillaume prononcer encore le nom de Connie. Étrangement, ce prénom lui était familier. Elle était presque sûre de l'avoir déjà entendu quelque part...

« Connie? Connie? » se répéta-t-elle intérieurement.

Quand Guillaume le prononça une nouvelle fois, elle se rappela soudain le rêve dans lequel elle se voyait à Montréal.

« Oui, c'était bien ce nom-là! se confirma-t-elle intérieurement. C'était bien Connie! »

Un frisson glissa le long de sa colonne vertébrale.

« Qu'est-ce que ça signifie? Comment ai-je pu imaginer le nom exact de cette femme alors que je ne la connais pas? Guillaume ne m'a jamais fourni d'information de ce genre, dans sa lettre. Je n'ai quand même pas pu l'inventer, c'est sûr! »

Mady était visiblement troublée. Jamais auparavant elle n'avait été confrontée à autant de coïncidences. D'habitude, c'était tout juste si elle se rappelait ses rêves. Et quand par miracle ceux-ci effleuraient sa mémoire, ils s'avéraient plutôt flous et, surtout, dépourvus de la moindre parcelle de prémonition. Depuis quelque temps, elle devait constater qu'ils étaient le reflet d'une inquiétante réalité.

Si certains détails venaient accréditer la thèse des rêves prémonitoires, d'autres éléments discordants venaient, par contre, ébranler les certitudes de Mady. Tout d'abord, Guillaume n'était pas venu la chercher à l'aéroport. Ensuite il ne l'avait pas invitée à loger sous le même toit. Et enfin, il ne lui avait pas offert la bague de fiançailles durant sa visite.

La somme de ces divergences, elle en était consciente, avait de quoi la questionner et la rendre confuse. Pourtant, une petite voix lui disait qu'elle ne faisait pas fausse route, qu'il fallait s'attarder à certains détails, à commencer par le nom de cette femme...

Elle entendit soudain les pas de Guillaume se rapprocher de l'entrée du salon. Elle se réfugia aussitôt dans la salle de bain et attendit silencieusement.

Guillaume hésita à monter. Devait-il faire le guet en bas ou bien s'assurer que Mady n'avait besoin de rien? Finalement, il opta pour sa deuxième idée et s'arrêta devant la porte de la salle de bain close. Il soupira avant de frapper.

« Mady? Est-ce que tout va bien?

— Oui, oui. Je suis bientôt prête.

— Tu peux prendre ton temps, cria Guillaume au travers de la porte. Si tu veux prendre un bain, ne te gêne pas. J'ai quelques appels téléphoniques à faire de toute façon... Je viendrai te chercher dès que j'aurai terminé.

— Très bien. »

Mady se demanda pourquoi elle lui avait fait croire qu'elle n'était pas prête. Décidément, leurs retrouvailles commençaient difficilement. Elle en éprouva une certaine amertume. De toute évidence, Guillaume cherchait à lui cacher sa relation avec cette Connie. Pour donner un sens à sa visite, il leur faudrait, ce soir, s'expliquer et jouer franc jeu. Elle se moquait bien qu'il ait une petite amie. Après tout, elle entretenait de son côté une relation régulière avec Jeremiah...

Ses rationalisations auraient dû la calmer; pourtant, un petit aiguillon la piquait quelque part. Pour accuser le coup, elle tourna un peu rageusement les robinets et s'obligea à se concentrer sur les huiles et les crèmes déposées sur le rebord de la baignoire. Elle opta pour un produit à base de lavande pour échapper à ses propres égarements...

En bas, Guillaume se félicita de son subterfuge et attendit l'arrivée de Connie. Quand il la vit se garer quelques minutes plus tard devant la maison, il se dépêcha d'aller ouvrir la porte pour éviter qu'elle ne sonne.

« Connie. T'as fait vite...

— Il n'y avait pas trop de circulation », expliqua la jolie blonde aux cheveux longs en embrassant son amoureux.

Sans plus attendre, elle s'introduisit dans la maison et se dirigea directement dans le salon. De ses yeux verts, elle balaya l'espace autour d'elle. Ses longues jambes étaient enserrées dans un collant en dentelle. Décidée à rester, elle ôta sa veste trois quarts et la jeta négligemment sur le dossier d'un fauteuil. Son chemisier à la coupe impeccable et sa jupe droite vert amande lui allaient à ravir, Guillaume devait en convenir. Pourtant, il ne se laissa pas émouvoir par l'aspect de la jeune femme et commença, d'un ton peu avenant :

« Ce n'était pas nécessaire de te déplacer.

— Pourquoi cela m'aurait-il dérangée puisque je suis venue pour te voir ? Au cas où tu l'aurais oublié, nous sortons ensemble ! »

Guillaume se demanda soudain ce qu'il devait faire exactement pour se sortir de l'impasse dans laquelle il s'était engagé. Après tout, Connie était une femme de goût, intelligente, belle. Il devait admettre qu'elle lui plaisait et que l'idée de s'investir davantage avec elle avait toujours du sens à ses yeux... Il fallait toutefois qu'il règle cette affaire avec Mady pour éviter tout malentendu. Ça n'avait que trop duré, et il ne pouvait plus reculer. Les trop nombreuses questions qui étaient restées sans réponses depuis plus de vingt ans l'empêchaient d'avancer en toute sérénité. Aussi, c'est d'un ton rembruni qu'il proposa :

« Connie, je suis content de te voir, mais tu tombes mal.

— Comment ça, je tombe mal ? Qu'est-ce que tu me caches à la fin, Guillaume ?

— Je ne peux pas t'en parler. »

Connie sembla digérer la réponse avec difficulté. Elle pinça ses lèvres avant de poursuivre, accusatrice :

« Si tu ne veux plus me voir, il me semble que j'ai le droit de savoir, non ? Je peux le comprendre, je ne suis pas idiote ! »

Guillaume soupira encore et secoua la tête.

« Qu'est-ce que tu vas chercher ? Ce n'est pas du tout ça, Connie. J'ai de la visite... de France. C'est pour cette raison que je suis ici.

— Tu ne pouvais pas le dire tout de suite ? Voyons, Guillaume, je ne suis pas *niaiseuse*. Des fois, tu sembles me considérer comme si j'étais encore une étrangère. Allez, dis-moi qui est venu te rendre visite ! C'est un membre de ta famille ? Un ami ?

— C'est ça.

— Pourquoi tu ne me présentes pas ? Après tout, aux dernières nouvelles, je suis ta *blonde*. »

Toute la colère de la jeune femme semblait s'être volatilisée. Guillaume n'analysa pas outre mesure la situation et poursuivit, en pesant ses mots :

« Oui, bien sûr, mais pas ce soir. Le voyage l'a fatiguée.

— Je comprends. De toute façon, ce n'est pas pour le voir que je suis venue, mais pour toi, mon *pitounet*. »

Connie semblait croire que la personne venue rendre visite était un homme. Quand Guillaume comprit la méprise, il ne fit rien pour l'amener à penser le contraire. À quoi bon ? Il aurait fallu qu'il se justifie davantage au risque d'envenimer la situation. Il avait bien le temps de réfléchir à la manière de lui présenter Mady au cas où elles finiraient par se rencontrer.

Face au sourire de Connie qui en disait long sur ses pensées, Guillaume s'en contenta aisément. Elle minaudait à présent en s'approchant de lui. Bientôt, entreprenante, elle attrapa sa cravate qu'il avait renouée en l'attendant. Elle s'amusa à monter avec ses longs doigts fins sur le tissu, arborant des ongles fraîchement manucurés. Elle parvint ainsi près du menton à la barbe naissante puis entreprit de l'embrasser.

Guillaume tenta de l'écarter doucement, mais elle s'empressa de lui passer les bras autour du cou.

« Tu m'as tellement manqué, mon *pitounet*. C'était long sans toi ces jours-ci.

— Connie, il est tard, je suis vraiment claqué... »

La voix de Guillaume était faible. Il se sentait attiré par

Connie. Mais Mady était là-haut dans la salle de bain. La situation devenait un peu trop confuse à son goût. Soudain, il tressaillit. Il venait d'entendre un bruit à l'étage... Il repoussa bien vite Connie.

« Guillaume! siffla aussitôt Connie, frustrée tout autant que choquée.

— Je te demande de me faire confiance, Connie. Tu dois partir maintenant. Demain, on se verra, c'est promis. »

Guillaume ne pouvait pas être plus clair. Il avait pris la veste de Connie et la lui tendait en évitant soigneusement de la regarder en face.

* * *

Pendant ce temps, inconsciente de la scène qui se jouait en bas, Mady avait trompé l'attente en découvrant les vertus de la baignoire à remous. Puis elle s'était rendue sagement à sa chambre, bien résolue à ne plus commettre d'indiscrétion. Elle jouerait son rôle d'invitée jusqu'au bout, cela vaudrait mieux pour tous les deux.

Pour se rendre au restaurant, elle choisit une robe rouge et noir, toute simple, avec une encolure en V montrant timidement la naissance des seins. La coupe cintrée du vêtement soulignait sa silhouette sans pourtant être moulante. Mady se sentait toujours à l'aise dans cette toilette. Elle glissa à ses pieds une paire de souliers à brides en T en cuir noir. Le bout des chaussures ouvertes montrait ses orteils qu'elle n'avait toutefois pas pris la peine de recouvrir de rouge à ongles. Quant aux talons, ils ne devaient pas excéder cinq centimètres. Plus haut, elle se tordait immanquablement les chevilles.

Elle virevolta plusieurs fois sur elle-même et réalisa soudain qu'elle se comportait comme si elle se rendait à son premier rendez-vous galant.

Or, ce n'était pas le cas.

Pas du tout même. « Alors, pourquoi cet empressement à plaire? se questionna-t-elle. Parce que tu veux que Guillaume garde une belle image de toi. Tu ne veux pas qu'il pense que tu es devenue une vieille femme. »

Elle se pencha vers le miroir et hocha la tête, se confortant dans cette idée. Non, elle ne se trouvait pas vieille du tout. Elle se trouvait même séduisante. En tout cas, Jeremiah ne manquerait pas de le lui dire s'il était à ses côtés.

Avant d'achever son maquillage, elle ressentit une grande soif. Doucement, elle s'avança dans le couloir et s'appuya quelques instants sur la rampe. Était-il sage de descendre? Guillaume avait-il fini ses pseudo-conversations téléphoniques? Au milieu de l'escalier, elle s'arrêta brusquement, car une autre voix donnait maintenant la réplique à Guillaume. Sans l'ombre d'un doute, il s'agissait d'une femme. Ce n'était pas Manon. Mady songea aussitôt à Connie...

Elle sentit son cœur se serrer. Elle oublia instantanément sa soif et repartit vite dans sa chambre, honteuse d'avoir une nouvelle fois espionné Guillaume. Ses joues prirent une teinte rosée.

S'installant sur le bout du lit, elle secoua la tête et murmura, à la chambre silencieuse :

« Et alors, à quoi t'attendais-tu? Depuis toutes ces années, Guillaume a eu le temps de refaire plusieurs fois sa vie. Ça ne te regarde plus maintenant. »

Elle se surprit à malmener la couette sous ses doigts. Elle se sentait injustement bernée et impuissante. Elle avait cru à quoi au juste? À l'image du passé? À ses rêves? Ils venaient à peine de se retrouver. Qu'espérait-elle vraiment en venant ici? Elle avait pourtant clamé haut et fort à Manon qu'elle voulait fermer une porte. Était-elle sincère dans ses propos? Elle le pensait, enfin, jusqu'à cet instant.

Elle avait fait sa vie, lui la sienne, voilà tout.

« Reviens sur terre, ma pauvre Mady », se morigéna-t-elle en pestant contre les images troublantes de ses rêves dans lesquels Guillaume lui demandait de reconstruire quelque chose à deux...

« Sont-elles finalement devenues incompatibles, nos vies? songea-t-elle. À moins qu'elles l'étaient déjà quand on s'est connus il y a plus de vingt ans. »

Mady leva les sourcils et se trouva idiote de penser cela. Elle n'avait aucun droit sur Guillaume. Ses songes et la réalité semblaient s'être mélangés pour créer de toutes pièces cette stupide jalousie qui l'étreignait. Elle aurait pu en rire si elle n'avait eu le cœur si fragile. S'imposant un peu de retenue, elle cessa ses lamentations débridées et s'interrogea sans détour sur ses sentiments. Mady s'en voulait. Elle ne savait trop ce qu'il en était maintenant qu'elle avait revu Guillaume. Certes, elle devait reconnaître avoir éprouvé une attirance face à l'homme qu'il était devenu. Mais ce coup de cœur était-il suffisant pour espérer refaire sa vie avec lui? Et Jeremiah, dans tout cela, où était sa place? Jeremiah, elle ne le savait que trop, l'attendait avec patience, une patience exemplaire d'ailleurs.

« Ce ne serait pas très honnête de ma part de le laisser tomber ainsi, raisonna-t-elle à nouveau. Non, je ne peux pas lui faire ça. De toute façon, je me fais des idées puisque Guillaume a quelqu'un d'autre dans sa vie. »

Mady commençait à regretter sa présence à Montréal. Elle conclut que la fatigue et les émotions devaient être derrière toutes ses folles idées. Forte de sa réflexion, elle termina de se maquiller et trouva un livre dans une bibliothèque de la chambre où elle était installée : *Témoin muet* d'Agatha Christie. Elle ôta ses souliers et s'installa sur le lit.

* * *

« Bien, Guillaume, puisque tu me donnes mon *quatre pour cent*, je m'en vais!

— Ne prends pas un air de tragédienne, Connie, je t'en prie.

— Ah! Parce qu'en plus, c'est moi qui suis pas *correcte*?

— Pas de scène, s'il te plaît! Il est assez tard, je suis fatigué. Je travaille comme un fou en ce moment. Je n'ai nulle envie de me disputer avec toi.

— Tu veux rompre, avoue-le?

— Connie, comme tu y vas... Ce n'est pas le temps...

— Ce n'est jamais le temps avec toi.

— Tu es injuste.

— Tu crois vraiment? »

Connie avait levé un sourcil tout en enfilant sa veste rageusement.

« Je ne sais plus trop. J'ai besoin d'un peu de recul, peut-être. »

Guillaume n'arrivait pas à comprendre pourquoi il était aussi dur avec Connie. De quel recul voulait-il parler? Il l'ignorait lui-même. Pour l'instant, il avait du mal à y voir clair tant la présence de Mady là-haut le mettait mal à l'aise. D'une part, il se demandait si cette dernière avait entendu leur conversation. D'autre part, il était conscient que, suite à cette dispute, il risquait de perdre définitivement Connie. C'était là une perspective qu'il ne souhaitait pas.

Il n'empêche que le plus urgent était de protéger Mady en la tenant en dehors de cet imbroglio dans lequel il s'enfonçait. Certes, il aurait été plus honnête envers Connie de tout révéler depuis le début, mais il ne savait comment arrêter un engrenage qu'il ne pouvait plus contrôler... Une fois la situation clarifiée entre Mady et lui, il lui serait plus facile, croyait-il, de repartir sur de bonnes bases.

Connie argua finalement, plus abattue que jamais :

« Bien, j'ai compris. Je ne vais pas te *tordre un bras* pour que tu me dises ce qui ne va pas. J'aurais quand même apprécié que tu m'en parles plus tôt. Notre relation menait nulle part depuis quelque temps. Dans ce cas, autant en rester là.

— Connie, j't'ai jamais *fait accroire* quoi que ce soit. Je ne veux pas te faire de peine...

— Arrête! *Laisse faire.*

— Connie, je t'en prie, essaie de comprendre.

— Comprendre quoi, Guillaume? Je croyais qu'on était sur la même *track*, tous les deux... qu'on était faits pour vivre ensemble... »

Connie se mit à pleurer. Sa voix tremblait. Guillaume s'approcha et l'enlaça.

« *J'haïs* ça quand tu pleures. Je n'en vaux pas la peine.

— Ce n'est pas de ma faute, Guillaume. Tout allait si bien entre nous puis, tout d'un coup, tu as changé. J'ai l'impression d'être rejetée.

— Je ne te rejette pas, Connie. Je reconnais que j'ai été plus distant avec toi ces derniers temps. Tu as tout à fait raison de me faire des reproches. Je vais faire des efforts, c'est promis. D'ailleurs, pour commencer, nous passerons la soirée tous les deux, demain. Nous irons au théâtre ou ailleurs, comme tu veux. »

Connie le regarda, puis s'enquit, d'une toute petite voix :
« Tu es sûr d'en avoir vraiment envie? »

Guillaume n'aimait pas mentir. Pourtant, il se força à sourire et ajouta :
« Oui, Connie. Nous avions planifié cette soirée depuis si longtemps.

— On se voit demain alors?

— Je passerai te prendre chez toi vers dix-neuf heures.

— Très bien. Tu m'appelleras avant, d'accord?

— Promis. »

Connie embrassa tendrement son bien-aimé puis sortit.

Guillaume referma la porte. Il avait honte de lui. Honte de son attitude vis-à-vis de Connie, mais aussi de Mady. Il devait le reconnaître. Il avait eu très envie de retenir Connie et de lui faire l'amour ici même, entre les murs de son enfance. Sans doute l'aurait-il fait si Mady n'avait pas été en haut.

Le cœur lourd, il monta les marches pour rejoindre son invitée. Il ne savait pas comment il allait expliquer la longueur de ses soi-disant coups de téléphone. Il se surprit à imaginer tout dévoiler... Tout serait si simple...

Devant la salle de bain, Guillaume remarqua la porte grande ouverte. Cela ne le surprit pas, bien sûr. Il se dirigea vers la chambre et frappa. Son malaise grandissait. Mady l'invita à entrer, tenant toujours le livre dans la main. Il la trouva ravissante et si femme dans sa robe. L'image floue de la jeune fille s'enfuit aussi vite dans son esprit pour cette nouvelle femme qui se levait prestement. D'une voix mal assurée, il commenta :
« J'ai fini. Cela a été plus long que prévu. On y va? »

Mady se contenta d'acquiescer et posa son livre sur la table de chevet. Elle enfila ses chaussures et le suivit...

* * *

Leur soirée fut un succès qui réconforta Guillaume. Durant le repas, chacun évoqua des événements du passé. Mis bout à bout, les raisons et les quiproquos donnèrent l'heure juste. Il apparut que, pour des motifs obscurs, Arthur

Martinon avait été incontestablement le maître d'œuvre de leur séparation. Faute de pouvoir tout expliquer, Mady se contenta d'hypothèses, puis enfin elle en vint à Marianne :

« Il faut que tu saches aussi autre chose. »

Guillaume levait son verre tout en restant attentif.

« C'est au sujet de Marianne.

— Tu veux parler de ta fille? »

Mady serra très fort sa serviette dans sa main.

« C'est notre fille, jeta-t-elle sans atermoiements.

— Quoi?! »

Guillaume reposa son verre de vin en toussant.

« Je comprends tout à fait ta réaction, Guillaume, mais il était important que tu saches que nous avions une fille. »

Encore sous le choc, Guillaume ne tarda tout de même pas à réagir.

« Nous avons eu une fille ensemble, et c'est seulement aujourd'hui que tu me l'annonces?

— Je te ne l'ai pas dit à l'époque parce que je ne voulais pas que tu te fasses du souci. Tu étais reparti pour Montréal après avoir appris que Manon était à nouveau tombée gravement malade. C'était la santé de ta sœur qui importait, et je savais que ta présence à ses côtés était très importante pour elle...

— D'accord, mais après, pourquoi ne pas me l'avoir dit?

— Écoute, Guillaume! Tu n'as pas de reproches à me faire! Comment pouvais-je savoir que mon père allait tout faire pour nous séparer? Je te croyais mort, Guillaume! En tout cas, c'est ce que disait la soi-disant lettre que j'avais reçue de ta mère, mais qui finalement avait été écrite par une complice de bar de mon père. »

Guillaume ne trouvait rien à dire. Le coup portait. Mady continua :

« J'ai dû me battre seule pour garder l'enfant que je portais. Je n'avais que seize ans, et mon père s'est débrouillé pour me faire croire que Marianne était morte peu après sa naissance. Cette année-là, coup sur coup, j'ai appris ton décès, celui de ma mère et celui de ma fille. Alors, tu vois, moi aussi j'ai eu mon lot de malheurs. Tu n'es pas le seul, Guillaume! »

Les yeux brillants de larmes, Guillaume regardait Mady sans pouvoir sortir un mot. Il essayait tant bien que mal de réaliser qu'il avait une fille... sa fille... leur fille. Et c'était elle, Marianne, qui les avait retrouvés et avait contribué à ce qu'ils puissent se revoir plus de vingt ans plus tard. Il lui avait même parlé au téléphone!

Guillaume questionna à son tour. Mady devait l'attendre. Lorsqu'il était revenu en France, elle était mariée... Devant les yeux interrogateurs de Mady, Guillaume apporta des détails. Mady comprit soudain... Son père avait habilement fait croire à Guillaume que Mady s'était mariée avec André Corneau. Son beau-frère!!! La photo montrée par Arthur Martinon était bien un mariage... Celui de Sarah et André... Mady était le témoin... D'où la photo...

Guillaume et Mady choisirent de s'éloigner de ce sujet nauséeux et Mady expliqua comment Marianne les avait retrouvés, puis elle lui décrivit son enfance heureuse et épanouie au sein de sa famille adoptive, les de Fourtoyes. Guillaume buvait chacune des paroles relatant les événements de sa vie.

Son amour pour sa fille grandissait au fur et à mesure qu'il en apprenait plus sur elle. Mady avait glissé quelques photos dans son sac à main. Elle les sortit et les lui montra.

Guillaume observa attentivement les clichés de Marianne, s'imprégnant des traits de son visage, de la couleur de ses yeux, de ses cheveux...

Mady poursuivit en lui parlant de ses goûts et de ses projets d'avenir.

Progressivement, Guillaume et Mady retrouvaient leur complicité d'antan. Ils échangèrent en souriant des petites anecdotes de leurs vies respectives.

Mady relata sa rencontre et son mariage avec Marc Lestrey, un militaire de carrière. Ensemble, ils avaient vécu des années heureuses avant que la maladie ne survienne brusquement et l'emporte en quelques mois. Elle parla ensuite de Jeremiah et de leur relation naissante.

À son tour, Guillaume lui fit état des femmes qui avaient traversé sa vie. Il confia, cependant, ne s'être jamais engagé dans les voies du mariage. Mady prit aussitôt la remarque au vol par une question directe : « Et Connie? » Guillaume s'agita sur son siège. Il crut un instant que Manon avait parlé. Mady lui avoua tout simplement avoir entendu des bribes de sa conversation au téléphone et s'être rendu compte de la présence de Connie à un certain moment. Il reconnut finalement qu'ils étaient fiancés.

Après ces moments d'échanges, Guillaume raccompagna Mady et, juste avant qu'elle ne ferme la porte derrière elle, il lui glissa un baiser sur la joue.

Mady resta appuyée contre la porte à présent close. Sentant son cœur s'emballer comme du temps de son adolescence, elle comprit qu'elle éprouvait encore des sentiments pour Guillaume. Elle craignait toutefois que cet amour ne soit plutôt le reflet de ce qu'ils étaient tous les deux dans leur jeunesse. Une illusion entretenue par cette soirée délicieuse qui, malgré quelques impairs, avait fait renaître en chacun le souvenir d'une tendre complicité.

Après avoir pris congé, Guillaume était resté de l'autre côté de la porte. Il sentait monter en lui un violent désir de prendre Mady dans ses bras, de sentir l'odeur de sa peau, puis de faire glisser sa robe avec ce décolleté tout aussi sage que troublant. Il reconnaissait que durant la soirée ses yeux s'étaient maintes fois égarés, essayant de deviner la rondeur des seins dont ses mains croyaient encore se souvenir de la douceur. Il ferma les yeux pour se contenir. Il n'avait pas pensé que ce serait si difficile même si tout s'était bien passé entre eux. Il n'en avait pas espéré autant.

Au bout d'un long moment, il se glissa derrière le volant et roula sans prendre une direction précise.

Quand il se rendit au bureau, le lendemain, Guillaume repensa à la situation dans laquelle il se trouvait, avec Connie d'un côté et Mady de l'autre. Il n'aimait pas compliquer sa vie de la sorte. En fin de compte, il avait plutôt hâte que Mady reparte pour la Normandie. Ils s'étaient cependant déjà entendus pour qu'elle reste chez lui le temps nécessaire... Un mois, pourquoi pas... C'était la durée maximale qu'elle s'était accordée pour son séjour, en comptant un éventuel voyage dans les provinces de l'Atlantique. Guillaume avait également proposé de lui faire visiter, avant, Montréal et les alentours, si elle le souhaitait. Mais peut-être s'était-il un peu trop avancé?

Chapitre VII

De l'autre côté de l'Atlantique, Marianne de Fourtoyes sortit du centre commercial un peu dépitée. Elle avait vu une jupe à volants à la coupe particulièrement originale. Il n'y en avait plus dans le coloris qu'elle désirait. Elle se tourna vers son amie.

Mary-Gaëlle avait des lunettes de forme oblongue qui mettaient en valeur ses ravissants yeux noisette. Ses cheveux noirs « spaghetti » lui donnaient les allures d'une Cléopâtre qui ne laissaient pas les hommes indifférents...

« Je trouverai mon bonheur une autre fois sans doute. C'est vraiment dommage tout de même.

— Oui, répondit son amie avec un clin d'œil malicieux, pour une fois que tu trouvais du premier coup un article à ton goût...

— Tu sembles insinuer que je suis quelqu'un de difficile?

— À ton avis? »

Marianne resta un instant perplexe, puis opina de la tête.

« Tu n'as pas tort, je le reconnais.

— Bravo. »

Les deux jeunes femmes se mirent à rire en avançant à la terrasse d'un café. Elles passèrent commande d'un verre de lait froid chocolaté et d'une tisane à l'abricot.

« En tout cas, c'est une bonne journée pour se promener. J'aime tant le printemps avec toutes ses odeurs qui explosent...

— Moi aussi, approuva Mary-Gaëlle avant de demander, à brûle-pourpoint :

— As-tu des nouvelles de ta mère... Enfin, je veux dire de Mady?

— Pas encore.

— Combien de temps a-t-elle prévu de rester à Montréal?

— Trois ou quatre semaines tout au plus. Elle a pris ses

congés annuels à cette occasion. J'espère vraiment que tout se passera bien!

— Il n'y a pas de raisons qu'il en soit autrement. »

La moue que fit Marianne prouva qu'elle était soucieuse.

« Allons, Marianne, inutile de t'en faire.

— Tu te rends compte, tout de même... Retrouver l'homme que tu as tant aimé après si longtemps! »

Marianne prononça ces paroles avec une gravité ne laissant pas de doute sur ses pensées. Elle dessina le contour de sa tasse avec le bout du doigt, puis secoua la tête comme pour chasser ses idées.

« C'est sûr que ce ne sera pas évident après tout ce temps...

— Et dire que c'est mon père qu'elle est allée retrouver. Enfin, mon père biologique. Je me demande ce qui peut ressortir de leurs retrouvailles après toutes ces années. Ni l'un ni l'autre n'ont souhaité cette séparation...

— Tu as peur de quoi en fait? » demanda Mary-Gaëlle.

Marianne fronça les sourcils :

« Je ne sais pas trop. Par contre, la pensée que les deux personnes qui m'ont donné la vie ne m'ont pas abandonnée me conforte au-delà de mes espérances. Je t'ai tout dit. Ce que je déplore, c'est qu'on ne leur a pas donné la chance de vivre la vie qu'ils auraient dû avoir. Et maintenant qu'ils ont enfin l'occasion de se retrouver, rien ne garantit qu'ils vont s'aimer de nouveau à cause de ce qui s'est passé. Ils pourraient reporter la faute sur l'autre et se faire encore plus de mal.

— Écoute, Marianne. Je crois que tu t'inquiètes trop à leur sujet. Guillaume a sans doute refait sa vie...

— Oui... Mady m'a aussi confié qu'elle était attachée à un homme de son voisinage...

— Tu vois! Il ne faudrait surtout pas que tu te culpabilises pour ce qui pourrait se passer. Tu as fait ce qu'il fallait en cherchant à retrouver tes parents. Cela t'a permis d'acquérir la certitude qu'ils ne t'ont pas abandonnée. En plus, tu viens de leur permettre d'avoir une seconde chance de s'expliquer. C'est déjà pas mal. Beaucoup aimeraient avoir cette opportunité. Donc, crois-moi, tu n'as rien à te reprocher, bien au contraire. Tu as fait ta part. À leur tour de faire la leur... Ils sont adultes!

— Tu as sans doute raison, Mary-Gaëlle. Ah! Que ferais-je sans tes conseils avisés?

— Je me le demande aussi », jeta son amie d'un air amusé en remontant ses lunettes d'un doigt étudié.

Les deux jeunes femmes rirent de bon cœur. Cela fit un grand bien à Marianne.

« En passant, je te trouve chanceuse d'avoir une mère adoptive comme la tienne... Il faut vraiment qu'elle ait un grand cœur pour t'avoir poussée à retrouver ta mère biologique.

— Oui, je suis la première à le reconnaître. Tout comme père d'ailleurs. Ils forment un couple extraordinaire, tous les deux. J'aimerais pouvoir un jour rencontrer un homme avec les mêmes qualités que lui.

— Moi aussi. Le problème, c'est que ça ne court pas les rues, ce genre de gars. Qui sait? Avec l'arrivée du printemps, il y en a peut-être deux qui apparaîtront dans notre coin de ciel bleu? »

Les deux amies souriaient encore quand Mary-Gaëlle murmura soudain :

« En parlant d'hommes justement. Tu sais quoi? Il y en a un qui n'arrête pas de nous observer depuis que nous sommes arrivées. C'est le gars qui est assis à trois tables d'ici, sur ta gauche... légèrement en arrière.

— S'il n'a que ça à faire, se contenta d'objecter Marianne sans se retourner.

— Il n'est pas mal du tout, je te précise! Son regard est à vous faire tomber par terre.

— C'est fini, oui? »

Mary-Gaëlle se mit à pouffer de rire en voyant la mine déconfite de son amie. Quand elle retrouva son calme, elle reprit :

« Je pense malheureusement que ce n'est pas moi qui l'intéresse.

— Et qu'est-ce qui te permet de dire ça?

— La direction de son regard... C'est plutôt toi qui sembles l'attirer.

— Je ne vois pas trop ce qui peut l'attirer chez moi puisque je suis de profil! commenta Marianne, un sourcil levé.

— C'est peut-être un artiste, jeta Mary-Gaëlle. Ton profil

gauche doit l'inspirer. À moins que ce ne soit ton dos qui l'intéresse. Va donc savoir? C'est peut-être un amateur de dos féminins. »

Mary-Gaëlle rit encore de ses propos légers et Marianne se laissa entraîner. Enfin, elle reprit :

« Bon, tu peux arrêter de le regarder!

— C'est plus facile à dire qu'à faire. »

Exaspérée, Marianne se tourna vivement et suivit le regard de Mary-Gaëlle. Elle fit volte-face rapidement. Ses yeux étaient devenus étranges et un froncement du sourcil droit indiquait un malaise évident.

« Marianne? Que se passe-t-il? On dirait que tu as vu un fantôme.

— C'est presque ça. J'ai déjà rencontré cet homme.

— Mmm! Et alors? Je veux tout savoir, petite cachottière. Où l'as-tu rencontré?

— Je t'en prie, Barbagaga, ce n'est pas le moment. »

Marianne avait usé du surnom qu'elle utilisait à l'occasion. Ce sobriquet faisait référence à l'émission pour enfants, *Les Barbapapa*.

« Pas le moment de quoi? La ville appartient à tout le monde. Il a bien le droit d'être ici.

— La première fois que je l'ai vu, il ne m'a pas fait bonne impression. Il était un peu trop insistant à mon goût.

— En quoi est-ce un problème quand un homme aussi craquant est insistant avec une femme?

— Ah! toi, on peut dire que tu n'abandonnes jamais!

— Eh oui! Tu me connais depuis assez longtemps pour le savoir. Attention! Je crois qu'il vient vers nous! murmura Mary-Gaëlle, un sourire en coin.

— Oh! non, c'est pas vrai! Pas encore! »

Mary-Gaëlle semblait au comble du plaisir de voir son amie se recroqueviller sur son siège.

« Excusez-moi, demanda le jeune homme une fois arrivé à leur table.

— Qu'est-ce que vous voulez encore? » jeta Marianne en lui faisant face.

Mary-Gaëlle fut assez surprise du ton agressif de son amie. Elle était tout de même curieuse de voir comment la situation allait évoluer. L'homme affichait un large sourire.

« Vous vous souvenez de moi? s'enquit-il, faussement surpris.

— Et comment pourrait-il en être autrement?

— J'ai eu le plaisir de rencontrer votre charmante amie à la terrasse d'un café, l'autre jour, expliqua le jeune homme en se tournant galamment vers Mary-Gaëlle.

— Ce plaisir n'était pas partagé, précisa Marianne.

— C'est tout de même une étrange coïncidence de se revoir aujourd'hui, ne trouvez-vous pas? »

Marianne leva les yeux vers lui d'un air agacé. Mary-Gaëlle intervint.

« Et si nous passions aux présentations? s'exclama-t-elle.

— Nous ne passerons à rien du tout, Mary-Gaëlle. Cet...

— Mon nom est Hishimo Mortling! ajouta rapidement le jeune homme en se penchant légèrement en une courbette surannée mais non moins charmante.

— Oui, enfin, monsieur Mortling ne faisait que passer. Il doit repartir maintenant.

— C'est un grand plaisir de vous revoir, mademoiselle Marianne. Vous voyez, je n'ai pas oublié votre nom. »

Mary-Gaëlle réprima un sourire en voyant l'air furieux de son amie. Elle l'avait rarement vue aussi prête à sortir de ses gonds qu'en ce moment. Cependant, elle choisit d'intervenir encore dans la conversation.

« Monsieur Mortling, aussi bel homme que vous soyez, vous voyez bien que mon amie ne souhaite pas lier conversation avec vous. J'en ignore la raison, mais je me fie à son bon jugement. Il serait donc souhaitable que vous passiez votre chemin.

— Oh! Que voilà une élégante façon de m'éconduire. Oui, charmante. Tout comme vous, d'ailleurs.

— C'est une seconde nature chez vous, les compliments? » demanda Mary-Gaëlle, prête à garder encore un peu cet homme au regard oriental si captivant.

Hishimo ne s'en laissa pas plus conter et s'installa sur la chaise libre près d'elles. Marianne se recula vivement contre le dossier et respira profondément comme pour se contenir.

Elle jeta un regard noir vers Mary-Gaëlle, puis s'exclama, sarcastique :

« Mais je vous en prie, installez-vous puisque nous vous avons si aimablement invité. »

Le sourire narquois du jeune homme en disait long sur son tempérament. Il hocha la tête avec une légère insolence et leva le bras pour commander. Il opta pour du thé vert.

« Écoutez, Marianne. Je me rends bien compte que vous êtes un peu fâchée de me revoir, mais depuis que je vous ai vue, la première fois, je n'ai cessé de penser à vous. J'ai du mal à me l'expliquer...

— Moi aussi, j'ai du mal à me l'expliquer, répliqua Marianne avec ironie.

— J'ai tout de suite compris que vous aviez du caractère, et, croyez-moi, c'est une grande qualité chez une femme. »

La conversation se poursuivit sur le même ton. Mary-Gaëlle reconnaissait à peine Marianne tant elle était désagréable avec son interlocuteur. Pour sa part, elle se sentait tout à fait prête à lier conversation avec ce ravissant jeune homme. Malheureusement, elle en était consciente, il ne lui manifestait qu'une attention polie. Ses yeux fascinants ne quittaient guère Marianne.

Quand elles partirent et se retrouvèrent toutes les deux dans la voiture, Mary-Gaëlle questionna son amie avant de démarrer.

« Mais enfin, qu'est-ce qui t'a pris d'être aussi détestable avec lui?

— Je ne l'aime pas du tout, si tu veux savoir.

— Il n'est pas question de te marier avec lui!

— Encore heureux! Il n'a aucune manière derrière ses flagorneries. Il n'hésite pas à déranger les gens à sa guise. Tu as bien vu...

— Écoute, je te trouve un peu dure avec lui!

— Et toi, tu voyais bien que je ne voulais pas qu'il s'installe à notre table. Pourquoi as-tu joué son jeu?

— Oh! Marianne, voyons. Si on ne peut plus discuter quelques minutes avec un séduisant garçon, où va-t-on?

— Puisque tu le trouves si séduisant et à ton goût, eh bien, je te le laisse. Grand bien t'en fasse.

— Sornettes. Tu as bien compris que ce n'est pas moi qui l'intéressais. Relaxe! »

Marianne resta un peu confuse devant le diagnostic sans appel de son amie. Elle essaya finalement d'analyser la situation, mais ne trouva pas grâce à ses propres yeux. Elle fronça du nez comme elle le faisait parfois et demanda :

« J'ai été aussi désagréable que tu le dis?

— Plus encore...

— Oh! Et zut... Il l'a bien cherché aussi. Je ne vais pas tomber sur lui chaque fois que je m'assois à une terrasse de café tout de même.

— Pourquoi ne lui laisses-tu pas une chance?

— Une chance de quoi?

— De t'approcher, pardi!

— Je ne suis pas une forteresse!

— Non, mais tu es une femme à prendre... Et il est beau en plus.

— La belle affaire. J'ai encore du temps devant moi avant d'y penser. Philippe aussi voudrait bien trouver quelqu'un...

— Philippe, Philippe... Qu'est-ce qu'il vient faire là-dedans? Ce n'est pas du tout la même chose. Vous vous connaissez depuis tant d'années, toi et lui. En plus, il n'est pas encore très stable sentimentalement.

— C'est un garçon charmant qui sait rester à sa place quand il le faut. Et je peux sortir avec lui sans être importunée.

— Très bien, Marianne, je n'insisterai plus. C'est toi que ça regarde après tout. »

* * *

Guillaume retrouva une Connie extraordinairement sulfureuse. Elle arborait une robe de soirée sexy d'un rouge écarlate au décolleté plongeant. Le tissu en microfibre extensible moulait son corps de façon magistrale. Connie devait se savoir irrésistible en pénétrant le regard troublé de Guillaume. Il était évident qu'elle usait de ses charmes pour garder toute l'attention de son fiancé. Au restaurant, elle ne cessait de jacasser devant un Guillaume plus ou moins présent malgré tous ses efforts. Tout à coup, n'y tenant plus, elle s'enflamma, les joues écarlates :

« Et si on passait toute la soirée chez moi?

— Tu ne veux plus aller au théâtre?

— Nous pourrions peut-être passer le reste de la soirée en amoureux. J'ai envie de toi.

— Tu es sûre que c'est ce que tu veux? Je te rappelle que c'est la dernière représentation ce soir, expliqua Guillaume, confus.

— Oh! S'il te plaît. Ne fais pas l'innocent. Je sais très bien que le théâtre, ce n'est pas ta tasse de thé. Tu as déjà du mal à m'écouter ce soir, alors imagine si on va au théâtre.

— Je pensais à *ma job*.

— Laisse *ta job* tranquille et reviens avec moi! On n'est pas bien ici, tous les deux?

— Je ne recommencerai plus, c'est promis.

— J'aime mieux ça... » minauda Connie en caressant les doigts de Guillaume. Il lui retint la main et souffla :

« Je suis quand même d'avis d'aller au théâtre. Je sais que c'était très important pour toi. Je veux te faire plaisir. »

Connie sourit largement.

« C'est vrai?

— Si je te le dis.

— Eh bien, d'accord. »

Le sourire de Guillaume sembla satisfaire Connie qui, tout en picorant dans sa salade verte, repartit de plus belle sur l'importance de la communication. Gourmande au possible, elle avait hâte au dessert et savait par avance quel embarras elle allait rencontrer pour choisir entre une pâtisserie ou un fruit. Il est vrai que ses courbes ne souffriraient guère de ses écarts. Quand ses formes changeraient, elle aurait tout le loisir de modifier ses habitudes...

À l'arrivée de la carte des desserts, elle remarqua le sourire sincère qu'esquissa Guillaume et elle lui fit un clin d'œil. Elle sentait qu'enfin leur complicité revenait et s'en abreuva. Un petit geste simple, mais qui en disait long sur leur relation, s'encouragea-t-elle.

* * *

Mady se prépara un repas léger, puis erra dans le salon et la bibliothèque déjà bien fournie en livres de tous genres. Tandis qu'elle promenait ses doigts le long des étagères, elle se rappela combien Guillaume était déjà passionné de lecture quand ils s'étaient connus. Elle se souvint avec amusement à quel point elle adorait les livres, elle aussi. Quand elle était adolescente, elle était capable d'en dévorer six à la fois, de genres différents, tout en suivant l'intrigue sans problème. Elle lisait moins ces dernières années. Elle le reconnaissait. Elle avait laissé à l'étage le roman d'Agatha Christie entamé la veille.

Son regard tomba sur un polar intitulé *L'Étrange Histoire de Monsieur Paul* de Bernard Couët. Elle ne connaissait pas cet auteur. Le résumé lui plut aussitôt. Elle entama la lecture dans le salon et oublia bien vite où elle se trouvait pour se plonger dans l'intrigue.

* * *

« Guillaume, il faudrait y aller maintenant.

— Je vais régler l'addition et passer un coup de fil rapidement à la maison. Ce ne sera pas long.

— Pourquoi?

— Pour être sûr que tout va bien, qu'il n'y a pas de *trouble*.

— Guillaume, ton ami est majeur. C'est plus un *flo* tout de même.

— Qu'est-ce que tu en sais? Tu ne l'as jamais vu, reprit Guillaume sur le ton de la plaisanterie.

— Pourquoi ne l'appelles-tu pas de ton cellulaire?

— Ma *batterie* est à plat. Je ne serai pas long.

— Très bien. Je vais en profiter pour aller me rafraîchir un peu. »

Guillaume accompagna Connie qui allait dans la même direction, puis attendit qu'elle entre dans les toilettes pour composer le numéro. Mady ne décrocha qu'à la quatrième sonnerie.

« Mady? Ça va? J'ai cru un instant que tu étais sortie...

— Non, je lisais dans le salon. J'ai eu un peu de mal à trouver le téléphone. Ta maison est grande comparativement à la mienne.

— Je suis vraiment désolé de te laisser seule ce soir. Je ne pouvais pas remettre mon rendez-vous.

— Je sais, Guillaume. Tu me l'as déjà dit une bonne centaine de fois... Si ce n'est pas deux cents! Tout va bien, rassure-toi. Je suis une grande fille, jeta finalement Mady avec amusement.

— Tu es là depuis peu... On a encore à se parler...

— Bah! Ce n'est pas grave. Je n'étais pas venue au Québec que pour ça de toute façon. Puis j'ai bien le temps...

— C'est embêtant quand même... Tiens, demain, je te ferai visiter le coin!

— Si tu veux... En attendant, passe une belle soirée avec Connie. Je ne voudrais surtout pas vous causer du tort à tous les deux.

— Mady, je tenais à te dire... »

Guillaume s'interrompit soudain en voyant Connie approcher. Il ne l'avait pas vue sortir des toilettes. Remarquant son visage impassible, il se demanda si elle avait entendu quelque chose de sa conversation. Un peu hâtivement, il bredouilla quelques dernières recommandations à Mady qui, à l'autre bout, souriait de son malaise évident.

« Eh bien, tu en avais des choses à lui dire, lança Connie en voyant Guillaume raccrocher. Alors, il va bien? »

La voix était à peine sarcastique, ce qui ne permettait guère d'éclairer davantage Guillaume.

« Oui, très bien, se contenta-t-il de répondre.

— Nous pouvons aller au théâtre maintenant?

— Oui, bien sûr. On y va. »

Dans la voiture, la conversation tourna vite sur des sujets assez terre à terre et Guillaume essaya de maintenir son attention. Il s'en voulait de ne pas jouer franc jeu avec Connie qui démontrait pourtant tant de sincérité et l'aguichait sans vergogne.

Malgré ses efforts, Guillaume n'arrivait pas à se concentrer. C'était plus fort que lui, son esprit s'envolait irrémédiablement vers Mady. La voix de Connie qui l'avertissait qu'une place de stationnement se trouvait toute proche du théâtre le ramena à la réalité. À l'arrêt, il contourna la voiture pour ouvrir la portière à Connie. La jeune femme ajusta le nœud papillon de Guillaume qui n'avait aucun besoin de redressement. Il lui offrit son bras et elle s'y suspendit avec grâce pour monter les larges marches de pierre.

* * *

Mady se frotta les yeux et l'arête du nez. Elle termina rapidement son verre d'eau pour consulter sa montre : dix heures trente. Elle avait lu d'une traite tout ce temps. Elle pensa à Guillaume et Connie en se demandant où ils pouvaient être en ce moment. Chez lui ou chez elle? Une image sans équivoque du couple s'imposa à elle.

« Il est bien libre de faire ce qu'il veut. C'est sa fiancée après tout. Ça ne me regarde pas. »

D'un autre côté, Mady ne pouvait s'empêcher de penser à ce qu'aurait pu être sa vie avec Guillaume si son père n'avait pas fait en sorte de les séparer. « Guillaume ne t'a-t-il pas demandé si tu serais prête à essayer de construire quelque chose avec lui, sans précipiter les événements? » crut-elle se rappeler. Elle laissa son esprit vagabonder encore puis reprit, à haute voix :

« Guillaume ne m'a jamais dit ça! C'était dans mon rêve... »

Mady sentit un long frisson lui parcourir l'échine. Que voulait lui dire son subconscient avec tous ces rêves étranges? Elle ne croyait pas aux choses surnaturelles. Et pourtant, même son choix de livre de ce soir la plongeait en plein dedans! Elle avait deviné plusieurs choses troublantes...

« Bah! Coïncidence. J'ai sans doute ressorti des informations que j'avais retenues sans m'en rendre compte, tout simplement. »

Mady retourna à sa lecture afin d'éloigner ses questionnements par trop dérangeants.

Guillaume trouva la pièce de théâtre plutôt médiocre et en éprouva une assez grande déception. Connie, au contraire, lui voyait des qualités extraordinaires. Dans la voiture, elle ne cessait de souligner le bon jeu des comédiens, le fabuleux travail du metteur en scène. Les adjectifs pleuvaient, plus élogieux les uns que les autres. Guillaume osa avouer ce qu'il ressentait, désireux de partager avec sa compagne.

« Je ne m'attendais pas à une fin aussi tragique, commenta-t-il gauchement. C'est assez *plate*, si tu veux mon avis. »

Connie resta un instant sans voix, comme stupéfaite, puis répéta, dissimulant à peine une grimace :

« *Plate*? Comment peux-tu qualifier cette pièce de *plate*? Ça ne pouvait pas finir autrement. Dès le début, c'était clairement pressenti. Or c'est là que la mise en scène était formidable. On sentait l'atmosphère oppressante. Non, vraiment, c'est du grand art.

— Le fait de rester sur cette impression négative ne te dérange pas? »

La question sembla encore surprendre Connie, qui s'exclama :

« Bien sûr que non! Une fin heureuse m'aurait au contraire choquée. Cela n'aurait eu aucun sens.

— Je suis vraiment ignare dans ce domaine, alors...

— Mais non, mon biquet. »

Guillaume se sentit agacé par le nouveau sobriquet utilisé, mais ne s'objecta pas. Il savait parfaitement qu'il n'était pas de compagnie agréable et ne voulait pas en rajouter. La joie de Connie était manifeste et, après tout, si elle avait aimé la pièce, pourquoi la priver de ce plaisir simple?

« Je te dépose chez toi? »

Connie leva un sourcil :

« Tu veux dire que tu ne resteras pas?

— Je suis un peu fatigué. Puis, j'ai promis à mon amie que je lui ferais visiter la ville demain...

— Ah! C'est vrai, ton ami. J'aimerais bien le connaître. Quand comptes-tu me le présenter?

— Je ne sais pas.

— Comment ça, tu ne sais pas?

— Oh! et puis zut!

— Zut? Zut pour quoi? »

Guillaume gara la voiture dès qu'il put et coupa le contact. Connie attendait elle ne savait quoi, surprise par l'attitude inattendue de son compagnon. Un lampadaire répandait son halo dans l'habitacle de la voiture. Guillaume ôta sa ceinture de sécurité et se tourna vers Connie qui reprit confiance soudain en ses charmes. Elle déchanta bien vite au ton de Guillaume.

« Connie, je ne t'ai pas tout dit...

— C'est-à-dire?

— C'est au sujet de cette personne qui est venue me rendre visite...

— Tu parles de ton ami qui vient de *la* France?

— Oui. À vrai dire, ce n'est pas un ami... »

Connie se renfrogna, vexée. Pourtant, elle jeta, sur un ton qu'elle voulait léger, comme pour plaisanter :

« C'est ta femme, c'est ça?

— C'est une femme... »

La réponse la glaça.

« Tu me fais peur, Guillaume. C'est qui, cette femme? Et que fait-elle dans la maison que nous avons prévu habiter juste après notre mariage? »

Connie se sentait devenir écarlate.

« C'est une amie de longue date, précisa Guillaume.

— Oh! *Coudonc*, *niaiseuse* que je suis. Moi qui croyais que c'était un gars...

— Écoute, Connie. Je t'assure qu'il n'y a rien entre elle et moi. C'est du passé...

— Qu'est-ce que tu me chantes là?

— Oui, on s'est connus, tous les deux, il y a longtemps... bien avant que je te rencontre. On s'est ensuite perdus de vue pendant des années, et c'est sa fille qui a repris contact avec moi.

— Sa fille? Mais qu'est-ce que sa fille vient faire dans cette histoire?

— C'est un peu compliqué... Sa fille... c'est aussi ma fille, voilà », jeta Guillaume, soulagé de s'être jeté à l'eau mais conscient de sa maladresse.

Connie resta muette quelques instants. Elle avait l'impression que le ciel venait de lui tomber sur la tête. La voix tremblante d'émotion, elle s'exclama enfin :

« Et quand comptais-tu m'avouer que tu avais une fille? Et quel âge a-t-elle, si ce n'est pas trop te demander?

— Elle vient de fêter ses vingt-deux ans. Pardonne-moi, Connie. Je ne savais pas comment te l'avouer. J'ai essayé plusieurs fois, mais j'en étais incapable.

— Eh bien, moi qui croyais bien te connaître... Ah! On peut dire que tu t'es bien moqué de moi.

— C'est vrai, ce n'était pas très correct...

— Pas très correct! Pas très correct! Je trouve ça plutôt faible comme excuse. C'était plus une *menterie*, selon moi.

— Là tu y vas un peu fort.

— Comment ça? Elle est bien bonne, celle-là! Me cacher que c'était la femme avec qui tu as eu une fille, tu trouves que ça ne ressemble pas à un mensonge, toi?

— C'est-à-dire que... bredouilla Guillaume. D'accord, tu as raison, je t'ai menti.

— Ah!

— Oui mais, je te l'ai dit, il n'y a plus rien entre nous.

— Mouais. Il n'y a plus rien entre vous, et pourtant, tu l'as invitée chez toi. Honnêtement, tu me prends pour qui?

— C'est la vérité! » insista Guillaume en s'apprêtant à poser sa main sur l'épaule de la jeune femme.

Elle recula aussitôt.

« Ne me touche pas, O.K.!

— Comme tu voudras. »

Guillaume ne savait plus quoi dire. D'un mouvement las, il détacha son nœud papillon qui le gênait et laissa les deux liens pendre de chaque côté. Il s'en voulait terriblement.

« Je veux la rencontrer! décréta Connie.

— Pour quoi faire?

— Parce que je veux la voir...

— Non! Je préfère que tu ne la rencontres pas.

— Et pourquoi ça?

— Eh bien, parce que...

— Parce que quoi, Guillaume!? » s'énerva Connie une nouvelle fois.

« Ce qui s'est passé entre elle et moi ne te regarde pas, voilà tout! lâcha finalement Guillaume.

— Bien au contraire, Guillaume, car nous sommes fiancés!

— Comme si je ne le savais pas, Connie. Écoute, n'insiste pas, c'est non.

— Mais pourquoi à la fin? J'ai le droit de savoir qui elle est... ce que vous avez vécu ensemble, et... s'il y a encore des sentiments entre vous. Je te rappelle que nous nous sommes engagés à nous marier bientôt. Donc, je trouve que j'ai le droit de tout savoir sur ta vie présente et passée.

— C'est le présent qui compte.

— Si j'en avais connu un autre, moi aussi, il y a long-temps, et que nous ayons un enfant tous les deux, ne crois-tu pas que tu aurais voulu être au courant?

— Sans doute.

— Tu vois, se réjouit Connie. Pense à nous, Guillaume!

— Justement, c'est à nous que je pense en ne souhaitant pas que tu la rencontres.

— De quoi as-tu peur? Tu penses que je vais lui sauter dessus comme une adolescente. C'est ça? Si tu m'aimes vraiment, tu dois me laisser la rencontrer.

— Tu ne peux pas me demander ça. »

Guillaume resta silencieux quelques instants.

« Écoute, je vais y réfléchir. Laisse-moi un peu de temps. C'est mon passé qui a ressurgi tout d'un coup dans ma vie. Encore hier, je ne savais pas que j'avais une fille. Tout m'est arrivé si brutalement. Tu peux comprendre que j'ai besoin d'un peu de temps... »

Connie commençait à réaliser que cette situation ne devait pas être facile à gérer pour Guillaume. Elle lui en voulait tout de même de ne pas avoir été honnête avec elle au sujet de cette femme. La question qui lui revenait cons-tamment à l'esprit et qu'elle n'avait pas encore osé poser directement à Guillaume était toute simple : aimait-il encore cette femme? Finalement, elle ne supporta pas d'attendre plus longtemps et demanda, sans pour autant élever la voix :

« Tu l'aimes encore, c'est ça? »

La question dérangea Guillaume. Que pouvait-il vraiment répondre à Connie?

Le silence perdurait.

« Dois-je en conclure que tu l'aimes encore?

— C'est plus compliqué que ça, trouva-t-il à répondre.

— Je vois... Les histoires d'amour sont toujours compliquées.

— Connie...

— Non, ça va. C'est pas *l'fun*, mais ça va. Je t'ai dit ce que j'avais dans le cœur. La balle est dans ton camp maintenant. Tout va dépendre de toi.

— J'ai besoin d'un peu de temps, c'est tout.

— Parfait. Prends le temps qu'il faudra. Je suis prête à attendre, mais pas indéfiniment, sache-le.

— C'est noté.

— Très bien. J'aimerais que tu me raccompagnes maintenant... qu'on en finisse au plus vite avec cette soirée!

— Comme tu veux.

— Oh! Ce n'est pas que je le veuille vraiment! Je suis encore sous le choc, voilà tout. Si j'étais malhonnête, je te dirais que je m'en fiche, mais c'est pas vrai *pantoute*. Au moins, je n'aurai plus à me battre contre un fantôme puisqu'elle est là en chair et en os!

— Mady est loin d'être un fantôme.

— Elle s'appelle Mady?

— C'est ça.

— C'est le diminutif de Madeleine? »

Connie souffrait à continuer ainsi. Mais elle ne pouvait s'empêcher de chercher à en savoir plus sur cette femme qui barrait sa route tout à coup.

« Non, Mady est bien son prénom. »

* * *

Quelques heures plus tard, en Normandie, Fabian de Runay s'attardait à éplucher tous les dossiers qu'il avait pu recueillir dans l'ordinateur de son père. Peut-être par peur, il avait toujours renoncé à lire le fameux dossier « Fabian et Sylvie ». Leurs parents ne leur avaient nullement caché qu'ils avaient été adoptés. Fabian n'avait pas éprouvé le besoin de connaître ses parents biologiques. Il ignorait ce qu'en pensait Sylvie. Il n'avait tout simplement jamais abordé ce sujet-là avec sa sœur.

Il cliqua sur l'icône et ce qu'il découvrit laissait paraître une version assez différente de celle que leurs parents leur avaient toujours racontée, plus précisément son père, se corrigea Fabian. Encore une fois, il n'y avait rien de compromettant pourtant... Ses parents étaient morts ensemble dans un accident de la route...

Le jeune homme s'étira et passa sa large main sur son visage. Il revoyait cet autre soir dans le stationnement de l'hôpital... Son père tenait un couffin, puis l'installait avec précaution dans sa voiture. Certes, Fabian n'avait pas pu voir si un bébé se trouvait effectivement à l'intérieur.

Mais tout portait à le croire.

Ses soupçons s'étaient confirmés lorsqu'il avait suivi son père qui, après s'être arrêté devant une maison cossue d'un quartier chic de Caen, avait déposé précautionneusement le couffin devant la porte avant de repartir. Cette scène avait donné un tel choc à Fabian qu'il lui avait fallu plusieurs minutes avant d'être capable de reprendre la route.

Son père n'était pas ce qu'il croyait...

Il en avait des haut-le-cœur...

Au retour, il passa chez son ami pour lui rendre son auto et récupérer sa moto. Il déambula ensuite à vive allure sur la route, sans destination précise. Heureusement, malgré son imprudence, il ne lui arriva rien de fâcheux, et il finit par rentrer aux petites heures du jour.

Chapitre VIII

Mady sursauta quand elle entendit la porte d'entrée. Guillaume était seul. Après son coup de fil, un peu plus tôt, elle ne s'attendait pas à une visite de sa part.

« Bonsoir, Mady. Je te dérange?

— Non, voyons. Entre, tu es chez toi.

— J'aurais peut-être dû t'avertir, il est tard...

— Tu ne me déranges pas, rassure-toi. »

En entrant dans le salon, Guillaume reconnut sur la table basse *L'Étrange Histoire de Monsieur Paul*.

« C'est très bon ça. Je l'ai lu il n'y a pas si longtemps. J'ai même eu l'occasion de rencontrer l'auteur dans un salon du livre... »

Mady remarqua soudain l'élégance de Guillaume et se rappela sa soirée. Il portait une veste à revers de soie sur un pantalon bleu nuit. Ses chaussures en cuir naturel luisaient sous le tissu du pantalon qui tombait impeccablement. Sa chemise blanche donnait une touche de clarté à sa tenue et accentuait son charme. Il ôta sa veste. Les yeux de Mady traînèrent un instant sur son nœud papillon défait. Elle imagina les doigts de Connie dessus.

« Tu es très élégant. Je crois que je ne t'ai jamais vu ainsi. Cela te va très bien. »

Embarrassée, Mady s'empressa d'ajouter :

« Tu as passé une bonne soirée? »

Guillaume haussa les épaules.

« Non, la soirée n'a pas été très réussie. Connie et moi, on s'est un peu disputés.

— J'espère que ce n'était pas à cause de moi? De ma présence ici? »

La première réaction de Guillaume fut de nier. Finalement, il se passa la main dans les cheveux. Quelques mèches rebelles lui donnèrent un air juvénile qui attendrit Mady.

« Non, c'est surtout à moi qu'elle en voulait. J'aurais dû lui parler de toi plus tôt. J'ai cherché à gagner du temps et j'ai fini par m'enliser dans un mensonge. Elle l'a mal pris.

— Je pense que j'aurais réagi comme elle à sa place.

— Quel idiot je suis.

— Si tu veux, je peux lui parler... lui expliquer...

— Je ne sais pas, je ne sais plus... »

Après un bref silence, Mady reprit :

« Que se passe-t-il? »

Guillaume glissa un regard étrange qui la troubla.

« Je suis surpris. Tu sembles si sûre de toi. Tout ceci n'a pas l'air de t'émouvoir!

— Pourquoi le serais-je? se contrôla Mady. Je ne suis venue que pour éclaircir certains événements de notre passé, puis pour Marianne aussi... Ta vie doit suivre son cours, Guillaume.

— Ah! Mady. Pourquoi la vie nous a-t-elle joué ce vilain tour?

— Peut-être que nous n'étions pas faits pour être ensemble, tout simplement.

— Tu crois que c'est ça? demanda Guillaume, habité par des sensations contradictoires.

— J'ai tellement espéré et cru à toutes sortes de choses que je n'arrive plus à imaginer ce qu'aurait pu être notre vie ensemble. Cela dit, il y a quelque chose qui ne pourra être changé : nous avons une fille, même si elle est déjà adulte. Qu'on le veuille ou pas, nous sommes liés par Marianne.

— Tu as raison.

— Mais cela ne nous empêche pas de mener notre propre vie. Tu as Connie, et moi Jeremiah... »

Guillaume tiqua sur le prénom. Il s'installa à côté d'elle sur le canapé et lui avoua :

« Mady, je me sens toujours attiré par toi.

— Guillaume...

— Non, laisse-moi finir... C'est vrai que je t'en ai voulu beaucoup, à tort, je le sais maintenant. C'était fort, ce qu'on a connu... Je n'ai jamais ressenti ça avec une autre femme.

— Guillaume, je t'en prie. Ne rends pas les choses plus compliquées qu'elles ne le sont.

— Je ne le sais que trop, mais j'en ai assez de me mentir et de mentir aux autres. Peut-être que la vie a décidé de nous donner une seconde chance en faisant en sorte que nous puissions nous revoir? »

Guillaume se rapprochait de plus en plus de Mady. Il la tenait maintenant par les mains, ne lâchant pas ces yeux qui lui avaient tant manqué.

« S'il te plaît, Guillaume, arrête...

— Cela fait si longtemps que j'attendais ce moment. Tu es restée telle que je me l'imaginais. »

Guillaume se pencha et embrassa tendrement Mady. Sur l'instant, elle ne réagit pas. Puis, encore hésitante, elle répondit à son baiser.

Elle se sentit soudain projetée des années en arrière tout en étant consciente du présent.

Et de la douleur de l'après!

Ses sens devenaient pourtant plus vifs qu'autrefois. Le désir montait en elle, et elle se sentait incapable de le repousser. Son esprit lui murmurait « Connie ». Volontairement ou non, elle faisait la sourde oreille. Leurs corps basculèrent sur le divan et les caresses se firent plus pressantes, plus exigeantes. Guillaume ôta le polo rose moulant de Mady et se battit un peu pour dégrafer le soutien-gorge. Mady rit brièvement, puis intervint pour l'aider. Devant sa poitrine dénudée, Guillaume embrassa les deux seins puis en avala un goulûment. Mady gémit doucement puis promena ses doigts dans les cheveux de son partenaire. Guillaume s'engouffra encore dans cette poitrine aussi douce que dans ses souvenirs. Puis il se départit de sa chemise de gala. Mady glissa ses ongles de haut en bas dans son dos, ce qui fit gémir Guillaume à son tour. D'une voix rauque, il lui demanda :

« Nous serions plus confortables dans un lit. J'ai des préservatifs dans mon portefeuille. »

Mady préféra ne pas chercher à savoir pourquoi il en avait sur lui.

Elle songea à Connie. Encore une fois.

Elle repoussa cette pensée par trop dérangeante. La douceur et la prévenance de Guillaume encouragèrent Mady à poursuivre. Elle le désirait tout autant que lui semblait la désirer. Elle murmura un assentiment. Tandis qu'elle allait se lever, Guillaume l'attrapa doucement dans ses bras. Sa chemise d'apparat gisait au sol. Il ne portait plus que son pantalon. Mady, un peu gênée, s'exclama :

« Je suis un peu plus lourde que par le passé...

— Et moi un peu plus fort. »

Mady enfouit sa tête au creux de son épaule, sentant l'envie de Guillaume la submerger davantage encore. Elle se refusait à penser à ce que serait demain. Quelque chose l'enjoignait de ne pas aller jusqu'au bout. Pour une fois, dans sa vie, elle ne voulait pas écouter. Elle voulait Guillaume tout contre elle. Elle repoussa l'avertissement sans ménagement pour se consacrer à l'instant présent.

* * *

Marianne signa la lettre après l'avoir lue soigneusement, puis la tendit à la jeune fille en face d'elle.

« Merci, Sonia. Ce sera tout pour aujourd'hui, en tout cas, en ce qui me concerne. (Marianne consulta sa montre.) Bon, je dois y aller. Je ne voudrais pas être en retard à mon cours.

— À demain, en ce cas... »

La secrétaire n'avait pas sitôt tourné les talons qu'elle se retourna tout à coup, les pommettes quelque peu rosies, pour s'exclamer :

« J'allais oublier. Il y a un monsieur qui est venu tout à l'heure. Il voulait vous voir, mais je lui ai dit que vous étiez en réunion. Je n'ai pas voulu vous déranger. Il n'avait pas de rendez-vous.

— Vous a-t-il laissé son nom?

— Il n'a rien voulu me dire, à part le fait qu'il souhaitait vous voir.

— Bah! Tant pis pour lui. Il n'a qu'à être plus précis ou prendre rendez-vous. Bon, il faut vraiment que j'y aille. Merci, Sonia. »

Les deux jeunes femmes se séparèrent.

Marianne achevait une maîtrise en administration tout en travaillant à plein temps. Ce n'était pas toujours facile à concilier, même si elle avait le privilège de travailler dans l'entreprise de son père. Elle était indépendante financièrement et ses fonctions lui permettaient d'offrir ses compétences au service de sa famille. L'idée de participer à l'essor d'une compagnie qui était là depuis plusieurs générations ne manquait pas de la stimuler.

Dans le stationnement réservé aux cadres, elle actionna l'ouverture automatique de la portière et le démarrage du moteur. Elle fut bien surprise de découvrir un petit bouquet de fleurs coincé dans un des essuie-glaces. Précautionneusement, elle s'en saisit le sourire aux lèvres, ne pouvant s'empêcher d'être intriguée. L'écriture sur le feuillet qui accompagnait les fleurs ne lui était pas familière. Elle lut du bout des lèvres :

« Voici un bouquet de statices maritimes, qu'on appelle aussi gazon d'Olympe. C'est une fleur qui affronte vaillamment les tempêtes et brise les rafales de vent. Elle est l'emblème de l'audace et de l'intrépidité. Durant le règne d'Élisabeth 1re, les Anglais l'appelaient "coussin de dame" (joli, non?) ou "pelote d'épingles" (dans ce cas, oups! gare aux doigts qui s'égarent!)... Laissez-vous donc griser par mon audace et passez une belle journée, belle et fière Marianne. »

La jeune femme referma la feuille, plus perplexe qu'auparavant. Elle huma le bouquet inhabituel, puis le déposa sur le siège du passager. Heureusement, les tiges étaient dans un tube transparent contenant de l'eau. Les fleurs ne souffriraient pas de son retour tardif à la maison. Elle rangea négligemment le message dans son sac, puis partit en essayant de trouver qui avait bien pu lui faire cette petite farce. S'il s'agissait de l'un de ses amis, l'écriture avait été habilement camouflée. Sur le chemin, elle jetait occasionnellement des regards en direction du bouquet en murmurant : « Gazon d'Olympe... »

* * *

Profitant d'une pause au milieu de son séjour à New York, Vanessa Corneau sortit de la piscine intérieure et se sécha. Elle entra ensuite dans la salle de musculation attenante. La jeune fille se positionna sur un rameur et s'astreignit consciencieusement aux mouvements requis. Son esprit s'apaisait. Elle devait reconnaître qu'elle se sentait bien. Ce voyage était pour elle un véritable bol d'air. Ses soucis bien loin, Vanessa voulait profiter de chaque instant. Il n'empêche que le poids de ses problèmes personnels cherchait toujours à s'infiltrer sournoisement. Certes, elle avait trouvé un moyen pour les régler, mais était-elle heureuse pour autant? Avait-elle pris la bonne décision? Un instant, elle aurait voulu que son ami soit à ses côtés. Il la comprenait bien. Il avait connu des situations du même genre...

Elle tira plus fort encore sur les rames pour oublier ses tracas de France. Elle se demandait encore pourquoi elle n'était pas allée tout de suite chercher l'aide là où il lui était possible d'en avoir, c'est-à-dire auprès de ses parents, de ses frères... Vanessa secoua la tête. Elle avait l'impression que sa présence en Amérique lui montrait le monde autrement. Son introspection un peu douloureuse s'acheva en même temps que sa session sur l'appareil.

Elle monta sur une bicyclette stationnaire et enclencha un bouton. Un écran se présenta aussitôt à elle. Une forêt défilait à présent, l'emportant dans un paisible endroit de campagne. Elle avait presque la sensation de l'herbe à peine arrosée par un orage. Elle changea sa vitesse pour descendre à toute allure la route. Ses sens étaient en alerte. Le paysage était si réel. L'adolescente y prenait un certain plaisir. Le sport l'attirait beaucoup, mais elle n'avait pas encore découvert une discipline qui lui conviendrait.

Pour l'instant, elle n'en demandait pas plus et se concentrait sur ses mouvements. Elle poursuivit sa fuite en vélo. Trente minutes plus tard, elle descendait de la bicyclette, essoufflée, un sourire radieux aux lèvres. Elle songea à ses parents et se laissa glisser à nouveau dans la piscine.

* * *

Mady était allongée dans la chambre d'amis. Elle s'en voulait amèrement de s'être laissée aller à ses sentiments deux jours plus tôt. Elle savait qu'elle avait fait une erreur. Guillaume, elle en était presque sûre, devait lui aussi regretter d'être allé si loin. Impossible pour elle dans ces conditions de sortir pour se promener, visiter un peu la ville... D'un autre côté, elle se demandait si Guillaume ne s'était pas joué d'elle, car cela faisait près de quarante-huit heures qu'il n'avait pas donné signe de vie. Elle avait laissé deux messages sur sa boîte vocale. Cette désagréable impression lui fit terriblement mal.

Manon était passée la veille pour voir si tout allait bien. Elle avait expliqué que Guillaume était souvent accaparé par son travail. Avant de partir, Manon invita Mady à dîner afin de lui présenter son mari Jake et leur fils Duncan. Elle lui apprit que Guillaume serait aussi présent.

Le téléphone sonna un peu plus tard. C'était Guillaume. Elle écouta son long monologue au sujet de l'invitation de Manon. Elle essaya de lui dire qu'elle était au courant, mais il ne la laissa pas placer un mot. Il lui expliqua qu'il passerait la chercher, puis écourta la conversation.

Pas une seule fois il ne fit allusion aux moments qu'ils avaient passés ensemble.

Mady se sentit complètement vidée. Guillaume s'était montré plutôt froid. Elle s'en voulut aussitôt d'avoir cédé aussi facilement et se traita de gamine irresponsable. Les reproches fusaient en elle. Comment avait-elle pu être aussi stupide et naïve? Essuyant ses larmes, elle songea alors à Connie, et au mal qu'elle aurait si elle devait apprendre ce qui s'était passé.

Mady soupira et sortit finalement, histoire de se changer les idées. Écourter son voyage l'effleura... Mais la fuite n'était pas une solution...

* * *

Avant de se rendre en Normandie, Maurice Martinon et sa compagne se promenaient main dans la main, au pied de la tour Eiffel. Rhonda s'émerveillait de la beauté du monument. D'ailleurs, depuis quelques jours, avec son compagnon, elle vivait à Paris la fièvre de la découverte.

« Elle a été construite pour l'exposition universelle de 1889, tout comme le palais du Trocadéro, lui expliquait

Maurice, intarissable. D'ailleurs, Gustave Eiffel était l'un des concepteurs ingénieurs. La tour a été édifiée en un temps record, soit deux ans et deux mois!

— Tu veux m'impressionner, lui lança Rhonda en le taquinant.

— Eh oui, tu as deviné. Comment trouves-tu Paris?

— Je dirais que cette ville est magnifique... et magique aussi.

— Et encore, t'as presque rien vu!

— Je suis sous le charme, *Boomer*. C'est extraordinaire.

— En tout cas, si j'avais su, je t'aurais emmenée plus tôt. Tu irradies de joie.

— J'ignorais que Paris me ferait cet effet! confia simplement Rhonda en se tournant en tous sens. Dis-moi, toi qui sais tout, pourquoi la tour Eiffel a-t-elle été faite en métal?

— N'oublie pas que nous sommes à l'époque de la Révolution industrielle, dans la seconde moitié du XIXe siècle. Les architectes expérimentaient les matériaux et les techniques les plus modernes. Avec le métal, tout comme le verre d'ailleurs, sont apparues des structures légères et transparentes, aussi faciles à construire qu'à démonter. L'acier, la soudure ou le béton armé étaient les symboles des temps modernes.

— Avec ton ancienne expérience en métallurgie, tu en connais un rayon...

— C'est certain. Je me suis aussi intéressé à l'histoire des matériaux...

— Je sais, il faut toujours que tu ailles au fond des choses... À condition que cela t'intéresse, bien sûr... »

Maurice se mit à rire tout en hochant la tête. Puis il reprit, sans doute sous l'euphorie de se retrouver en terre natale :

« Gustave Eiffel n'a pas été choisi au hasard non plus. Sa compagnie bénéficiait d'une excellente réputation dans les constructions métalliques. Elle a fabriqué des viaducs de chemin de fer, des ponts que l'on peut admirer dans le monde entier, et la structure de la fameuse statue de la Liberté... »

Rhonda buvait littéralement ses paroles en levant la tête comme pour tenter de mesurer de visu la hauteur de cette grande dame de fer. Maurice répéta, comme une leçon apprise par cœur :

« Trois cent vingt mètres, ma belle, ce n'est pas rien! »

Au soupir d'aise de sa compagne, Maurice sentit qu'il pouvait continuer, ne se lassant pas de lui expliquer toute la richesse de son pays de naissance. Des années auparavant, c'était Rhonda qui lui avait fait connaître l'Australie, devenue depuis son pays d'adoption.

« Tu te rends compte, Rhonda, la tour Eiffel ne devait être qu'une construction temporaire! Pour l'exposition universelle, justement. Selon l'idée de départ, on l'aurait détruite en 1909. Quand on connaît la suite, c'est inimaginable... »

Il fit une halte, s'amusant de l'air interrogateur de Rhonda, lequel lui fit aussitôt enchaîner :

« Il faut dire qu'elle n'a pas rencontré que des avis favorables au moment de sa construction. Des personnages importants se sont opposés à ce projet. Dumas fils, Huysmans, le compositeur Gounod, Maupassant aussi, enfin je crois... et j'en passe. »

Rhonda ne connaissait que quelques noms parmi ceux-là. Cela ne la gêna pas pour autant. Elle commenta :

« Bah! Y en a toujours qui sont là pour râler et pour vouloir faire le contraire des autres. D'une certaine manière, c'est vrai que ça fait aussi l'équilibre. Si tout le monde était toujours du même avis, la vie serait ennuyeuse, et surtout le progrès serait impossible. Mais dis-moi : pourquoi la tour n'a pas été détruite? Le sais-tu?

— Grâce aux militaires, figure-toi! Puis, un peu plus tard aussi, on y a installé un radio émetteur civil, au sommet.

— D'après ce que je vois, tu sembles beaucoup aimer ton pays. Pourquoi être parti si loin dans ce cas? J'ai du mal à comprendre. »

Maurice regarda sa compagne et soupira.

« Ça, c'est une très longue histoire, tu sais. Mon pays, c'est l'Australie maintenant, et j'en suis très heureux. Je n'ai pas rejeté la France, mais il se trouve que la vie a décidé pour moi.

— Ton cœur est tout de même resté français!

— Oui. Ce n'est pas incompatible avec le fait que je considère aussi l'Australie comme mon pays.

— Est-ce que tu me diras un jour pourquoi tu as quitté la France? »

Rhonda regardait Maurice sérieusement, les yeux légèrement plissés.

« Ce n'est pas intéressant.

— Au contraire, je suis sûre que c'est tout aussi passionnant que la construction de la tour Eiffel », souffla Rhonda en riant pour alléger la tension qu'elle sentait poindre.

Elle décida de changer de sujet et voulut l'entraîner ailleurs. Contre toute attente, Maurice sembla vouloir poursuivre leur échange.

« Je sais pas vraiment pourquoi j'ai voulu reprendre contact avec mes nièces. C'est peut-être une erreur en fin de compte.

— T'avais envie de revenir, tout simplement. La mort de ton frère t'en a donné le prétexte.

— Peut-être... Je ne crois pas que je serais revenu s'il était encore en vie. C'est stupide. C'était tout de même mon frère.

— Vous auriez pu vous réconcilier si t'étais venu avant, justement...

— La balle était dans son camp. J'ai fait tout ce que j'ai pu, enfin, je crois. Je ne vois pas comment on aurait pu arranger le passé. Il faut le laisser là où il est... Bah! Parlons d'autre chose. Allez viens, je t'emmène dans un restaurant dont tu me donneras des nouvelles. Nous avons encore du temps à passer dans la belle capitale avant d'aller en Normandie... J'ai tant de choses à te faire découvrir... »

Elle le suivit. Elle sentait bien pourtant que Maurice était véritablement soucieux. Sa légèreté était feinte. Rhonda n'était pas dupe après tant d'années passées à ses côtés. À regret, elle s'éloigna de la tour Eiffel qui resterait un grand moment de son séjour...

* * *

Mady avait marché sans but précis et se retrouva dans le parc de l'île de la Visitation qui jouxtait la maison de Rivière-des-Prairies. Elle se souvenait être déjà venue ici avec sa sœur Sarah, il y avait huit ans environ. Elle remarqua de nouveaux aménagements. Même si ses souvenirs pouvaient s'être altérés...

Le printemps montrait son audacieuse croissance partout. Mady aimait ces moments particuliers. Elle était toujours aux aguets des premières fleurs, des premiers bourgeons. La nature canadienne était différente, en retard à cause de l'hiver plus long... Les rigueurs du climat montraient des signes évidents de différences... Mady se prit à comparer le climat avec sa jeunesse aux côtés de Guillaume... Le printemps se faisait lui aussi différent aujourd'hui entre eux deux...

Elle traversa un large pont en bois qui enjambait la rivière des Prairies. Ses pensées s'envolèrent vers Jeremiah... à ce qu'elle lui dirait à son retour. Elle lui avait parlé au téléphone la veille, cherchant peut-être inconsciemment à se pardonner son geste. Malgré la distance, ils avaient partagé de doux propos, au point que Mady avait failli se laisser aller à lui confier ce qui s'était passé entre elle et Guillaume. Finalement, elle avait repoussé cette idée. Si elle devait tout lui avouer, autant le faire face à face et non par téléphone.

De l'autre côté du pont, elle bifurqua et s'installa tout près de la rivière, en contrebas. Le dos contre un arbre, elle admira les branches bourgeonnantes qui plongeaient presque dans l'eau, comme si elles voulaient attraper des poissons pour s'en nourrir. Elle sourit de son image. C'est à cet instant qu'elle remarqua le reflet dans l'eau. Mady se tourna et reconnut la petite fille de son rêve. C'était bien elle. Elle en était certaine.

Mady observa la petite quelque temps, sans lui dire un mot. L'enfant s'apprêtait à lancer un galet dans la rivière. S'avisant de la présence de la femme, elle la défia :

« Je suis sûre que vous ne ferez pas mieux!

— Je n'en doute pas, lui répondit Mady. Je n'ai jamais été très douée à ce jeu...

— Je peux vous apprendre, si vous voulez. »

Avec un bonheur évident, la petite fille se mit à expliquer les rudiments de sa technique. Elle montra à son interlocutrice comment choisir soigneusement ses pierres, bien plates. Mady éprouva une réelle fierté quand elle vit un de ses galets ricocher trois fois. La petite sauta de joie. Mady rit avec elle.

« Je savais que vous pouviez le faire. Que vous étiez celle que je devais voir...

— Je ne comprends pas.

— C'est pas grave. On ne peut pas attendre trop long-temps. C'est important... »

Mady tenait à savoir :

« Qu'est-ce qui est important? »

L'enfant continua à envoyer ses galets en riant, comme si elle ne pensait plus à ce qu'elle venait de dire. En observant plus attentivement la petite, Mady se rendit compte qu'elle portait des vêtements d'hiver alors que le soleil dardait large-ment ses rayons. En avril, une veste plus légère aurait suffi. Elle glissa une remarque à ce sujet :

« Tu n'as pas trop chaud habillée ainsi?

— Non, jamais.

— Tes parents semblent te laisser beaucoup de liberté, on dirait.

— Je n'ai que mon papa et il sait que rien de mal ne peut m'arriver. C'est plutôt mon frère qui lui cause du souci... Il est si seul... Il y a maman avec lui, mais ça ne suffit pas. Ça ne suffit plus... »

Ces explications eurent pour effet d'inquiéter Mady davan-tage et de faire naître d'autres questionnements dans son esprit. Comme si elle avait souhaité préserver ses secrets, la petite fille s'éloigna avec de grands gestes de la main. Mady eut beau essayer de la retenir, elle disparut dans le boisé tout proche...

Le cœur chamboulé, l'esprit confus et aux aguets, Mady revint à elle. Elle se redressa d'un coup, portant instincti-vement la main à sa nuque pour y soulager une raideur. Autour d'elle, les clapotis de l'eau et ses propres traces dans l'herbe où elle s'était allongée lui donnèrent à penser qu'elle avait une fois de plus succombé à un singulier sommeil. Cette fois-ci, son esprit avait associé les bruits et les odeurs, ce qui avait donné à son rêve davantage de réalisme. La récurrence de ces états oniriques avait de quoi l'inquiéter.

Cette petite fille existait-elle vraiment?

Reportant son attention sur sa main repliée, elle constata avec stupéfaction qu'elle tenait un petit galet grisâtre aux formes régulières.

Sous l'emprise d'une peur insidieuse, elle frissonna et éprouva le besoin de rentrer au plus vite. Elle mit le caillou dans sa poche. Il lui servirait de lien palpable face à cette histoire par trop troublante...

* * *

Fabian de Runay ne sortit pas de la journée. Les yeux rivés à l'écran de son ordinateur, il poursuivit ses recherches dans les documents de son père. Après une enquête discrète, tout aussi minutieuse que les précédentes, il avait réussi non seulement à remonter à la fameuse résidence où son père avait déposé un couffin, mais encore avait-il percé l'identité de ses propriétaires.

Fabian n'était pas au bout de ses peines pour comprendre les agissements de l'obstétricien. Valérie de Runay avait tout noté de ses actions secrètes, gardant une trace de chacune de ses tractations et de chacune des personnes impliquées. Cependant, aucune information d'ordre monétaire ne figurait dans ses registres. Cela garantissait-il pour autant que son père fournissait des bébés à des couples stériles sans la moindre compensation financière? À la lumière des indices recueillis, Fabian de Runay tendait à le croire. Mais le plus important pour le moment était de savoir d'où venaient ces bébés distribués comme des produits périssables dans des paniers délicats.

Il se rappela cette étrange histoire que lui avait racontée la jeune fille qu'il connaissait depuis quelques mois. Ils avaient échangé des souvenirs et des impressions de jeunesse.

Son amie lui avait confié que sa tante avait connu la maternité d'une manière bien particulière. La famille n'en parlait guère. Pourtant, un jour de Noël, en épiant mine de rien les adultes, son frère et elle avaient entendu les bribes d'une conversation où il était question de couffin, de bébé abandonné...

Sur le moment, Fabian avait trouvé l'histoire un peu trop farfelue pour y prêter foi. Et si cette histoire n'était pas fictive?

Un frisson lui traversa le dos. Devait-il y voir un rapport avec les actions de son père? Personne ne s'était rendu compte de ses agissements, ni sa famille ni la police? Un scénario invraisemblable commençait à s'insinuer dans son esprit. Ce fut dans un état second qu'il découvrit, selon l'organigramme complexe du document qu'il avait imprimé, que son père n'agissait pas en solo, mais de pair avec une organisation très bien structurée. Il n'était pas certain d'en comprendre tous les liens et les différents recoupements.

À sa main tremblante, il constata que cette révélation avait raison de son sang-froid. Las et en proie à une panique incontrôlable, il referma son ordinateur portable. La tête lui tournait tandis que son estomac se révulsait. Certes, il n'avait pas mangé de la journée, mais son malaise n'était pas une résultante de la faim.

Tournant le dos à ses tourments, il fila sous la douche et choisit un jet froid, ce qu'il détestait d'ordinaire. Face à ce qu'il venait de découvrir, il se sentait impuissant et désemparé. D'un côté, il se rendait compte qu'il aimait son père et qu'il ne pouvait balayer du revers de la main toute la bienveillance de ce dernier à son endroit. D'un autre côté, il ne pouvait s'empêcher d'éprouver une certaine horreur envers le trafiquant de bébés... le criminel... qui continuait à duper tout le monde.

Rhabillé tout de frais, Fabian de Runay attrapa les clés de sa moto et descendit les marches deux à deux pour assouvir son besoin de respirer l'air frais. Il devait se retrouver et décider de ce qu'il allait faire suite à ses stupéfiantes découvertes.

Sa moto vrombit dans la nuit épaisse. Les cheveux au vent, il roula ainsi jusqu'à la plage, dans un endroit qu'il savait bien à l'écart d'éventuels promeneurs. Il ne voulait voir personne, sinon son père pour qu'il lui avoue ses crimes. Pour l'instant, il avait une terrible envie de lui envoyer son poing sur la gueule.

Après avoir garé sa moto, il ferma la lourde chaîne de son dispositif de sécurité, puis ôta ses bottes de cuir, qu'il rangea dans sa sacoche. Pieds nus, il longea la plage en foulées régulières, augmentant sa vitesse tandis que le sable cherchait à ralentir ses pas...

* * *

Guillaume se présenta tel que convenu pour emmener Mady au dîner chez sa sœur. Il portait une tenue plus décontractée cette fois-ci, un jean et une chemise sans cravate. Mady, elle, avait été hésitante jusqu'au dernier moment. Finalement, elle avait opté pour un pantalon en cotonnade et un chemisier de style médiéval.

Le salut de Guillaume fut bref, sans chaleur.

Mady eut l'impression d'être devant un massif de glace sur lequel elle aurait été incapable de grimper, même avec un piolet et des chaussures à crampons. De toute évidence, son attitude avait un rapport avec la nuit qu'ils avaient passée ensemble. Elle soupira intérieurement et prit l'énorme bouquet de fleurs qu'elle avait acheté pour ses hôtes et se laissa conduire jusqu'à la voiture. Guillaume, quant à lui, avait apporté pour l'occasion un vin de Bordeaux. Elle le remarqua sur la banquette arrière.

Durant une bonne partie du trajet, le silence fut couvert par la musique du lecteur de CD. Guillaume ne souhaitait pas lui adresser la parole. Ne voulant pas éterniser une situation de faux-fuyants qui ne pourrait que s'accentuer, Mady prit une grande inspiration :

« Tu sais, pour l'autre soir...

— L'autre soir? Oh! Oui. Je ne sais pas ce qui m'a pris d'être aussi entreprenant.

— C'est ce que je voulais te dire aussi, avoua Mady. Je regrette ce qui s'est passé. Nous n'aurions pas dû en effet. Cela dit, tu n'es peut-être pas obligé de rester si distant avec moi. On peut se comporter en adultes responsables. »

Mady remarqua la veine se gonfler sur la tempe de Guillaume. Il ne dit pourtant rien, ne lui jeta pas même un regard. Elle continua :

« Ma présence ici ne doit pas devenir un boulet. Je peux tout à fait aller à l'hôtel et continuer à rester au Québec sans devenir tributaire de qui que ce soit. C'est d'ailleurs ainsi que j'avais prévu mon séjour...

— Pourquoi aller à l'hôtel alors que cette maison est vide? Tu dis toi-même qu'on doit se comporter en adultes responsables, donc autant que tu restes là-bas... »

Mady ressentit un pincement au cœur.

« Je sais, mais j'ai tout de même l'impression de déranger.

— Désolé si je te donne cette impression, c'est que...

— N'en parlons plus. De toute façon, je pense que nous nous sommes déjà tout dit au restaurant, l'autre soir. Nos vies respectives doivent continuer maintenant.

— Oui, sans doute. »

Guillaume haussa le volume de la musique qui, soudain, rappela à Mady l'image de sa nièce Vanessa. Elle eut aussitôt une petite pensée pour elle, priant pour que sa relation avec ses parents s'améliore rapidement.

Quand ils arrivèrent à destination, Manon ouvrit la porte au premier coup de sonnette. Guillaume laissa Mady entrer la première. Il était soudain devenu chaleureux et jovial :

« *Allo*, sœurette! Tu vas bien? Comme tu vois, nous sommes là, sans contretemps. Et où est mon neveu?

— Duncan est là-haut. Il ne va pas tarder. On passe au salon?

— À ta guise, c'est toi l'hôtesse. »

Manon avait enlacé Mady en la gratifiant d'une bise chaleureuse sur la joue. Le magnifique bouquet avait touché juste à en juger par son empressement à le placer bien en vue sur le guéridon à l'entrée du salon. Son frère le remarqua sans en faire plus de cas toutefois, si ce n'est un regard posé sur Mady puis Manon. Mady en ressentit encore une fois un froid intense. La soirée s'annonçait difficile.

Un homme tout en longueur mais aux larges épaules était assis dans le fauteuil, près de la cheminée électrique. D'emblée, son visage d'ébène ressortait contre le meuble de couleur claire. Il portait une fine moustache et son nez était chaussé de lunettes d'écailles qui lui donnaient un air d'intellectuel raffiné. Il se leva d'un mouvement souple. Manon fit les présentations d'usage.

Le beau-frère de Guillaume serra vivement la main de Mady avec un sourire éblouissant. Elle sentit toute la force dans son geste et apprécia son regard plein de franchise. Elle le trouva tout de suite très sympathique et regretta de ne pas avoir ressenti le même accueil spontané quand Manon était venue la chercher à l'aéroport. En effet, malgré quelques soubresauts de rapprochements, les deux femmes semblaient souvent rester sur la défensive. De ce fait, Mady n'était pas du tout certaine qu'elle était la bienvenue. Manon semblait éprouver de la rancœur à son endroit, et cette impression resterait en suspens tant que les deux femmes n'auraient pas l'occasion d'aborder ouvertement le sujet. Lors de leur première rencontre, Manon avait bien esquissé une velléité du genre, mais la conversation avait coupé court. Quant à maintenant, Manon se garderait bien d'ouvrir la voie. Un tel face-à-face ne serait pas de circonstance, même Mady en convenait.

Jake commença la discussion sur une banalité :

« Alors, comment trouvez-vous le Québec? Pas trop froid, j'espère...

— Pour le moment ça va. Je n'y suis jamais venue en hiver, donc je ne peux pas me prononcer. Il fait plutôt beau en ce moment... L'hiver est derrière nous.

— C'est vrai. En hiver, c'est une autre histoire. Un de nos plus grands poètes a dit que le Québec, ce n'est pas un pays, c'est l'hiver.

— Oui, je connais bien les œuvres de Gilles Vigneault.

— J'ai un ami qui va plus loin, il affirme que le Québec est le pays qui a inventé l'hiver. C'est pour vous dire. »

Jake éclata d'un grand rire, puis continua :

« Je trouve ça très joli comme formule. Maintenant, puis-je vous proposer de prendre un apéritif afin de trinquer à vos retrouvailles avec ce petit veinard de Guillaume? »

Chapitre IX

Guillaume et Mady échangèrent un regard ambigu. Pendant que Mady se mordait l'intérieur de la joue pour ne pas faire de commentaires, Guillaume laissait sa contrariété prendre le dessus. Heureusement, l'arrivée de Duncan coupa court à la scène. Le garçonnet, au teint olive et aux yeux marron comme ceux de sa mère, lui sauta dans les bras et se mit aussitôt à rire aux éclats tandis que Guillaume le chatouillait.

Jake revint avec les apéritifs. Manon s'offrit de l'aider. On sentait une réserve chez elle et, s'en étant aperçu, son mari l'interrogeait régulièrement du regard. De son côté, Guillaume essayait de blaguer pour détendre l'atmosphère. Les efforts constants de chacun n'arrivaient pas à dissiper tout à fait le malaise; le quatuor se rabattit sur la présence du petit garçon pour alimenter la conversation. L'enfant ne demandait pas mieux. Il usa de tout son charme pour continuer de recevoir les cajoleries des grandes personnes. À la fin, il s'assit gentiment sur les genoux de son oncle et s'occupa à feuilleter le bel album qu'il venait de lui offrir.

Manon avait un peu de mal à réaliser que Guillaume et Mady se trouvaient dans la même pièce. Elle avait si souvent entendu Guillaume parler de sa jolie Normande qu'elle avait bien cru qu'ils étaient faits l'un pour l'autre. Elle imaginait quelque chose de différent entre eux. Or, c'était la première fois qu'elle les voyait ensemble et, tout ce qu'elle décelait, c'était de la douleur, de la souffrance. Décidément, cette soirée ne lui convenait pas...

« Nous allons passer à table si tout le monde veut bien, annonça-t-elle.

— Attends un peu, Manon, s'objecta son mari. Mady n'a pas terminé son verre.

— Ce n'est pas grave, indiqua Mady pour ne pas être en porte-à-faux, je le finirai un peu plus tard. »

Manon dut sentir le besoin de se justifier, car elle précisa : « Je ne voudrais bousculer personne. Seulement, Duncan ne doit pas se coucher trop tard. »

Cette fois, ce fut au tour du jeune garçon d'intervenir vivement :

« Mais, maman, nous sommes vendredi. J'ai pas d'école demain. Pis, j'aime ça pouvoir rester un peu plus longtemps quand il y a des invités.

— Peut-être, mon chaton, mais ne t'attends surtout pas à te coucher tard.

— Je sais, maman. »

À table, les sujets varièrent d'un bout à l'autre sans jamais aller en profondeur. Deux bouteilles de vin avaient été vidées. Guillaume y était pour beaucoup, ce qui agaça Manon. Aux fromages, soudain, son frère prit la parole et s'assura, d'un œil brillant, que tout le monde l'écoutait. Mady fronça les sourcils, intriguée.

« Vous savez tous que Mady et moi, nous nous connaissons depuis longtemps. Il n'y a pas de secret. Même si le reste de notre histoire ne regarde que nous. »

Aucun commentaire, mais des hochements de tête, dans l'expectative. Guillaume poursuivit, sûr de son effet sur sa sœur, car c'est elle qu'il regardait particulièrement. Dans son champ de vision, il sentait aussi Mady, en attente. D'un ton sans appel, un peu frondeur, il lança, sans plus de préambule :

« Mady m'a appris l'autre soir que nous avions eu une fille ensemble.

— Une fille? »

C'est Manon qui venait de s'exprimer, faisant tomber sa fourchette par terre par la même occasion. Jake, les yeux ronds de surprise, commenta le premier :

« Eh bien, pour une surprise, c'est une surprise. Décidément, vous avez beaucoup de temps à rattraper!

— Comme tu dis, Jake.

— Je suis *matante*, alors! hoqueta presque Manon, baissant sa garde soudain et jetant un regard un peu perdu vers Mady et Guillaume. Et comment s'appelle notre nièce?

— Marianne », répondit Mady d'une toute petite voix.

Elle n'eut pas à chercher plus avant ses mots, car Guillaume s'empressa de préciser :

« C'est d'ailleurs elle qui nous a remis en contact, Mady et moi.

— Mais comment se fait-il que nous n'ayons jamais su que vous aviez eu un enfant? questionna Manon, intriguée.

— Eh bien, à l'époque, poursuivit Guillaume, Mady n'avait rien dit au sujet de sa grossesse pour ne pas m'exposer à choisir entre la Normandie et ma famille. Tu avais eu cette terrible rechute. Il était important que je sois auprès de ma famille pour que nous surmontions ensemble cette épreuve. »

Manon sentit une douleur à l'estomac. Bien malgré elle, elle avait écarté Guillaume de son amour de jeunesse. Elle avait été gravement malade, et la présence de son frère à ses côtés durant sa longue convalescence avait joué un rôle déterminant dans son rétablissement.

« Tu as donc élevé ta fille seule? » demanda Manon en regardant Mady avec tendresse.

Mady s'agita sur sa chaise. Elle ne s'était pas attendue à ce que Guillaume manque de tact en relatant ce fait durant une réunion de famille et sans la mettre au courant au préalable. Pourtant, elle aurait dû savoir que cette révélation serait venue à un moment donné. Elle aurait de loin préféré en faire l'annonce autrement à Manon. À l'occasion d'une sortie à deux, par exemple, en toute intimité. Ce n'était pas un sujet à jeter à table, comme si des fauves s'y étaient réunis pour festoyer devant un steak vieux de plus de vingt ans. Mady jeta finalement un regard triste vers Guillaume, puis répondit doucement :

« Non, malheureusement, je n'ai pas eu la chance de voir Marianne grandir. On me l'a retirée à sa naissance.

— Retirée? Mais comment ça? interrogea Manon, de plus en plus émue.

— Eh bien, mon père n'a pas souhaité que je garde mon enfant. J'étais encore mineure. Il s'est arrangé, je ne sais trop comment, pour que Marianne me soit enlevée. Il m'a fait croire qu'elle était décédée.

— C'est terrible ce que tu nous dis là, Mady! Comment un père peut-il agir ainsi?

— Oh! J'aurais aimé le savoir. Mon père a emporté son secret dans la tombe...

— Mais on ne peut tout de même pas enlever une enfant comme ça, sans que personne ne s'en rende compte! Ce n'est pas possible, voyons...

— Je suis tout aussi surprise que toi, Manon, mais les faits sont là.

— C'est à vous donner la chair de poule! Comment as-tu su que ta fille, enfin je veux dire que... votre fille n'était pas morte en réalité?

— C'est elle, en fait, qui m'a retrouvée... Les parents adoptifs de Marianne l'ont beaucoup soutenue dans sa démarche. C'est aussi Marianne qui a retrouvé Guillaume, que je croyais mort aussi suite à une autre machination de mon père », crut bon d'ajouter Mady.

Manon venait de prendre la main de Jake, comme pour se forcer à croire à ce qu'elle entendait.

« C'est insensé! Ton père était le diable en personne! C'est vraiment effroyable ce qu'il a fait! »

Aussi empathique qu'il fût, le commentaire de Manon avait eu raison de la résistance de Mady. Suivant son impulsion, elle quitta la table en s'excusant. Manon regarda longuement Guillaume qui ne bougea pas. En même temps, elle serra très fort le bras de son mari comme pour lui demander de rester, car elle savait qu'il voulait courir après Mady. C'était dans sa nature d'aller toujours au secours d'autrui... C'est d'une voix dure qu'elle apostropha son frère :

« T'aurais pu choisir un autre moment pour nous parler de ce qui vous est arrivé. T'as mis Mady dans une situation difficile...

— Et de ma situation, tu en fais quoi? Tu ne crois pas que j'ai souffert autant qu'elle? Marianne m'a aussi été enlevée d'une certaine manière. Toutes ces années, j'ai ignoré que j'avais une fille qui grandissait sans avoir son père à ses côtés... Puis pourquoi Mady ne m'a-t-elle pas dit qu'elle attendait un enfant de moi? ragea Guillaume. Si je l'avais su plus tôt, je serais allé la chercher en Normandie et j'aurais empêché son père de faire ses magouilles ignobles...

— Comment peux-tu dire ça, Guillaume? L'alcool t'embrume l'esprit! Tu ne peux pas savoir ce qui aurait pu se passer. À en juger par la façon dont il a réussi à vous enlever Marianne, il n'est pas impossible que le bonhomme aurait agi de façon encore plus atroce si tu étais allé là-bas. Et son histoire de décès aurait pu se concrétiser à tes dépens. Ce genre de personnes est prêt à tout quand il le faut... »

Jake bouillonnait de les entendre se renvoyer la balle. Il intervint soudain, aussi vindicatif pour sa femme que pour son beau-frère :

« Vous ne croyez pas que vous pourriez vous chamailler un autre jour, tous les deux? Il y a plus urgent pour le moment. Mady est sortie. La porte a claqué. »

Guillaume se leva aussitôt en se passant la main dans les cheveux, puis courut vers l'entrée.

* * *

Après avoir couché Duncan et s'être assuré qu'il n'avait pas été trop perturbé par la scène à laquelle il venait d'assister, Manon se rendit dans la cuisine et entreprit de ranger la vaisselle dans le lave-vaisselle. Les tâches routinières l'aidaient toujours à retrouver une certaine assurance... Jake, à ses côtés pour l'aider, n'était pas dupe et commença :

« Il y a une chose qui me tracasse un peu, Manon.

— Cela concerne le départ précipité de Mady et Guillaume?

— Oui, d'une certaine manière. Ton attitude et tes questions n'ont pas aidé non plus...

— Oh! Je te trouve pas très *fin* de revenir sur ça!

— Pourtant, il faut bien qu'on en discute. Tantôt, ce n'était pas le moment. Duncan était à table avec nous en plus. Puisque nous sommes seuls maintenant...

— Tu as raison. Mais qu'est-ce que tu veux que je te dise, Jake? Pour moi aussi ç'a été un choc d'apprendre cette histoire. Ç'a été plus fort que moi, j'ai voulu savoir ce qui s'était passé.

— J'ai remarqué aussi que tu semblais mal à l'aise de voir Mady.

— Mais non, pas du tout. Qu'est-ce que tu vas chercher là? Je l'aime bien, Mady; puis Guillaume, il est comme il est...

— Je ne te parle pas de Guillaume, mais de Mady. Parfois,

tu parles d'elle en termes chaleureux, puis d'autres fois c'est presque comme si tu regrettais qu'elle soit venue... Regarde-toi, tu sembles toujours ennuyée. Je n'arrive pas à comprendre. C'est une femme charmante et pleine de douceur pourtant.

— Ce n'est pas le problème. C'est vrai qu'elle est charmante et douce, comme tu dis.

— Il est où le problème, alors? »

Manon, une assiette sale à la main, arrêta son mouvement :

« Je ne sais pas comment te le dire... C'est vis-à-vis de Guillaume, plutôt. Il a tellement souffert de sa séparation avec elle. Elle l'a *flushé* du jour au lendemain puis la voilà qui refait subitement surface dans sa vie.

— Ce n'est pas vrai qu'elle l'a *flushé*. Tu as entendu, c'est son père qui a tout manigancé.

— Et qu'est-ce qu'on en sait après tout? jeta Manon.

— Manon, voyons, qu'est-ce que tu insinues? Pourquoi aurait-elle inventé une telle histoire?

— Pour son argent peut-être...

— Écoute, là tu tombes dans la paranoïa. »

Un bref silence s'installa dans la cuisine. Manon avait même arrêté de ranger la vaisselle tellement elle était troublée par ses propres paroles. Finalement, elle avoua :

« Je ne sais plus quoi penser, Jake.

— En tout cas, d'ordinaire, tu laisses plus de temps aux gens avant de te faire une opinion sur eux.

— C'est vrai, tu as raison. Je me suis peut-être un peu trop avancée sur Mady. Oh! Jake. Je m'en veux tant.

— Pour quelle raison?

— Si Guillaume a quitté Mady, avec qui il filait le parfait amour, c'est de ma faute.

— Tu étais gravement malade. Tu avais besoin de ton frère à tes côtés...

— Mady aussi avait besoin de lui! Elle était enceinte, tu te rends compte... Tout cela ne serait pas arrivé si...

— C'est donc de la culpabilité qu'il y a là-dessous? »

Manon s'essuya les mains sur son tablier jaune puis se mordit les lèvres.

« Oui, c'est vrai, je le reconnais. Même si j'ignorais

qu'elle était enceinte, j'ai souvent pensé que si Guillaume était resté en France à cette époque au lieu de revenir pour moi, eh bien, Mady et lui ne se seraient pas séparés. »

Les larmes coulaient à présent. Jake prit sa femme tout contre lui et continua sur un ton plus doux :

« C'est plus facile de blâmer quelqu'un d'autre que d'avouer ses sentiments, je sais, c'est humain. »

Jake savait qu'il piquait la fierté de Manon, mais il fallait crever l'abcès.

« Il n'y a pas que ça. Je voudrais tant que Guillaume soit heureux. Qu'il trouve la femme qui lui convienne.

— Il l'a peut-être trouvée en la personne de Connie. Ne l'oublie pas. Laisse-lui le temps, simplement.

— Tout est si compliqué depuis que Guillaume est revenu de Normandie. Quant à Connie... je ne vais pas me lancer dans une autre critique, mais je me demande vraiment si Guillaume et elle sont faits l'un pour l'autre. *Coudonc*, tout n'est peut-être pas arrivé par hasard, après tout? L'arrivée de Mady a peut-être un sens...

— Tiens, te voilà fataliste soudainement!

— Mais non, pas du tout. Bon, je crois que nous devrions monter maintenant. La cuisine est en ordre.

— Ne change pas de sujet, Manon. C'est important. Nous devons être francs l'un envers l'autre. Nous avons toujours insisté sur ce point!

— Je sais, Jake. Mais Mady me fait peur, et Connie aussi. J'y peux rien, c'est ainsi. Pour couronner le tout, mes problèmes de santé ressurgissent. Cela a été si dur! »

Jake enlaça sa femme sans ajouter un mot et l'embrassa. Ils montèrent ensemble. Manon s'essuya les joues sans arriver à juguler ce flot de peur et d'émotions...

* * *

Les rues de New York venaient de commencer leur tourbillon nocturne, au grand plaisir de Vanessa Corneau. Son père lui avait donné rendez-vous au restaurant de l'hôtel. Il avait troqué chemise et cravate pour un pull en fin lainage qu'il affectionnait particulièrement.

« Tu as toujours eu fière allure dans ce pull-over, papa. Maman devrait t'en tricoter plus souvent. »

Surpris par le commentaire et l'air enjoué de sa fille, André Corneau se contenta de la remercier.

« As-tu des plans pour demain? Tes choix ont été excellents jusque-là, tu ne trouves pas?

— Oui, papa. C'était super! Surtout cette visite dans les studios de musique.

— Tant mieux. Tu m'en vois ravi. Bon! Qu'as-tu à nous suggérer pour la journée de demain?

— Eh bien, j'ai plusieurs scénarios en fait. J'ai fini de souligner tout ce qui m'intéressait dans ce guide. »

André se pencha et émit un sifflement significatif.

« Bigre! À cette allure, il va nous falloir rester au moins un an à New York!

— Mais non... Et puis après tout, pourquoi pas? »

Le grand sourire de Vanessa amusa André qui se reprit pourtant :

« Et ta mère? Tu ne crois quand même pas que nous allons la laisser aussi longtemps.

— C'est sûr qu'elle ne voudrait pas. Puis, c'est vrai aussi que vous ne pouvez pas vous passer l'un de l'autre, tous les deux. Vous vivez le parfait amour, comme on dit. »

André Corneau fut quelque peu intrigué par le commentaire de sa fille.

« Est-ce que tu trouves qu'on est trop démonstratifs, ta mère et moi? »

Vanessa rit ouvertement :

« Mais non, papa, rassure-toi! C'est plutôt chouette. Je ne voudrais pas que vous soyez différents. Il y a trop de parents qui s'entendent mal...

— Tu as des amis dont c'est le cas? »

Vanessa décida de changer de sujet, trouvant sans doute que cela la touchait trop directement :

« Et alors, ces sorties, on pourra les faire?

— Pour la plupart, cela ne devrait pas poser de problème.

— J'aurais un faible pour l'Empire State Building... Puis en seconde position les studios de télé. J'ai lu dans le guide qu'ils sont tous ouverts au public. Broadway aussi. Est-ce qu'on pourra voir une pièce, dis? On va aussi aller sur le pont de Brooklyn. J'ai lu que c'était le plus grand pont suspendu du monde au moment de sa construction. Il a été ouvert en 1883 si je ne me trompe pas. C'est l'East River qui est en dessous. Le pont relie Manhattan à Brooklyn. C'est le plus long pont suspendu parce qu'il devait permettre aux grands voiliers de passer en dessous même à marée haute. Il fait presque un kilomètre...

— Wow! Tu en as appris des choses.

— Tout m'intéresse, papa. C'est fou! J'aime être ici... New York, c'est comme une forêt de gratte-ciel... Il ne faut pas qu'on oublie Central Park non plus, et puis...

— Bien, bien, quelle exubérance! l'interrompit André en prenant une gorgée de café. Avec tout ce que tu veux voir, il nous faudra écourter nos repas dorénavant... »

Après un échange de regards, ils rirent de bon cœur, puis André continua :

« Va pour l'Empire State Building, alors, puisque c'est ton premier choix. Tu dois déjà être au courant que c'est le gratte-ciel le plus élevé du monde. »

Vanessa acquiesça tout en savourant son dessert. Les yeux brillants ne laissèrent pas son père insensible.

« Je crois que c'est un des premiers films que j'ai vus avec vous. Je parle de King Kong...

— C'est vrai qu'il escalade l'Empire State Building...

— Combien de fois y êtes-vous montés, maman et toi?

— Onze fois, je dirais!

— Wow! Tu tiens une véritable comptabilité...

— Oui. Je crois que c'est une déformation profession-nelle.

— Et quelle impression ça fait d'être là-haut? C'est gran-diose, j'imagine.

— Tout à fait. C'est un endroit que l'on n'oublie pas. Surtout quand on y est avec la personne qu'on aime. On voit tout New York de là-haut. C'est vraiment magique. Oui, New York est une ville magique. Tu sais, elle a été la première ville au monde à être éclairée à l'électricité...

— J'ai du mal à imaginer le monde sans lumière... Les bougies laissent trop de coins sombres à mon goût...

— Tu n'aimes pas le noir? »

Le regard de Vanessa se perdit au loin. Éludant la question, elle poursuivit :

« Je me rappelle vos photos prises de là-haut... C'est autre chose d'y être quand même! J'ai hâte... »

Respectant son silence, André acquiesça :

« Tu as tout à fait raison! Il faudra aussi que je te montre la statue de la Liberté... Je sais qu'elle a été conçue par Bartholdi... Tu vois, c'est à mon tour de faire le savant... Avant, on l'appelait "La Liberté éclairant le monde". Il faut prendre le ferry pour accéder à l'île où elle se trouve et on l'approche graduellement... On dit qu'elle est là pour accueillir les immigrants arrivant par la mer. Elle est haute de quatre-vingt-treize mètres, si mes souvenirs sont bons. C'est un emblème extraordinaire. Je suis sûr que tu seras ébahie...

— Je veux bien te croire, papa, vu que tu es déjà venu à New York plusieurs fois. Je peux te faire confiance...

— C'est gentil, Vanessa... J'aimerais bien que cette confiance soit plus souvent présente. Tu n'as pas à avoir peur de te confier à ta mère et moi, tu le sais. »

Le visage soudain fermé de sa fille alerta André Corneau qui regretta ses paroles. La réplique de Vanessa ne le laissa d'ailleurs pas insensible et ne se fit pas attendre :

« Je savais que je n'aurais jamais dû venir avec toi. Vous vouliez me faire parler, c'est ça? Me faire la morale. C'est uniquement pour ça que tu m'as emmenée avec toi. Tu veux m'amadouer pour que je me confie... J'ai rien à te dire, rien à vous dire, à toi ou maman, tu m'entends? »

La voix de Vanessa était haut perchée et son père sentit qu'elle allait éclater en larmes et quitter brusquement la table. Il connaissait bien sa fille et il savait aussi qu'elle se sentirait humiliée d'avoir pleuré. Il essaya d'anticiper et de rattraper sa maladresse :

« Je suis désolé, Vanessa. Je voulais simplement te dire que ta mère et moi, on t'aime de tout notre cœur. Tu pourras toujours compter sur nous, sache-le. Nous voulons que tu sois heureuse, tout simplement. »

Vanessa n'ajouta rien et se leva pour aller aux toilettes. Elle était reconnaissante à son père et sa mère, même si elle ne voulait pas le reconnaître devant eux.

* * *

Guillaume avait regardé partout. Il n'y avait pas trace de Mady. Il songea un instant qu'elle avait pu prendre un taxi pour rentrer, mais se raisonna bien vite. La probabilité qu'un taxi passe dans le secteur à ce moment précis était largement en dessous de zéro. Il commençait à être inquiet. Il monta dans la voiture et, la vitre ouverte, roula doucement, scrutant le chemin peu éclairé. L'air frais de la nuit lui faisait du bien, rafraîchissant ses idées. Ses phares balayèrent soudain un point sur le côté. Une masse recroquevillée se trouvait là. Il accéléra pour finalement s'arrêter à la hauteur de Mady qui releva un visage baigné de larmes. Guillaume se pencha du côté passager pour ouvrir la portière. Mady ne bougea pas. Il pesta, regarda devant lui quelque temps puis descendit. Près de Mady, il demanda :

« Allez, monte. La soirée est assez gâchée comme ça. Inutile de se donner davantage en spectacle dans la rue. »

Mady le regarda, puis jeta, la voix remplie de trémolos :

« C'est le scandale qui t'inquiète? Ton image de marque pourrait en prendre un coup? Sois sans crainte, ce n'est nullement mon intention.

— Mais non. Il n'y a personne dans les environs de toute façon... C'est seulement que j'ai été un peu trop loin tout à l'heure, et j'ai aussi trop bu...

— Mmm! Tu le reconnais...

— Je n'aurais pas dû, c'est vrai. J'ai vraiment mal choisi le moment pour en parler. Pardonne-moi, Mady.

— Ne commets plus jamais ce genre d'impair à l'avenir! Nous sommes tous les deux concernés!

— Je ferai attention. Allez, monte. Je te raccompagne, ce sera mieux. Il fait froid en plus. »

Mady ravala sa peine. Guillaume avait raison, elle grelottait, mais elle regretta plus que jamais son manque d'autonomie.

Dans la voiture, Guillaume resta silencieux. Il avait allumé le chauffage et remonté la glace. Sa veine de tempe se gonflait par moments. Mady évitait de le regarder et, bercée par le roulis et la chaleur du véhicule, elle finit par s'endormir. Quand elle rouvrit les yeux, elle fut surprise de constater que Guillaume n'avait pas garé sa voiture devant la maison où elle séjournait. Encore dans la brume du sommeil, Mady demanda :

« Où sommes-nous? »

D'une voix un peu pâteuse, Guillaume murmura, avec douceur :

« Nous sommes devant l'immeuble de mon appartement. C'était plus près. Le volant et l'alcool ne font pas bon ménage...

— Bien. Pas de soucis. Si tu peux m'appeler un taxi, ce sera gentil... J'ai mal à la tête... Je dois me reposer.

— Tu sais, mon appartement est spacieux... Il est tard, et avec cette soirée pas très réussie, je pense que tu pourrais dormir ici... Rassure-toi, je ne vais pas profiter de la situation. J'ai un dossier à finaliser pour demain. Je m'installerai sur le canapé tout en travaillant. Puis tu pourras prendre une aspirine là-haut. »

Mady hésita et se massa le front :

« Je pourrais te prêter un de mes pyjamas... sauf si cela te dérange.

— D'accord. Je suis fatiguée de toute façon.

— Merci d'accepter de faire la paix... »

* * *

Très tôt le lendemain, Guillaume sortit de la salle de bain en bâillant. Il avait travaillé sur son dossier presque toute la nuit. En repassant devant la porte entrouverte de la chambre où Mady dormait, il risqua un regard. La lumière matinale s'infiltrait par les stores, lui donnant suffisamment d'éclairage pour distinguer Mady, allongée sur le lit, de dos.

Il s'approcha doucement. La respiration de Mady était lente et régulière. De toute évidence, elle dormait profondément. Guillaume n'insista pas plus longtemps et fit demi-tour pour sortir quand le plancher de bois franc se mit à craquer sous ses pieds.

« Guillaume? »

Il se retourna :

« Je ne voulais pas te réveiller si tôt.

— Quelle heure est-il?

— Six heures vingt. »

Mady se redressa et remarqua que Guillaume était torse nu. Troublée, elle s'empressa de demander :

« Et ton dossier?

— Je l'ai terminé, il y a peu...

— Tu veux dire que tu as passé toute la nuit dessus?

— Oui. Ce n'est pas la première fois, tu sais. J'ai l'habitude.

— Quelle vie! Très peu pour moi, merci.

— Pour hier soir, chez ma sœur, je voulais encore m'excuser...

— C'est bon, Guillaume, coupa Mady en s'assoyant sur le bord du lit. Ça ne sert à rien de revenir là-dessus. »

Elle ajusta le haut de pyjama que Guillaume lui avait prêté, puis se leva. Elle passa tout près de Guillaume pour sortir. Avant qu'elle ne franchisse la porte, il la retint par le bras. Elle sursauta légèrement, visiblement surprise.

« Je t'ai fait peur? souffla-t-il en caressant ses cheveux soyeux.

— Qu'est-ce qui te fait dire ça?

— Je ne sais pas. Je t'ai sentie un peu craintive.

— Non, Guillaume, je t'assure. C'est seulement qu'après toutes ces années... Il s'est passé tant de choses dans nos vies... et me retrouver à nouveau seule avec toi... »

Sur ces dernières paroles, Guillaume se montra plus insistant en posant sa main sur la joue de Mady.

« Guillaume, je t'en prie. Nous avons déjà fait une erreur l'autre fois...

— L'erreur, c'est de me dire justement que nous en avons commis une... Puis comment pourrions-nous commettre une erreur après ce que nous avons été l'un pour l'autre? Marianne est une erreur, selon toi? Je t'aime toujours, Mady.

— Guillaume, arrête...

— Pourquoi? Je sais très bien ce que je ressens en ce moment pour toi. »

Mady ne savait plus trop quoi penser des sentiments de Guillaume. Il semblait si sincère. Elle ne pouvait pas faire confiance à ses sens perturbés pour faire face à la situation.

Entre la tête et le cœur se livrait un combat par trop inégal sous les baisers provocants de Guillaume.

Devait-elle se laisser glisser dans un moment intime ou refuser? Avait-elle le droit d'être inconséquente, quitte à le regretter? Ce baiser doux et sensuel lui fit perdre ses réflexions.

Sentant l'émoi de Mady, Guillaume se fit plus entreprenant et déboutonna son haut de pyjama. Quand elle chercha à le repousser, en posant une main à plat, Mady rencontra son torse nu. Le contact de sa peau douce et velue altéra ses scrupules et elle se laissa aller à le caresser. Il prit possession de ses lèvres puis l'entraîna sur le lit. Mady se laissa envoûter par l'instant. Quelque part en elle, des signaux rouges s'allumaient. Elle ne voulait pas les voir, encore...

Il n'y eut cette fois aucun murmure pour lui rappeler la présence de Connie dans la vie de Guillaume ni de Jeremiah dans la sienne...

* * *

Fabian de Runay avait repris sa moto et s'était arrêté devant un poste de police. Un agent l'interpella aussitôt :

« Et votre casque? Vous cherchez à nous narguer, hein? »

Fabian secoua la tête, préférant ne pas répliquer. Il était si négligent depuis quelque temps... Si désireux de ne pas ressembler à l'homme qui l'avait élevé et qu'il croyait si parfait jusque-là. Quel gâchis! regrettait-il soudain.

« J'ai été distrait, je vous jure, monsieur l'agent. Je le mets toujours d'habitude.

— C'est ça, c'est ça. En attendant, montrez-moi vos papiers. Pièce d'identité et papiers du véhicule.

— Pas de problème. »

Fabian de Runay s'exécuta. Ses documents à la main, l'agent le considérait avec une certaine suspicion. Après un silence sévère et intimidant, il lui commanda :

« Vous allez me suivre au poste. Nous allons vous faire passer un test d'alcoolémie. Comme vous pouvez le constater, c'est juste à côté.

— Je vous assure que je n'ai pas bu! s'emporta le jeune homme.

— Nous verrons. Allez, ne discutez pas. »

Fabian obtempéra et suivit l'agent. En entrant, il fut surpris par le mouvement des lieux. La nuit semblait avoir été chaude, comme on dit. Des policiers passaient et repassaient régulièrement, certains seuls, d'autres accompagnés de malfaiteurs ou de gens ivres. Fabian avisa un banc de bois. Il s'y installa. Devant lui, deux femmes le regardaient d'un air provoquant, flairant une aubaine. Le sourire résolument aguicheur de la plus jeune l'intimida. Il n'était pas moins déluré qu'un autre, mais il n'avait pas l'habitude du monde des donneuses d'amour... Son monde était ailleurs... Cette constatation le fit se sentir soudainement différent. Il était devenu spectateur à la scène. Il se voyait, pauvre minable, assis sur ce banc, à attendre. Attendre quoi? Son tour... Pourquoi s'était-il arrêté devant ce poste de police? Pour parler de son père?

Une demi-heure passa avant que le policier ne daigne revenir pour lui faire passer le test d'alcoolémie. Il ne semblait pas un cas préoccupant pour l'heure... Fabian avait sommeil par contre. Il souffla dans l'appareil qu'on lui tendit.

« Votre test est négatif. Vous pouvez partir. Vous pouvez vous estimer chanceux que je ne vous verbalise pas pour non-port du casque obligatoire. Vous allez devoir rentrer à pied. Car pas de casque, pas de moto! »

Le jeune homme ouvrit son sac à dos et sortit son casque qu'il montra sans rien dire. Levant les yeux au ciel, l'agent soupira et le laissa partir. Il avait d'autres chats à fouetter pour l'heure, de toute évidence.

Dehors, le jour était sur le point de se lever. Un peu piteux, Fabian grimpa sur sa moto et s'éloigna en se consolant tout de même de la tournure des événements. Il passa le lendemain au lit, pour fuir ses responsabilités devenues trop sérieuses...

Chapitre X

Après le départ de Guillaume, Mady en profita pour faire la grasse matinée. Elle se laissa réveiller par la lumière du jour qui pénétrait largement la pièce. Elle se surprit à observer le décor qui lui déplut d'emblée.

La veille, la fatigue l'en avait dispensée, tout comme sa migraine, d'ailleurs. Ce matin, il n'y avait plus de trace ni de l'une ni de l'autre. Aucune chaleur ne se dégageait des murs. En face d'elle, occupant presque toute la surface, s'étalait un gigantesque tableau contemporain. L'art abstrait laissait toujours Mady perplexe. Il lui était difficile d'accéder à leurs messages hermétiques. Elle en discutait souvent avec sa sœur Sarah lorsqu'elles visitaient des galeries ou des expositions.

En plissant les yeux, elle se força à voir différemment les choses. Peut-être y avait-il une clé pour parvenir à la compréhension de telles œuvres? Guillaume devait bien leur trouver quelque chose... Elle eut beau tenter de dépasser ses perceptions, rien n'y fit et elle renonça.

D'un geste las, elle sortit du lit, réalisant qu'elle était nue. L'odeur de Guillaume sur l'oreiller voisin acheva de lui faire reconstituer les événements si étranges du petit matin... Le rouge aux joues, elle se rendit prestement dans la salle de bain qui se trouvait dissimulée derrière la porte-miroir de la chambre. La veille au soir, Guillaume la lui avait indiquée. La pièce était immense et munie d'une baignoire circulaire encastrée dans le sol carrelé. Pour un peu, elle s'y serait engouffrée. Elle opta sagement pourtant pour une douche et s'empressa de s'habiller.

En quête d'une décision pour sa journée, elle erra dans l'appartement silencieux, repensant à ce moment passé avec Guillaume. Qu'était-il en train de se produire entre eux? Une nouvelle incartade? Rien de plus, probablement. Elle s'en voulait de ne pas lui avoir résisté davantage. L'image de

Jeremiah, qu'elle avait trahi encore une fois, lui vint en mémoire et elle se promit de tout lui avouer en rentrant. Elle ne pouvait établir une relation durable avec lui si elle ne lui disait pas la vérité.

Mady entra par la double porte qui menait au salon et laissa sa curiosité s'imprégner des lieux. Quelques tableaux habillaient également les murs. Guillaume était définitivement devenu un amateur d'art. Mady ne prêta pas davantage attention à ces œuvres qui n'étaient toujours pas vraiment à son goût. Elle s'apprêtait à quitter la pièce quand un portrait, sur le mur de droite, contrastant avec tout le reste, arrêta brusquement son pas.

Elle s'approcha pour mieux l'observer.

Un long frisson lui parcourut le dos. Devant elle, se trouvait le fameux portrait d'elle et Sarah réalisé huit ans auparavant par un artiste-peintre du Vieux-Port de Montréal... Elle en avait un exemplaire chez elle, en Normandie. Elle se rappelait que l'artiste avait souhaité faire un deuxième portrait pour l'exposer. Ce souvenir ramena Mady dans son récent rêve... ce rêve étrange où elle avait également vu ce portrait en possession de Guillaume, mais au-dessus de sa cheminée...

Mady porta ses deux mains à ses tempes et, prise de vertiges, ferma les yeux un instant. D'un mouvement brusque, elle se retourna, sentant presque la respiration de Guillaume sur son épaule.

Il n'y avait cependant personne.

Elle était bien seule dans cet immense appartement désagréablement silencieux, froid et presque sans vie. Il reflétait l'aisance financière de son propriétaire, lequel en revanche n'avait, selon elle, aucun goût pour la décoration...

Mady sortit de la pièce, encore plus confuse.

* * *

Guillaume était en compagnie de son directeur Grégoire Mongoufier. Ils partageaient un jus d'orange et des muffins dans le salon privé de Bélanger Incorporation. Guillaume venait de lui révéler son aventure avec Mady. Grégoire avait semblé surpris et inquiet même.

« Et Connie Suisseau? Je croyais que c'était sérieux entre vous? Que tu voulais t'engager avec elle? »

Guillaume se passa une main dans les cheveux et soupira :

« Elle est chouette. Je comprends pas... Mady, c'est pas pareil... Comment t'expliquer...

— C'est un amour de jeunesse, Guillaume. Et tu subis les influences de tes souvenirs, c'est tout.

— On n'arrive pas à parler trop longtemps tous les deux... C'est plus fort que nous, on se dispute. Mais pourtant, j'ai envie de la toucher, de l'avoir près de moi... »

Grégoire se fit plus précis, peut-être avait-il connu une expérience similaire...

« Y a trop de blessures entre vous... Ce serait bien de retrouver Connie. Elle doit se demander ce qui se passe. Tu m'avais parlé de mariage... Et tout à coup, plus rien... Faut pas la laisser tomber, c'est une super fille quand même. Je pense qu'elle serait parfaite pour toi...

— Tu as raison. De toute façon, Mady partira et tout redeviendra comme avant.

— Tu ne dois pas attendre son départ pour réconforter Connie. *Pis*, ne lui dis rien pour Mady. Elle a pas besoin de savoir ni de souffrir. Ce qu'on sait pas ne fait pas de mal. »

Guillaume regarda Grégoire puis hocha la tête.

« Je vais vendre la maison de Rivière-des-Prairies. Je suis incapable d'y habiter de toute façon... Dès que Mady partira, je vais contacter une agence.

— C'est idiot. Elle vaut une petite fortune. Surtout avec les rénovations.

— Elle me rappelle de trop mauvais souvenirs. C'est du passé.

— Tu veux en parler? »

Cette fois, Guillaume secoua la tête négativement.

« On a tous notre part de démons enfouie en nous...

— Je peux m'en occuper, si tu veux, pour la vente de la maison... »

Guillaume apprécia l'offre même si cela n'avait pas trait à l'entreprise. Il aviserait en temps et lieu...

* * *

La Normandie avait rarement connu une si belle saison. Marianne regrettait de ne pouvoir profiter davantage des douceurs de la vie. Pour l'instant, après avoir corrigé le rapport qu'elle devait bientôt présenter au Conseil d'administration, elle révisait ses notes de cours.

« Entrez », répondit-elle en entendant frapper à la porte de sa chambre.

Éléonore de Fourtoyes apparut avec des fleurs dans les bras.

« Marianne, on vient de te livrer ceci. Si tu me permets un commentaire, voici un bouquet, disons, inhabituel! »

Fronçant les yeux, et ne cachant pas un certain ennui, Marianne avança vers sa mère.

« De qui peuvent-elles bien venir?

— Il y a une carte qui accompagne le bouquet...

— Lisez-la-moi, voulez-vous?

— Marianne, ces fleurs sont pour toi. C'est ton nom qui figure sur l'enveloppe.

— J'ai déjà reçu un bouquet, déposé sur le pare-brise de mon auto. Je l'ai trouvé coincé dans mes essuie-glaces, avec une note.

— C'est étrange. Penses-tu qu'il s'agisse de la même personne?

— Je pense surtout qu'il y a erreur.

— Ça ne ressemble pas à une erreur, si tu veux mon avis. C'est bien notre adresse qui figure sur la carte. En attendant, voici tes fleurs... et la petite carte qui l'accompagne. »

Marianne tendit la main en pinçant les lèvres.

Éléonore de Fourtoyes fit mine de partir, pressentant que sa fille ne voulait pas être seule. Marianne la retint justement tout en ôtant le bristol mauve de l'enveloppe. Elle lut, dans un murmure :

« *On croyait autrefois qu'une maison entourée de houx empêchait les mauvais esprits d'y entrer. Voici donc un bouquet protecteur, car, pour un couple, la prévoyance, c'est le gage de la durabilité.*

— Pour un couple? » reprit Éléonore de Fourtoyes, surprise et assez mal à l'aise avec le singulier procédé utilisé par son expéditeur.

Quand elle croisa le regard de sa mère, Marianne décela une crainte évidente. Elle s'empressa de la rassurer :

« Tout cela n'est pas bien méchant, mère.

— L'expéditeur ne s'est pas identifié?

— Non, rien.

— Philippe pourrait-il être là-dessous? »

Marianne l'interrompit en secouant la tête, amusée :

« Je vois mal Philippe m'envoyer des fleurs. Il n'y a rien de sérieux entre nous. C'est un ami, tout simplement, vous le savez...

— Peut-être n'a-t-il jamais osé t'avouer qu'il était amoureux de toi? » envisagea Mme de Fourtoyes.

Marianne resta un instant à contempler le bouquet de houx en souriant doucement. Elle essayait d'imaginer Philippe chez le fleuriste et commander du houx. Elle hocha la tête en élargissant son sourire et expliqua, sans approfondir la véritable question de sa mère :

« Je connais bien Philippe. Ce mystère ne correspond pas à ses habitudes. C'est plutôt quelqu'un de direct. S'il avait éprouvé des sentiments pour moi, il m'en aurait déjà parlé. »

Éléonore ne s'en laissa pas conter davantage et continua, doucereuse :

« Et toi? Quels sont tes sentiments envers lui? »

Marianne se mit à rire franchement cette fois.

« En ce qui concerne Philippe, il n'y a rien de plus clair pour moi. Nous nous entendons très bien, c'est vrai, mais de là à envisager une vie commune, non.

— Sous ses airs doux, Philippe a peut-être des piquants, et il voudrait te montrer qu'il existe autrement que comme un ami?

— De toute façon, ce n'est pas son écriture! indiqua encore Marianne, peu convaincue à présent.

— Ce n'est pas forcément une preuve, ma chérie. N'importe qui aurait pu rédiger ces mots à sa demande.

— Non, ça ne lui ressemble pas. Vous être trop romantique, mère.

— Peut-être... En tout cas, ce bouquet est magnifique! Les petites boules rouges sont éclatantes.

— C'est vrai. Elles sont bien rondes et régulières, invitantes. »

Marianne hocha la tête. Puis, elle haussa les épaules et posa le bouquet négligemment sur son bureau avant de descendre avec sa mère.

* * *

Aux alentours de midi de cette même journée, Connie entra sans frapper dans le bureau de Guillaume et resta un peu surprise de le découvrir en réunion d'affaires. Le froncement de sourcils du client ne la laissa pas indifférente. Elle poursuivit quand même, la voix haut perchée :

« Je dois te parler.

— Cela peut attendre? Je suis avec un client.

— Non, c'est urgent. »

Guillaume lança un regard agacé vers son vis-à-vis, lequel se leva sans ajouter un mot.

« Je vous appellerai dans la matinée de demain pour vous confirmer ma décision », précisa Guillaume en gardant une certaine contenance.

L'homme hocha la tête puis sortit. D'une voix ferme, Guillaume se tourna vers Connie, qui semblait toujours aussi impérative.

« Bien, quel est donc le motif qui te permet de débarquer comme ça alors que je suis en plein travail? Es-tu folle?

— Je suis inquiète.

— À quel propos? Et puis qu'est-ce que tu t'es fait à l'œil? » demanda soudain Guillaume en remarquant une ecchymose.

Connie hésita un peu.

« C'est une histoire idiote. Rien d'important. Mais ce n'est pas ce qui m'amène ici.

— Qu'est-ce qui se passe alors? »

Connie s'installa sur le fauteuil. D'une voix un peu troublée, elle lança :

« Je suis en retard ce mois-ci. »

Guillaume ne comprit pas aussitôt, puis fronça les sourcils pour finalement ouvrir la bouche sans rien dire. Comme pour le conforter dans cette idée, Connie hocha la tête. Finalement, sur la défensive, il objecta :

« Nous avons toujours pris des précautions. J'ai fait ce qu'il fallait. Ce n'est pas possible!

— T'emporte pas. Je sais tout ça. Pourtant, je peux t'assurer que je n'accuse jamais de retard. Mon corps est réglé comme une horloge.

— Quelle est ton explication, dans ce cas?

— Je ne sais pas. Peut-être un condom défectueux », hasarda timidement Connie.

Ses yeux s'embuaient déjà de larmes. Guillaume ne prolongea pas le silence.

« Tu avais déjà des doutes quand on s'est vus l'autre soir?

— Oui. Mais je voulais attendre encore...

— As-tu pensé à voir un médecin, passé un test?

— Non, j'ai... »

Connie fondit en larmes cette fois. Guillaume contourna son bureau rapidement et s'approcha de sa fiancée. Quittant son air buté, il posa une main sur son épaule. Faute de savoir trouver les mots, il s'abstint et se contenta d'une étreinte. Il se sentait pris de court. Finalement, il murmura :

« Ne te mets pas dans cet état. Nous devons être sûrs, avant. Viens, on va aller acheter un test de grossesse, comme ça, on sera fixés.

— Pas la peine, je vais y aller seule. Tu dois travailler. Je n'aurais pas dû *débarquer* comme ça.

— Arrête, tu veux? Tu as bien fait de venir. Je m'en veux de t'avoir accueillie ainsi. J'agis de façon stupide ces derniers temps...

— Je n'ai pas envie d'être enceinte, Guillaume, je veux pas de *flos*... Je sais pas m'y prendre avec eux... »

Guillaume la regarda longuement, comme s'il n'en croyait pas ses oreilles. Finalement, il lui tendit un mouchoir et l'entraîna avec lui. En passant devant sa secrétaire, il l'informa qu'il serait absent pour le reste de la journée.

« Annulez tous mes rendez-vous, s'il vous plaît. Essayez de les déplacer pour cette même semaine si possible.

— Cela risque d'être difficile, monsieur Bélanger. Votre agenda est déjà complet pour tout le mois.

— Arrangez-vous du mieux que vous pouvez, je suis sûr que vous en êtes capable. Au pire, demandez à Grégoire de me suppléer. Il connaît la plupart des dossiers. Vous êtes une vraie perle, Sandy. »

La femme, aux cheveux de miel ensoleillé, était à son service depuis les premiers jours de la compagnie. Elle en connaissait toute sa structure et son fonctionnement. Devant le compliment de son patron, elle esquissa un sourire et sentit ses joues rosir de plaisir. Néanmoins, elle était intriguée. Jamais son patron n'avait agi de la sorte, lui qui était toujours ponctuel et si prévisible.

Elle le regarda piloter Connie Suisseau jusqu'à son véhicule. La jeune femme n'était pas une inconnue pour Sandy. Elle l'avait en effet rencontrée à plusieurs reprises. Jamais auparavant Connie ne s'était montrée aussi impatiente d'être reçue par Guillaume. Sandy aurait donné cher pour savoir ce qui se passait.

La secrétaire fut interrompue dans ses pensées par la sonnerie du téléphone. Elle se concentra dès lors sur ses tâches et oublia presque l'incident.

Dans la voiture, Guillaume restait silencieux. Il réfléchissait aux conséquences des révélations de Connie. À ses côtés, sa compagne avait chaussé des lunettes noires et reniflait discrètement. Guillaume se gara en face d'une pharmacie. Ils descendirent ensemble.

« Tu sais ce qu'il faut? demanda Guillaume.

— Non, c'est nouveau pour moi.

— Bien, nous allons nous informer. On doit pas être les seuls.

— Peut-être qu'on pourra trouver ça directement dans un rayon? On va regarder avant de demander à quelqu'un.

— Pourquoi?

— Ça me gêne.

— Voyons, Connie. Les pharmaciens ont l'habitude qu'on leur demande conseil. Tu n'as pas à être gênée. »

La jeune femme eut un sourire amer, puis jeta, sur un ton exaspéré :

« C'est bien à toi de dire ça. Tu t'en remets toujours à moi pour faire les démarches. Écoute, laissons tomber. Je sais très bien que, maintenant que ton amour de jeunesse est de retour, tu ne veux plus de moi! Depuis qu'elle est là, c'est *bye bye*, Connie, *tasse-toi*, tu gênes!

— Arrête, tu veux. Ne mêle pas tout. De toute façon, tu te fais du mal inutilement, Connie. Mady repart à la fin du mois. Allez, viens, entrons. Je m'occupe de tout. Quoi qu'il arrive, je ne te laisserai jamais tomber. »

Un sourire timide apparut sur les lèvres de Connie. Elle n'ajouta rien et suivit docilement Guillaume.

À l'intérieur, il se comporta comme il avait l'habitude de le faire dans son entreprise, sans perdre de temps. Il alla directement au guichet et demanda conseil au pharmacien.

L'homme avait une cinquantaine d'années. Ses yeux vifs faisaient oublier son nez trop long, et on avait envie d'en apprendre un peu plus sur lui. Il jeta un coup d'œil discret mais perçant vers la femme un peu en retrait, puis ouvrit sa porte battante. Il les conduisit ensuite vers une tablette remplie de boîtes et énuméra les avantages de chacun des produits. Finalement, il conclut :

« En fait, ils se valent tous plus ou moins. Le prix décide beaucoup pour le choix. Je vous laisse. »

Guillaume se tourna vers Connie, qui attrapa une boîte et lut les indications. Sans en regarder d'autres, elle la tendit à Guillaume et ils repartirent. Dans la voiture, Connie s'exclama :

« Tu peux me reconduire à ma voiture. Je vais rentrer directement chez moi.

— Je viens avec toi. Je te suivrai avec ma voiture.

— Non, c'est inutile.

— J'ai pris mon après-midi de toute façon. Et je veux être avec toi pour... eh bien, pour savoir.

— Sur la boîte, il est dit qu'il vaut mieux faire le test le matin. »

La voix de Connie n'était plus qu'un murmure.

« Bien, dans ce cas, je... en fait, je ne sais pas ce que je dois faire.

— Retourne au travail. Ce sera certainement le mieux à faire.

— Et te laisser seule à ruminer tout ça?

— Qu'est-ce que tu veux qu'on fasse de plus?

— On va passer l'après-midi ensemble.

— Te sens surtout pas obligé!

— Mais non. Que vas-tu chercher?

— C'est malheureux qu'il faille une telle circonstance pour qu'enfin nous fassions quelque chose ensemble.

— S'il te plaît, Connie, une trêve.

— Comment veux-tu que je réagisse autrement? Depuis notre sortie au théâtre, on ne s'est presque pas revus. Je t'appelle à ton bureau et tu me parles à peine ou tu me *flushes* au bout de cinq minutes sous le plus petit prétexte. Et pour couronner le tout, me voilà peut-être avec ton *flo* dans le ventre! C'est trop pour moi.

— Normalement, un couple en attente d'un enfant est heureux.

— À condition de vouloir être un couple.

— Et de vouloir cet enfant », renchérit Guillaume sans se douter du mal qu'il faisait à Connie.

* * *

En reculant, toujours dans l'appartement de Guillaume, Mady faillit renverser une amphore aux couleurs étranges. Elle la retint de justesse, soulagée que sa maladresse n'ait pas de conséquence fâcheuse. Découvrant la cuisine, elle avisa un mot à son intention sur le réfrigérateur. Guillaume était bref et s'excusait pour son attitude de la veille.

« Encore! » songea Mady avec amertume. Mais elle savait qu'elle avait autant à se blâmer. Ce qui la blessa davantage fut de trouver deux billets de vingt dollars « pour payer le taxi ».

Mady raccrocha les billets au même endroit. Une boule montait dans sa gorge. Elle griffonna un mot à son tour avant de sortir sans plus attendre pour prendre l'autobus. Force lui était de constater que Guillaume était bien différent du Guillaume qu'elle avait connu plus de vingt ans plus tôt, et dont elle était toujours éprise. Le Guillaume actuel était celui de cet appartement tout de chrome, de toiles gigantesques et de marbre.

Il était devenu froid...

L'amoureux de ses souvenirs ressemblait davantage à la maison où elle était installée à Rivière-des-Prairies. Consciente que ses pensées virevoltaient, elle déplora la tristesse sans fond qui les accompagnait.

Le soleil qui passait à travers la vitre de l'autobus n'arrivait pas à réchauffer sa douleur persistante.

Après deux changements d'autobus, elle arriva enfin sur le boulevard Gouin. Sitôt entrée, elle monta directement dans sa chambre. Quelle ne fut pas sa stupeur quand elle vit, sur le seuil, la petite fille qui hantait ses derniers rêves. Elle hésita.

« Qu'est-ce que tu fais là? demanda-t-elle finalement, pas très sûre d'obtenir une réponse.

— Je vous attendais, répondit simplement la fillette. Vous pouvez m'appeler Yoyo, vous savez?

— D'accord, mais comment es-tu entrée? »

Cette fois, c'est un rire franc qui lui répondit.

« Je peux aller où je veux, voyons. Vous n'avez toujours pas compris?

— Compris quoi? questionna Mady en remarquant tout à coup que la petite fille portait les mêmes vêtements.

— Je suis sûre que vous avez compris maintenant.

— Qui es-tu? »

Mady avait levé la voix en posant sa question. Elle secouait aussi la tête, en proie à un malaise grandissant.

« Je n'ai pas le droit de vous le dire... Vous devez le découvrir toute seule. C'est à vous de chercher. Vous devez faire vite maintenant... On n'a plus beaucoup de temps...

— Mais où dois-je chercher, et comment? »

Yolande disparut au même moment. Mady l'appela et entendit sa voix en provenance d'ailleurs. Elle se dirigea au son jusqu'à l'escalier qui menait au deuxième étage. Elle remarqua une porte tout en haut. Elle n'y avait encore jamais mis les pieds. La voix de l'enfant qui venait de cette direction continuait à la guider.

Mady hésita à monter, puis se rappela les dernières paroles de la fillette. Elle prit son courage à deux mains et s'engagea sur les marches. En haut, devant la porte fermée,

elle tourna doucement la poignée. Son cœur battait la chamade sans raison... ou bien en avait-il une justement.

* * *

Chez Connie, Guillaume se servit un verre de porto,
puis se tourna vers la jeune femme pelotonnée sur le canapé.
« Je peux te servir un jus de fruit? »
Elle fit la grimace.
« Non, je prendrais un Icewine. Tu en trouveras une bou-
teille à peine entamée près du bar.
— Tu as drôlement diversifié tes choix en alcool. On
dirait que tu reçois de la visite en permanence, commenta
simplement Guillaume en ouvrant le meuble en question.
— Arrête. J'ai besoin de me détendre.
— En tout cas, il serait préférable d'arrêter l'alcool tant
que tu n'as pas de certitude.
— Ce n'est pas un verre qui va changer grand-chose.
— Ne prenons pas de risque.
— Oh! Quel rabat-joie tu fais!
— Je suis prudent, c'est tout.
— Oui, et à toi la belle vie! »
Guillaume choisit de laisser filer le sarcasme.
« Bon, un jus d'orange?
— Non, sers-moi un jus de mangue. J'en ai dans le réfri-
gérateur. »
Guillaume s'exécuta aussitôt pour revenir avec le verre
qu'il tendit à Connie. Elle le remercia doucement puis lui
enjoignit de s'asseoir à côté d'elle. Un silence s'installa entre
eux. Ils se concentraient vainement dans leur verre. Fina-
lement, Guillaume soupira :
« Nous avons passé une agréable journée, non?
— Oui, nous ne nous sommes pas disputés. C'est plutôt
encourageant.
— Dis plutôt que nous avons évité de parler de ce qui
nous tracassait.
— Si tu veux. En tout cas, merci, Guillaume. Merci d'être
resté avec moi.
— C'est tout à fait normal, voyons.

— Qu'est-ce qu'on va faire si je suis vraiment enceinte? »

La voix grave de Connie perturba Guillaume qui reposa son verre sur la table basse située devant lui. Il se passa la main dans les cheveux brièvement puis, d'une voix ferme :

« T'inquiète pas, Connie, je serai là. Nous ferons ce qu'il faut. »

Les yeux agrandis, elle lança vivement :

« Qu'est-ce que tu entends par là? »

Guillaume jeta un regard intrigué vers Connie, puis comprit sa méprise.

« Non, ce n'est pas ce que j'ai voulu dire. Si tu es enceinte, nous garderons ce bébé, bien sûr. Il n'est pas question d'agir autrement.

— Je ne me fais pas à l'idée! Y a rien à faire...

— C'est normal. Tu veux le garder, n'est-ce pas?

— Oui, bien sûr. Enfin, je crois. C'est seulement si soudain, si inattendu. Je n'ai pas eu le temps de me préparer.

— C'est le moins qu'on puisse dire!

— S'il te plaît, je ne veux pas que tu restes avec moi juste parce que je suis enceinte, Guillaume.

— Peut-être enceinte! On ne sait pas encore. Faut pas aller trop vite. »

Connie fit la moue, puis lâcha un petit oui, avant d'ajouter timidement :

« Tu ne veux plus de moi, sinon, n'est-ce pas?

— À ta place, je cesserais de m'en faire pour rien.

— C'est important, Guillaume. As-tu réellement des sentiments pour moi?

— Bien sûr! Comment veux-tu que nous soyons encore ensemble si ce n'était pas le cas? Je sais, ces derniers temps, je n'ai pas été très présent, ni même très honnête avec toi. Tout est allé si vite.

— Oui. Tout va vite aussi pour moi. »

Guillaume était mal à l'aise de voir Connie s'engluer dans une position de victime. Car c'est ainsi qu'elle agissait, réalisa-t-il. Il pensa à Mady et se demandait si, malgré tout, il ne devait pas dire la vérité à Connie. Si elle devenait sa femme, il devrait tout partager avec elle. Les petits et les grands soucis. Au lieu de ça, il continua :

« Je pourrais peut-être appeler le pharmacien pour savoir si tu peux faire le test dès maintenant?

— Non, jeta presque Connie. Je préfère attendre demain.

— Bien, si tu insistes. »

Guillaume reprit son verre et proposa de préparer le repas. Ce n'était pas son premier dîner à l'appartement de Connie, aussi connaissait-il bien les lieux. La jeune femme resta au salon à écouter de la musique. Guillaume inspectait le contenu du réfrigérateur à la recherche d'idées quand le téléphone sonna. Il tendit l'oreille et comprit que Connie avait décroché.

Il l'entendait murmurer de l'autre côté. « Peut-être en a-t-elle déjà parlé à sa mère? » songea-t-il. Il savait que les deux femmes étaient assez proches. Il se demanda si leur attitude n'était pas prématurée et pensa encore à Mady. À ce qu'elle faisait en ce moment. Elle était sans doute rentrée.

Il soupira.

Son attitude de la veille et de ce matin lui revint en mémoire. Il ne put s'empêcher de frapper du poing le comptoir. Finalement, entendant du bruit dans la pièce à côté, il se reprit et sortit deux steaks. Il se mit à couper l'oignon, puis une gousse d'ail...

* * *

Mary-Gaëlle et Marianne bavardaient en attendant de traverser à un feu de circulation.

Soudain, Marianne resta figée.

« Tu as vu un fantôme ou quoi? »

Devant le silence de son amie, Mary-Gaëlle suivit son regard persistant. Marianne s'expliqua enfin :

« C'est Philippe. Il sortait du fleuriste, là-bas, près du bureau de tabac. Tu l'as vu, toi aussi, n'est-ce pas? »

Mary-Gaëlle se contenta de hausser les épaules en signe de dénégation.

« Pourtant, c'était bien lui, juste avant qu'il ne tourne au coin de la rue.

— Écoute, si ça peut te rassurer, je te crois sur parole. Ce serait bien lui qui t'a envoyé ces bouquets alors?

— Arrête, papa. »

Vanessa avait enfin émergé et le regardait, les yeux brillants et les joues rougies par les larmes. Un léger sourire flotta qui s'évanouit presque aussitôt.

Sentant son désarroi, André ouvrit les bras et sa fille ne se le fit pas offrir deux fois. Elle se blottit contre le torse chaud de son père. Malgré ses larmes, elle essaya de libérer son cœur. Ce ne fut d'abord qu'un murmure, et André dut tendre l'oreille pour ne rien manquer.

« Oh! Papa, papa! J'ai tant de peine... Ces derniers temps, j'ai été horrible avec maman et toi et... et pourtant vous m'avez offert ce merveilleux voyage à New York!

— Mmm! C'est vrai que tu as des parents bizarres. Curieuse méthode d'éducation, pourraient dire tes professeurs. Je crois qu'on a raté notre diplôme des parents parfaits, tu ne trouves pas? »

Vanessa émit encore un petit rire suivi de près d'un reniflement. Son père tendit le bras et sortit un mouchoir de la boîte en carton aux couleurs de l'hôtel posée sur le comptoir du lavabo.

Le pire de la crise était passé, semblait-il. En revanche, André Corneau était conscient que sa fille était plus vulnérable que jamais. Il la revit, l'espace d'un instant, sur le ventre de sa mère.

« Papa, je ne veux pas de cette vie-là.

— Peux-tu m'en dire un peu plus? Est-ce que ta mère et moi sommes en cause? »

Au froncement des sourcils, André Corneau comprit, soulagé, que ce n'était pas du tout le cas.

« Qui? Maman et toi? Jamais de la vie... Non, c'est moi. Je ne suis bonne à rien. Je ne suis même pas capable de me défendre toute seule.

— D'abord pourquoi devrais-tu te défendre seule? Tu es encore bien jeune. Et te défendre face à qui? »

Les flots de larmes semblaient s'être enfin taris.

« Fabian est la solution que j'ai trouvée... Tu sais, le gars qui est venu me chercher l'autre soir...

— Le gars de la moto s'appelle Fabian alors...

— Il est très sympa. Je l'aime bien. Enfin, je ne sais pas

vraiment si cette solution fonctionnera encore, mais il m'a déjà aidée plusieurs fois...

— Et ta mère et moi? Crois-tu qu'on ne peut pas t'aider? »

Les yeux un peu vagues, Vanessa sembla peser le pour et le contre. Elle se moucha une nouvelle fois, puis haussa les épaules.

« C'est mon problème. Je ne dois en parler à personne.

— Si tu en as envie, tu peux le faire. Il n'y a rien ni personne qui peut t'empêcher de te confier à tes parents si tu le souhaites.

— Peut-être... En tout cas, je n'ai pas envie de le faire ici, pas à New York! »

* * *

Mady ouvrit enfin la porte du grenier et soupira. Il y faisait assez sombre. Heureusement, un vasistas laissait pénétrer un peu de la lumière du jour.

« Yolande? Es-tu là? »

Un petit oui timide venu d'un coin d'ombre tout près fit presque sursauter Mady. Remarquant une cordelette qui pendait, elle tira dessus. Son initiative n'eut pas le résultat escompté. En levant la tête, elle nota que le plafonnier de verre était sans ampoule. Sans plus attendre, elle retourna vivement dans sa chambre pour prendre celle de sa lampe de chevet et remonta. Elle avisa une chaise qu'elle remit sur ses pieds, puis grimpa prestement dessus. La lumière se répandit bientôt dans le grenier. Mady soupira d'aise. Il n'y avait plus de coin d'ombre, un peu à la manière de sa vie depuis que Marianne était réapparue.

« Merci, entendit-elle soudain derrière elle. Je n'aime pas le noir.

— Ah! Yolande, te voilà, souffla Mady en descendant prudemment de sa chaise. Tu sais, moi non plus je n'aime pas ça...

— Oui, mais moi, je n'ai pas le choix... »

La petite déambulait tout en parlant, légère comme la brise du matin, malgré sa tenue hivernale.

« Faites attention où vous mettez les pieds! l'avertit

174

l'enfant. Vous pourriez vous blesser. Je ne voudrais pas qu'il vous arrive du mal à cause de moi.

— C'est gentil. Je ferai attention. Pourquoi m'as-tu fait venir jusqu'ici?

— Vous vouliez un peu d'aide, non? Eh bien, je vous en donne. Maintenant, c'est à vous de chercher. »

Mady était de plus en plus intriguée par les commentaires énigmatiques de Yolande.

« Chercher quoi, au juste? »

Pendant que Mady s'abîmait dans ses questions, la petite fille disparut encore une fois.

« Comment veux-tu que je trouve quelque chose si j'ignore ce que je cherche? Je t'en prie, Yoyo, reviens... »

Ses exhortations restèrent sans réponse.

Mady demeura seule face à son tourment. Elle hésitait à rester dans cette pièce où se jouait une scène que d'aucuns n'hésiteraient pas à qualifier d'hallucinante. Le fouillis de ce grenier n'avait, par ailleurs, rien d'invitant. Il était malgré tout mieux ordonné que l'état d'âme dans lequel elle se trouvait.

« Si elle m'a fait venir ici, c'est pour une bonne raison, murmura Mady comme pour s'encourager. Autant commencer à regarder ce qu'il y a dans ces boîtes. Qui sait? Je finirai peut-être par comprendre ce que me veut Yolande. »

Chapitre XI

Maurice Martinon aida sa compagne à descendre du train et attrapa les valises.

« On va louer une voiture. Ce sera plus pratique.

— Ce voyage va finir par nous coûter cher, objecta Rhonda.

— Bah! On ne va pas emporter notre argent dans notre tombe. Il faut en profiter tout de même!

— Tu as raison. C'est vrai qu'on passe un séjour merveilleux, tous les deux...

— Ton plaisir est le mien », lui répliqua Maurice avec un brin d'émotion dans la voix.

Le couple savoura ce moment de grâce en s'enlaçant tendrement. Plus tard, Rhonda demanda :

« T'as bien l'adresse de tes nièces avec toi?

— Oui, oui, t'inquiète pas. J'ai celle de Sarah. Elle et sa sœur ont dû bien changer depuis tout ce temps. C'est inouï comme situation, non? Je t'avoue que tout ce passé me fait un peu peur.

— Il n'y a tout de même pas de squelettes dans ton passé? »

Signe d'une certaine agitation, Rhonda tournait et retournait la bandoulière de son sac. Maurice ne semblait guère plus serein rendu en terre normande.

« Je ne crois pas. Mais sait-on jamais?

— Et si tes nièces te demandent pourquoi tu t'es fâché avec ton frère, que vas-tu leur dire?

— Je trouverai bien quelque chose... Une explication qui tient la route, évidemment. »

Rhonda attendit que Maurice signe les papiers pour la location du véhicule, puis elle reprit comme si la conversation ne s'était pas interrompue.

« Et à moi, *Boomer*, tu voudrais me la dire, la vérité?

— Y a rien à dire, je te l'ai répété. Il n'y a rien que tu devrais savoir... »

L'homme resta silencieux puis hocha la tête nonchalamment. Rhonda se demandait comment interpréter ce geste. Maurice ajouta bien vite, un peu trop vite d'ailleurs au goût de sa compagne :

« Tu verras, Rhonda, notre séjour se passera au mieux et après on retrouvera notre petite vie en Australie...

— Où le climat est plus agréable qu'ici...

— Tu veux dire que tu ne te plais déjà plus en France? la nargua Maurice soudainement.

— Si, bien sûr, mais ce n'est pas pareil, voilà tout. »

La conversation dériva et Rhonda ne s'en rendit même pas compte. En tout cas, Maurice semblait soulagé.

* * *

Vanessa Corneau regarda soudain son père, puis inspira profondément.

« Papa, je voudrais changer de collège. Ne me demande pas pourquoi. En tout cas, pas encore. Si vous êtes d'accord, maman et toi, eh bien, je promets que je vais changer d'attitude. Je recommencerai à bien travailler et je ne me teindrai plus les cheveux...

— Tu sais que pour t'inscrire dans un nouvel établissement il sera nécessaire de nous justifier. Si tu me disais les raisons de ta demande, ça nous aiderait beaucoup à trouver une façon de l'expliquer au directeur de ton école.

— Ah! Je ne savais pas qu'on était obligé de passer par lui...

— Allons. Qu'est-ce qui te rend malheureuse à ton collège? Ton frère Frédéric s'y plaisait bien pourtant... Tu n'as pas assez d'amies? Tu t'y sens un peu trop enfermée? Je sais que tu aimes les grands espaces... »

Un nouveau hochement de tête fit comprendre à André Corneau qu'il n'avait pas vu juste. Finalement, d'une toute petite voix, bien loin des cris des derniers temps, Vanessa avoua :

« On me prend mon argent... Et même mes lunchs quelquefois.

178

— Quoi! s'exclama André Corneau, incrédule. Tu te fais racketter!

— Oui, papa. Des fois, ils exigent même que je rapporte plus d'argent, sinon ils ont dit qu'ils me le feraient payer d'une autre manière... »

André Corneau était de plus en plus abasourdi par les révélations de sa fille.

« Ils, c'est qui?

— Je ne peux pas te le dire. Ils m'ont fait jurer...

— Et depuis quand ils te rackettent?

— Depuis plusieurs mois déjà... et là, ça empire... J'ai si peur, papa... »

André Corneau prit sa fille et l'enlaça. Il tenta ensuite de l'amener à pousser plus loin ses confidences :

« S'il te plaît, Vanessa, dis-moi quel genre de menaces ils t'ont fait.

— Je... je ne peux rien dire... Ils ont dit que, s'ils apprennent que j'ai cafté, ils s'en prendront à moi.

— Écoute, Vanessa. Personne ne s'en prendra à toi, tu m'entends? Je te le promets.

— Si je change de collège maintenant, le problème sera réglé. Je ne les rencontrerai plus, et voilà.

— C'est ce que nous ferons très certainement, mais il faudra tout de même dénoncer ces racketteurs. On ne peut pas les laisser continuer, tu comprends? Nous sommes là pour vous protéger contre ce genre d'individus. Il ne faut pas les écouter. Ils se croient forts, mais c'est faux!

— Je sais tout ça, papa, sauf que c'est plus facile à dire qu'à faire quand tu te trouves dans cette situation. J'ai essayé plusieurs fois de vous le dire... C'était trop dur.

— Heureusement, tu as fini par le faire. C'est ce qui compte. Il n'est pas encore trop tard pour mettre fin aux manigances de ces voyous. Combien sont-ils?

— Ils sont cinq. Tout le monde a peur d'eux là-bas.

— Et aucun des surveillants ou des enseignants n'est au courant de leurs agissements?

— Je ne pense pas. Ils sont malins...

— Je n'arrive pas à comprendre que ta mère et moi nous n'ayons rien compris plus tôt... Je suis désolé, Vanessa.

« — On va trouver une solution, n'est-ce pas?

— Bien sûr. Tu ne peux effectivement pas t'en défaire toute seule. Ces vauriens sont des parasites!

— Ils menacent de s'en prendre à d'autres si... La dernière fois, ils m'ont coincée en me menaçant d'un couteau pour que je ne bouge pas... J'ai eu tellement peur... Papa, si tu savais...

— Oh! Mon Dieu! Et que s'est-il passé? »

André Corneau était horrifié.

« Y en a un qui m'a fait un truc dans le cou. (Vanessa grimaça à ce souvenir.) Il m'a dit que c'était pour marquer son territoire... Un autre jour, à la sortie, ils ont voulu écraser une cigarette sur mon épaule. Heureusement, Fabian est arrivé à ce moment-là, et il est intervenu. Je me tiens avec lui depuis... Il vient m'attendre à la sortie de l'école... Les autres ne m'approchent plus trop...

— Ça me blesse un peu que tu aies préféré te confier à un étranger plutôt qu'à moi, ou ta mère, voire à l'un de tes frères, mais c'est déjà bien que ce garçon ait pu te défendre. Et quel âge a-t-il, ce jeune homme?

— Il a vingt-trois ans. Il a sans doute mieux à faire que de s'occuper de moi. Il a des amis un peu spéciaux, du genre très branchés niveau look, mais ils sont sympas avec moi. Et ils ne me demandent rien.

— Et moi qui avais une mauvaise opinion de ce garçon. »

Vanessa prit un air revêche :

« Pourquoi? Parce qu'il roule en moto? Ou bien parce qu'il est plus vieux? »

André Corneau secoua la tête d'un air navré.

« Disons qu'il y a un peu des deux, je le reconnais. Je n'ai pas d'excuses, je sais. On passe notre temps à te dire de ne pas te fier aux apparences.

— Il est vraiment gentil, papa. Je t'assure.

— Il n'a jamais essayé de... Enfin... »

André Corneau aurait voulu que sa femme soit là pour l'aider à trouver les mots justes. Sa fille ne le laissa pas s'enliser davantage et, avec un sourire triste, elle ajouta :

« Non, papa. Il ne m'a pas touchée si c'est ça que tu veux savoir. Je crois qu'il me considère plus comme une petite sœur.

180

— Il ne t'a jamais conseillé de nous parler de ce que tu vivais?

— Si, mais je n'ai pas osé. J'avais trop peur.

— Et tes amies? Elles sont au courant?

— Oui.

— Et?

— Et quoi? Rien. Qu'est-ce que tu veux qu'elles fassent? Ce ne sont pas des super girls. On subit. C'est tout ce qu'on peut faire.

— Ah! Là, permets-moi de t'arrêter. Je ne suis pas d'accord. On peut effectivement subir parfois, mais, dans la vie, il y a ceux qui subissent et ceux qui agissent... Et on va agir! Il est hors de question que tout cela continue.

— Qu'est-ce que tu as en tête? Avertir le directeur? Si tu le fais, ils risquent de découvrir que c'est moi qui les ai dénoncés. Ils vont me tomber dessus aussi vite!

— Pourtant, il faut bien les arrêter, Vanessa!

— Mais puisque je te dis qu'en changeant d'école, ce sera réglé!

— Ce n'est pas si sûr, Van.

— Je savais bien que j'aurais jamais dû t'en parler. Tu te moques de ce qui peut m'arriver en réalité! »

L'effroi qui se lisait dans les yeux de Vanessa chavira le cœur de son père.

« Tu te trompes, ma chérie. Ils ne peuvent plus rien contre toi, maintenant. Nous te protégerons. Nous allons d'abord rencontrer le directeur de l'établissement. Tu as les noms de ces sales petits morveux?

— Oui.

— Bien. Nous porterons également plainte contre chacun d'entre eux, et nous inciterons les autres parents concernés à en faire autant.

— Et si je les croise dans la rue, seule? Ils me connaissent. Ils peuvent savoir où j'habite. Non, je trouve que ce n'est pas une bonne idée...

— Tu n'es pas seule, Vanessa. Nous sommes là, ta mère et moi. Je te le répète, nous n'allons pas te laisser dans cette situation.

— Tu ne pourras pas me servir de garde du corps

tout le temps. C'est impossible. Je n'oserai plus jamais sortir.

— Il n'est pas question de te servir de garde du corps. Il est question de ta sécurité et aussi de ton bien-être. Je suis convaincu que notre plainte en amènera beaucoup d'autres.

— Et après? Je serai cataloguée comme celle qui a balancé...

— Non! Il n'y aura que des personnes qui auront agi en responsables pour le bien de la communauté. De toute façon, nous t'inscrirons dans un autre établissement, par précaution. Ne t'en fais pas, Van. Ces vauriens ne vont pas s'en tirer à si bon compte.

— Et si ce collège est trop loin de la maison? » demanda Vanessa.

André Corneau sembla réfléchir très vite puis souleva les épaules.

« Eh bien, s'il le faut, nous déménagerons. »

Les yeux écarquillés, Vanessa s'exclama :

« Vous iriez jusque-là... pour moi?

— Ta mère et moi ferions n'importe quoi pour que vous soyez bien, tes frères et toi. Tu devrais le savoir. Tu dois aussi avoir confiance en nous en tout temps. Même si ce n'est pas facile, nous pouvons surmonter les épreuves ensemble, quelles qu'elles soient. »

Un nouvel accès de larmes s'écoula. Cette fois, Vanessa ne plongea pas le nez dans la serviette. Elle se blottit tout contre son père qui lui caressa le dos doucement. Dans un sanglot, André entendit un merci confus.

* * *

Maurice Martinon et sa compagne s'arrêtèrent devant le numéro de rue recherché :

« Bien, nous y voilà, je crois.

— Comment tu te sens, Maurice? Te rends-tu compte que tu vas revoir ta nièce après plus de trente ans? C'est formidable.

— C'est vrai que ça fait drôle après toutes ces années.

— Comme tu es ma seule famille, j'espère qu'elles vont m'aimer.

— Voyons! Tout le monde t'aime, ma Rhonda. Comment ne pas succomber à ton sourire?

— Flatteur, va! »

Rhonda savait que Maurice plaisantait pour cacher son malaise. Depuis le temps qu'ils étaient ensemble, elle pouvait se targuer de le connaître un tant soit peu. Il agissait toujours avec excès. Malgré ses airs d'extraverti, il cachait très bien ses véritables émotions. D'une voix guillerette, elle lui jeta :

« On y va, mon *Boomer* d'amour?

— Quand faut y aller, faut y aller, hein?

— Sarah est chez elle, tu crois?

— Comment veux-tu que je le sache, Rhonda? »

Rhonda nota le regard inquiet de son compagnon qui semblait encore hésiter à sortir de la voiture de location.

« C'est la première fois que je te vois aussi tendu. Tout ira bien, tu verras.

— Mais je vais bien, je t'assure! s'énerva un peu Maurice.

— Je t'en prie. Pas à moi!

— Bon d'accord, je suis un peu angoissé à l'idée de les revoir. T'es contente, là?!

— Te fâche pas, Maurice. C'est normal de ressentir ça. Je suis presque aussi excitée que toi de toute façon. Allez, maintenant on se jette à l'eau!

— Passe devant. Et en avant la musique! »

Sarah était dans sa cuisine quand la sonnerie retentit. Elle n'attendait personne. Son torchon encore à la main, elle se dirigea à la porte.

« Qu'est-ce que je peux faire pour vous? » demanda-t-elle en apercevant le couple dans la soixantaine.

Le temps resta suspendu quelques instants, puis Rhonda tendit la main, empressée :

« Vous êtes Sarah, je présume?

— Oui, c'est bien ça.

— Bonjour. Je suis Rhonda McKan, et voici Maurice... votre oncle.

— Oncle Maurice!? » s'écria Sarah, agréablement surprise de toute évidence.

Le sourire de Rhonda s'élargit en voyant Sarah enlacer son Maurice dans un geste spontané.

« Nous ne vous attendions pas si tôt, expliqua Sarah. Nous serions allés vous chercher à l'aéroport... Mais entrez, entrez vite.

— On aurait dû appeler, c'est vrai, murmura Maurice en obéissant aussitôt à l'invitation de sa nièce.

— Ce n'est pas grave. Ce n'est pas ce que j'ai voulu dire. Vous devez être exténués après ce long voyage. L'Australie, ce n'est pas la porte à côté.

— Nous sommes restés plusieurs jours à Paris avant de venir.

— Oh! Que voilà une charmante idée, fit remarquer Sarah en regardant chaleureusement la compagne de son oncle. Rhonda, c'est bien ça?

— Oui, c'est bien ça, acquiesça une Rhonda soudain intimidée.

— Vous connaissiez déjà Paris?

— Non. Maurice m'a fait la surprise. Pour tout vous dire, je n'étais jamais venue ici. Et je suis bien contente d'être chez vous maintenant. Et de vous rencontrer.

— Vous êtes australienne?

— Oui, c'est ça. Mon père était irlandais, d'où mon nom McKan, et ma mère était aborigène d'Australie...

— Vous parlez très bien le français. J'adore votre accent! avoua Sarah.

— Merci, c'est gentil. Ma grand-maman maternelle était de descendance bretonne. C'est d'ailleurs elle qui m'a appris mes premiers mots de français. J'ai ensuite continué de l'apprendre à l'école. Après, j'ai été plus négligente. Heureusement que j'ai rencontré Maurice! »

La bonne humeur et la simplicité de Rhonda n'avaient pas mis de temps à atteindre Sarah, qui se félicita de la tournure des événements. Se tournant ensuite vers son oncle, elle ne put s'empêcher d'émettre un laconique commentaire :

« Vous ne ressemblez pas beaucoup à papa, la photo était trompeuse... »

L'homme rit de bon cœur :

« Oh! Il n'y a pas de mal. Ce serait sans doute bien de se tutoyer, non?

— Avec plaisir.

— Arthur et moi nous étions très différents, et pas que physiquement, continua Maurice Martinon.

— Oui, bien sûr, bien sûr... fit Sarah, un peu perdue dans ses pensées. Je peux vous servir quelque chose? Un café, du thé ou bien du jus? Vous avez faim peut-être? »

Maurice rit encore et assura :

« Ne te donne pas de peine pour nous. Si tu as du thé, ce sera bien, sinon du café fera l'affaire.

— Bien, je reviens. »

La cuisine était conçue en aire ouverte et donnait sur le salon, ce qui permit à Sarah de poursuivre la discussion.

« Vos valises sont dans la voiture?

— Oui.

— Très bien. Dès que j'aurai préparé votre chambre, nous pourrons aller les chercher. Il n'y a pas de danger à les laisser dans votre voiture pour le moment. Le quartier est très calme et sûr.

— Nous avions prévu d'aller à l'hôtel. »

Sarah interrompit son mouvement et se retourna, les sourcils levés :

« Il est hors de question que je vous fasse dormir à l'hôtel! Vous êtes de la famille quand même! J'insiste pour que vous restiez!

— Très bien, acquiesça Maurice après avoir demandé une confirmation dans le regard de sa compagne.

— Tu es seule? demanda Rhonda.

— Pour l'instant, oui. Ma petite dernière, Vanessa, qui a quatorze ans, est à New York avec son père. Ils doivent rentrer demain. J'ai aussi deux garçons. Ils sont grands. L'aîné est marié. Je suis même sur le point d'être grand-mère!

— Félicitations. Une jeune mamie...

— Oui, cela me fait tout drôle. À vrai dire, j'ai bien hâte de tenir le bébé dans mes bras...

— Et Mady? Elle habite loin d'ici?

— Non, pas très. Elle n'est pas au pays en ce moment. Elle est au Canada. »

En entendant ces mots, Maurice Martinon tressaillit et s'agita sur son fauteuil. Sa nièce ne remarqua pas son embarras, trop absorbée par la préparation du thé. En revanche,

Rhonda fronça les sourcils. Son compagnon n'avait manifestement pas la conscience tranquille. Sarah continua :

« Je ne sais plus trop la date exacte de son retour. Elle a pris un mois de vacances pour l'occasion. J'espère tout de même qu'elle sera rentrée avant votre départ. Ce serait dommage que vous ne la rencontriez pas.

— Oui. C'est notre faute. Nous aurions dû prévenir.

— Bah! Ce n'est pas grave. Vous pourrez rester ici le temps qu'il faudra. Mady est partie depuis plusieurs jours déjà. »

Maurice poursuivit :

« On a le temps de la rencontrer... Il n'y a aucune urgence. »

Sarah rit doucement et s'exclama, en apportant le plateau :

« Oui, bien sûr, oncle Maurice. Ça te laissera le temps de faire visiter la région à Rhonda. Puis vous pourrez faire la connaissance de mon mari et des enfants. »

Sarah n'avait pas sitôt prononcé ces paroles qu'elle se reprit, confuse :

« Je suis vraiment désolée. Vous êtes à peine arrivés que j'organise déjà votre emploi du temps. Ne faites pas trop attention à ce que je dis. Comprenez seulement que je suis heureuse de vous avoir.

— Oh! Il n'y a pas de mal », assura Rhonda.

Sarah fit un clin d'œil à Rhonda tout en posant son plateau et en disposant les tasses en face de ses invités.

« Ce sera parfait comme ça », acquiesça Maurice en soufflant plusieurs fois sur le thé brûlant.

Sarah s'installa sur le fauteuil en face d'eux et se sentit soudain à court de sujets. Elle se mordit la lèvre inférieure et secoua la tête.

« Je trouve si extraordinaire que vous soyez ici. Pourquoi avoir attendu si longtemps?

— Mmm! La grande question...

— Je ne voulais pas te mettre mal à l'aise, s'empressa d'ajouter Sarah.

— À vrai dire, c'est une vieille histoire. Puis il y a les circonstances...

— Papa était quelqu'un de spécial. Il n'était pas toujours facile à cerner. »

Maurice fronça les sourcils devant les propos de sa nièce, mais préféra poursuivre sur un sujet plus général. Des indiscrétions pouvaient se révéler plus dangereuses qu'il n'y paraissait, il ne le savait que trop. Il était préférable de laisser les fauves dormir parfois.

« Il faudra aussi venir nous voir, là-bas, en Australie, commenta soudain Rhonda.

— Cela nous fera très plaisir. André et moi adorons voyager.

— Vous êtes déjà allés en Océanie?

— À vrai dire, non. Il y a deux ans, cela a failli se faire. Finalement, mon mari a eu un contrat très important en Amérique du Sud.

— Il est dans les affaires? demanda Maurice.

— C'est ça. Il est le PDG d'une compagnie qui commercialise des machineries pour les entreprises de lave-auto, aussi bien en France qu'à l'étranger.

— Son métier doit être très prenant.

— Il aime ce qu'il fait, c'est ce qui compte.

— Ce n'était pas un reproche. Vous menez la vie que vous voulez », se reprit Maurice soudain.

Sarah lui adressa un sourire bienveillant, puis poursuivit :

« C'est vrai que nous voyageons beaucoup. Je n'ai pas du tout à me plaindre. Je m'implique aussi pas mal dans l'entreprise.

— Pourquoi ne pas être partie avec ton mari cette fois?

— C'est une longue histoire. Disons que notre dernière, Vanessa, passe une adolescence un peu difficile en ce moment. On a donc pensé qu'un petit voyage lui ferait du bien.

— J'ai été indiscret », s'excusa Maurice.

Sarah secoua la tête bien vite et se mit à sourire tendrement :

« Mais non, voyons. Vous faites partie de la famille, toi et Rhonda. »

* * *

Mady ne savait plus où donner de la tête avec toutes les boîtes, malles et autres vieilleries qui encombraient le grenier de la maison de Guillaume.

« Cela me prendra des semaines! » s'exclama-t-elle tout haut, découragée.

Elle remarqua soudain un carton à demi ouvert, sous le vasistas. Les rayons du soleil se posaient étrangement sur lui.

« Je vais commencer par ici. »

Sans plus tarder, Mady s'attela à la tâche. Le carton contenait des albums de photos aux pages jaunies. Le premier qui lui tomba sous la main montrait sur la couverture une inscription manuscrite à l'encre de Chine. L'œuvre était celle d'un membre de la famille Bélanger. La surprise se lut aussitôt sur le visage de Mady.

« Comment peut-on mettre des photos au grenier... »

Mady n'en revenait pas. Elle s'installa sur le sol et posa l'album sur ses genoux. Après quelques clichés de mariage, elle reconnut facilement les frimousses de Guillaume et Manon quand ils étaient enfants. Les saisons de leurs vies défilaient au fur et à mesure des pages. Elle se rappela sa propre enfance avec Sarah, à une époque où leur vie de famille était des plus normales.

Mady allait fermer l'album lorsqu'un visage qui ne lui était pas inconnu se détacha du reste. Cela semblait être la petite Yolande. Sur une photo en noir et blanc. Son image revenait sur deux autres clichés. Cette fois, elle se trouvait aux côtés de Guillaume et Manon encore enfants.

La première réaction de Mady fut de jeter l'album et de se lever. Puis, sur le seuil du grenier, elle secoua la tête.

« C'est impossible! »

Sans plus attendre, elle reprit l'album et examina plus soigneusement la photographie de l'enfant.

Elle ne faisait pas erreur!

Elle revint sur les pages précédentes et en trouva d'autres. Il n'y avait plus aucun doute à présent. C'était bien la petite Yolande...

« C'est insensé... Qu'est-ce que cela veut dire? »

Mady emporta l'album et sortit du grenier. Elle détacha la principale photo et courut en direction du parc. Elle se retrouva à l'endroit où elle avait fait la rencontre de l'enfant, juste après le petit pont de bois. Elle s'installa près de la rivière et attendit, peu convaincue de la rationalité de son initiative. Contre toute attente, après quelques minutes à peine, la petite Yolande se présenta à elle, un sourire radieux aux lèvres.

« Je savais que vous trouveriez.

— Que je trouverais quoi? Je ne comprends pas! Je n'ai que des photos de toi qui datent de plusieurs années et sur lesquelles tu sembles avoir le même âge qu'en ce moment. Qu'est-ce que ça veut dire?

— Nous allons pouvoir avancer maintenant... »

Mady resta sur ses questionnements :

« Comment se peut-il que tu n'aies pas changé? »

La petite fille ne répondit pas. Elle demanda plutôt :

« Vous allez nous aider? »

La sincérité n'était pas feinte et Mady se troubla encore plus. Sans trop savoir pourquoi elle disait cela, elle acquiesça.

« Je veux bien mais pour quoi? Aussi, tu dis "nous"... Qui d'autres sont en cause? »

La petite Yolande prit un air affligé.

« Je ne peux pas vous le dire. C'est à vous de trouver.

— Encore?

— Je vous guiderai... Ne nous abandonnez pas, je vous en supplie. Je ne peux plus rester ici. Il y fait si froid... »

La petite fille disparut à nouveau en laissant planer sa dernière phrase dans l'esprit de Mady.

* * *

Marianne rentra chez elle l'esprit tourmenté par l'image de Philippe sortant de chez le fleuriste. Son cœur s'insurgeait, protestait. Ses tentatives d'analyser cet imbroglio aboutissaient à une voie sans issue. Elle n'arrivait pas à imaginer son ami de toujours en train de lui envoyer des fleurs sous le couvert de l'anonymat. Était-elle aveugle au point de s'enliser dans le déni? S'il se révélait que Philippe était vraiment amoureux d'elle, comment devait-elle réagir? C'est la tête pleine de questionnements qu'elle salua brièvement le majordome en lui tendant sa veste et qu'elle monta directement dans sa chambre. Pour ne rien arranger de ses tourments, dès qu'elle poussa la porte, elle découvrit un bouquet sur son bureau.

Son sang ne fit qu'un tour. Elle referma brutalement la porte du plat de la main et pesta.

« Non! Ce n'est pas vrai! En plus, ces fleurs ne sont même pas belles. À quoi joue-t-il à la fin?! »

Elle hésita à lire la carte. Marianne se savait mesquine. Le bouquet, cette fois, en était réellement un. Une vingtaine d'iris jaunes éclataient littéralement dans la pièce. Marianne s'installa devant son bureau et, d'une main fébrile, elle prit la carte devenue rituelle.

« Louis VII, lors d'une bataille victorieuse dans un champ d'iris, choisit de prendre cette magnifique fleur pour emblème. La cour connut l'existence de "Fleur-de-Louis" qui sembla se transformer en "Fleur-de-Lis" pour devenir l'emblème de la royauté française. L'iris est donc porteur de bonnes nouvelles. J'ose ainsi espérer une rencontre au restaurant L'iris du bord de mer ce soir à vingt heures. »

Marianne relut une seconde fois le message pour être sûre d'avoir bien compris l'invitation. Après s'être mordu la lèvre inférieure, elle décrocha son téléphone. Elle tomba sur la mère de Philippe qui lui servit un babillage amical. Marianne s'exhorta au calme. Elle entendit enfin Philippe à l'autre bout du fil. Habituée à se montrer courtoise, elle le salua brièvement et attaqua :

« Qu'est-ce qui se passe?

— De quoi parles-tu?

— De ton petit jeu avec les fleurs, les cartes non signées... Si tu as des choses à me dire, dis-les-moi en face! »

Un bref silence s'installa avant que Philippe ne réponde :

« Écoute, Marianne, je ne vois pas du tout de quoi tu veux parler. Je ne t'ai pas envoyé de fleurs, je t'assure.

— Arrête, veux-tu?! J'ai déjà reçu d'autres bouquets. Et voilà qu'en rentrant aujourd'hui, ce sont des iris qu'on m'a livrés! »

Marianne entendit Philippe rire. Elle fronça les sourcils, en perte d'assurance.

« Ce ne sont pas tes iris?

— Je suis navré, mais non. J'aurais dû?

— Je t'ai vu sortir du fleuriste aujourd'hui, accusa Marianne, vindicative. C'est lui qui m'a livré ces fleurs.

— Ah! Parce que tu m'espionnes maintenant? »

Philippe semblait très à l'aise, un tantinet curieux toutefois.

« Tu avoues que c'était bien toi!

— Mettons les choses au clair, Marianne. Primo, oui, je suis bien allé chez le fleuriste aujourd'hui, mais ce n'était pas pour toi... j'ai le regret de te l'apprendre. Secundo, il se trouve que l'anniversaire de ma mère tombe dans trois jours! C'est pour elle que j'y suis allé. Tertio, je ne vois pas pourquoi je devrais me justifier. C'est grotesque... »

Marianne avait pris une couleur pivoine à présent. Elle serrait le combiné dans ses mains et avait envie de raccrocher. Comment avait-elle pu oublier l'anniversaire de la mère de Philippe? Elle se fit violence pour se maîtriser.

« J'ai vraiment cru que... Enfin, j'ai pensé... Pardonne-moi.

— Qu'est-ce qui ne va pas, Marianne? Tu veux que je passe chez toi?

— Non, non, ce n'est pas la peine. Et puis, si plutôt. J'ai un service à te demander...

— D'accord. J'arrive.

— À tantôt! »

Dès la fin de l'appel, Marianne raccrocha pour composer un autre numéro.

* * *

Mady, de retour à la maison, jonglait avec ses idées. Elle avait envie d'appeler Guillaume, non pas pour l'entretenir de leur relation plutôt trouble mais de la petite fille de l'album.

Son intuition lui disait qu'il serait préférable d'appeler Manon.

Elle opta tout de même pour le numéro de Guillaume. Sa démarche fut vaine, car elle tomba sur son répondeur. Malgré son dépit, elle laissa un message bref lui demandant de la rappeler. Quand elle raccrocha, elle eut conscience de sa fébrilité et s'en montra exaspérée. Ses doigts tapotaient le guéridon devant elle, et une chaleur désagréable lui monta au front. Elle respira un bon coup, puis composa le numéro de Manon.

Elles se saluèrent rapidement et s'excusèrent, tour à tour, de la tournure des événements de la veille. Le malentendu réglé, Mady demanda, sans plus attendre :

« Ma question va peut-être te paraître un peu étrange, Manon, mais est-ce que tu te rappelles avoir connu dans ton enfance une petite fille du nom de Yolande? »

Si Mady avait été en présence de Manon, elle aurait pu la voir blêmir. La réponse mit du temps à arriver.

« Oui, mais comment sais-tu que...

— J'ai trouvé un vieil album de photos dans le grenier...

— Je vois. Je ne comprends pas pourquoi néanmoins tu me parles de ça. »

Mady ajouta, consciente des répercussions de ses paroles :

« Eh bien, cette petite, je l'ai rencontrée... »

Manon se mit à rire. Un rire étrange tout de même...

« Mais non, Mady, ce n'est pas possible.

— Pourtant, Manon, je suis sûre que c'est bien cette petite fille.

— Je te le répète, c'est impossible, Mady, je t'assure! »

Manon ne riait plus du tout.

Mady inspira profondément et jeta, sans même croire qu'elle était capable de dire une telle absurdité :

« Elle est morte, c'est ça?

— Oui. »

Manon était de plus en plus intriguée par l'intérêt soudain de Mady pour des événements si lointains qui ne la concernaient pas.

« Je sais que ça peut paraître bizarre, mais cette petite fille, je l'ai vue plusieurs fois en rêve et...

— Écoute, Mady, tu as sans doute vu nos albums de famille et la photo de Yolande a retenu ton attention... Ton subconscient a fait le reste lorsque tu as rêvé...

— Non, non, pas du tout, Manon. J'ai rêvé de cette enfant avant même de voir les albums!

— Je ne comprends pas trop ce que tu essaies de m'expliquer, Mady. Je passe te voir... On va en parler... »

Manon s'inquiétait... Elle se demandait pourquoi Mady semblait si troublée et si cela avait un rapport avec ce qui s'était passé la veille. Cette histoire de rêve au sujet de Yolande était loin de la rassurer.

Chapitre XII

Marianne devança le majordome pour accueillir Philippe. Maladroitement, elle glissa une bise sur la joue, comme elle en avait toujours l'habitude. Mais son malaise persistait.

« Viens, je vais te montrer mon bouquet...

— Ce n'est pas moi, Marianne.

— Je te crois, Philippe. Je dois même te dire que, d'une certaine manière, je suis soulagée.

— Tu me crois donc insensible à tes charmes? »

Marianne bouscula légèrement son ami avant de le laisser entrer dans sa chambre où il découvrit Mary-Gaëlle déjà en place.

« Je viens d'arriver, tout comme toi. Nous sommes réquisitionnés, de toute évidence... On peut savoir maintenant ce que tu manigances, Marianne? J'ai l'impression d'être redevenue une adolescente... »

Mary-Gaëlle et Philippe s'installèrent sur le canapé fleuri et attendirent les explications qui tardaient à venir.

Marianne hésitait.

Elle ne savait plus si elle avait bien fait de les appeler à la rescousse, ou plutôt, elle ne le savait que trop! Elle avait agi impulsivement. Cela lui ressemblait si peu. S'installant sur sa chaise de bureau, elle fit face à ses amis.

« J'ai un admirateur secret... J'ai bien cru ce matin avoir découvert de qui il s'agissait. Il semble que j'ai fait fausse route. »

Mary-Gaëlle jeta un regard soutenu vers Philippe, lequel resta perplexe.

« Désolé de vous décevoir, toutes les deux, mais ce n'est pas moi.

— Qui peut s'amuser, dans ce cas, à poursuivre Marianne de la sorte? s'interrogea Mary-Gaëlle.

— La seule façon de le savoir serait d'accepter le rendez-vous qui m'est proposé, suggéra Marianne.

— Tu n'es pas sérieuse. Tu ne comptes tout de même pas aller rencontrer un inconnu? Ce n'est pas prudent. »

Marianne arbora son plus beau sourire. Elle se pencha et confia :

« C'est la raison de votre présence. Je voudrais que vous formiez un couple pour ce soir... Et que...

— Tu nous veux comme chaperons?

— Pas tout à fait. Je vais aller à ce rendez-vous pour en finir une bonne fois avec cette histoire. Je veux des réponses. Je ne suis toutefois pas téméraire. En vous sachant dans les parages, à une table à côté, je me sentirai, disons, en sécurité.

— D'accord, je suis partante, confirma Mary-Gaëlle, tout excitée.

— Et toi, Philippe? demanda Marianne.

— O.K.! Ça marche pour moi. Je me ferai passer pour le petit ami de Mary-Gaëlle avec le plus grand plaisir. »

Il n'y avait aucun sarcasme dans les propos du jeune homme.

« Et si tout se déroule comme tu le veux, on s'éclipse discrètement, c'est ça? » questionna Mary-Gaëlle, soudain taquine.

Marianne secoua la tête :

« Il n'est pas question d'un dîner romantique. Je ne connais même pas ce type. Je risque plutôt d'atterrir à votre table pour achever le repas. Je vais lui dire ses quatre vérités tout simplement.

— C'est peut-être un ami qui te fait une farce. Tu vas te retrouver dans une drôle de situation.

— Qu'importe, vous serez là. Si je me ridiculise, vous devrez jurer de garder le secret sur cette histoire et ne plus jamais en reparler! »

Les trois amis partirent à rire, puis se séparèrent sous les dernières recommandations de Marianne.

* * *

Maurice Martinon regardait fixement la jeune femme

devant lui sans réagir. Finalement, Rhonda lui donna un coup de coude un peu plus fort et cela sembla produire son effet. Il secoua la tête, puis afficha un sourire.

« Je suis désolé. Être ici, en France, cela me ramène des années en arrière. »

Sarah hocha la tête, compréhensive. Maurice enchaîna :

« Rhonda, tu veux que j'aille chercher ce que tu as apporté pour mes nièces?

— Non, laisse, je vais le faire. »

Durant l'absence de Rhonda, Maurice en profita pour indiquer qu'elle n'avait pas son pareil pour choisir des cadeaux.

« Elle a pris le temps de trouver exactement ce qu'elle voulait, ce qui lui correspondait.

— Ce n'était vraiment pas la peine », ajouta faiblement Sarah en secouant la tête.

Maurice se pencha, comme s'il ne voulait pas être surpris ou entendu, et répondit :

« Ne dites surtout pas ça à Rhonda. Elle aurait de la peine. Pour elle, c'est un véritable plaisir, d'autant plus qu'elle est particulièrement contente de vous connaître. Je n'aurais jamais pensé que cela lui ferait cet effet. »

La femme arriva finalement et tendit un paquet assez volumineux et tout en longueur.

« Ce n'est pas grand-chose, juste un premier contact avec notre culture, avec mon pays. C'est un didjeridoo, un instrument à vent, le seul instrument ancien utilisé communément de nos jours. »

Maurice ne se fit pas prier pour en rajouter :

« En Australie, il sert surtout dans les rituels aborigènes.

— Oui, lors d'une cérémonie, par exemple, la cérémonie de la pluie ou durant le Kunapipi, approuva sa compagne.

— Kunapipi? répéta Sarah pour s'assurer d'avoir bien compris le nom.

— C'est bien ça, confirma aussitôt Maurice. C'est un culte qui a un rapport à la fécondité, n'est-ce pas, Rhonda? »

La femme acquiesça tout en continuant :

« Cet instrument symbolise la matrice de la mère originelle.

— Merci infiniment à vous deux. Je suis flattée, vraiment!

C'est magnifique! Comment est-il fabriqué? questionna Sarah, curieuse d'en savoir plus.

— Avec une branche d'eucalyptus. Vous voyez, ici, ce sont des symboles de totems et des peintures d'écorce en ocre et en argile. »

Sarah restait sans voix. Elle caressait l'instrument avec des précautions infinies, comme si elle avait peur de l'abîmer. Elle posa le didjeridoo et se leva pour prendre Rhonda dans ses bras sans ajouter quoi que ce soit. Maurice se sentit soudain gauche et presque de trop.

Au bout d'un long moment, les deux femmes se rassirent et poursuivirent la conversation. Un lien tangible venait de se créer, cela allait au-delà du cadeau. Rhonda venait de lui offrir une partie d'elle-même...

Plus tard, Sarah sortit des albums de photos et commença à présenter la famille, par clichés interposés.

« C'est fou ce que vous vous ressemblez, Mady et toi! ne cessait de s'exclamer Rhonda.

— Tu ne vas quand même pas le dire à chaque fois que tu vois une photo de Mady tout de même?! » s'énerva un peu Maurice.

Il semblait étrangement affecté que sa compagne relate constamment cette ressemblance. Rhonda en prit ombrage.

Au même moment, le téléphone se mit à sonner, et Sarah se leva pour aller répondre dans la cuisine.

Profitant de l'absence de leur hôtesse, Rhonda s'empressa de montrer à Maurice son mécontentement :

« Pourquoi t'es-tu fâché contre moi quand j'ai dit que Mady et toi, vous vous ressembliez beaucoup?

— Je ne me suis pas fâché, je t'assure, rétorqua Maurice, visiblement mal à l'aise. Tu n'arrêtes pas de le répéter. C'était un peu agaçant, c'est tout...

— Qu'est-ce que tu me caches, Maurice?

— Mais rien, Rhonda. Tu te fais des idées, crois-moi.

— Non, je t'en prie. Pas à moi. Je vis avec toi depuis suffisamment longtemps pour savoir quand tu me caches quelque chose! Mady est ta fille, n'est-ce pas? C'est pour ça qu'elle te ressemble tant et que tu étais si embarrassé... »

Dans l'aire réservée aux voyageurs, André Corneau regardait sa fille avec un sourire.

« Tu es prête à affronter le monde, Vanessa?

— Oui, papa, si tu es avec moi.

— Nous sommes tous avec toi. Nous le serons toujours, Van. Ne garde plus jamais des secrets aussi lourds. C'est trop pour une personne seule.

— Les adultes sont parfois si compliqués, soupira Vanessa.

— Les enfants le sont aussi, à leur manière. On ne comprend pas toujours... Mais si chacun fait des efforts et si on discute ouvertement, on arrive toujours à trouver des solutions. Sois-en sûre! »

Vanessa sourit tristement.

« Est-ce que tu en as parlé à maman?

— Pas encore, je ne voulais pas le lui dire au téléphone. Nous le ferons ensemble, demain. D'accord? »

Vanessa secoua les épaules :

« Oui, peut-être... Ce sera peut-être mieux que tu lui en parles sans moi... Maman va m'en vouloir...

— Pourquoi dis-tu ça?

— Parce que je n'ai rien dit, justement. Elle croyait que je lui faisais confiance et elle va comprendre que ce n'était pas le cas.

— Ta mère comprendra, ne t'inquiète pas. Tout se passera bien. Je pense que nous sortirons tous plus forts de cette histoire. »

Vanessa ne répondit pas. Leur vol venait d'être appelé et ils rassemblèrent rapidement leurs bagages à main pour se présenter au guichet avec leur carte d'embarquement.

* * *

Manon fixait la photo que Mady lui montrait. Un malaise persistant demeurait entre les deux femmes. Manon se mordit la lèvre inférieure.

« Tout ceci est de l'histoire ancienne. En rachetant la maison de notre enfance, Guillaume a fait resurgir beaucoup d'éléments de notre passé... et pas que des moments heureux. Je lui avais vivement déconseillé de le faire...

— Pourtant, elle est magnifique cette maison.

— Oui. Et je dois dire que je m'y suis beaucoup investie pour la rendre différente, en tenant compte des goûts de Guillaume qui, des fois, laissent un peu... »

Manon s'arrêta en réalisant qu'elle s'apprêtait à porter un jugement sur les goûts particuliers de son frère. Mady alla toutefois dans son sens :

« C'est aussi mon avis, confia-t-elle avec un sourire amusé. J'ai eu l'occasion de voir la décoration de son appartement. »

Manon nota le commentaire sans pour autant chercher à connaître les motifs qui avaient amené Mady à se rendre chez Guillaume. Elle trouvait que cela ne la regardait aucunement et revint aussitôt sur le sujet de leur conversation :

« Cette maison a quelque chose de particulier. Tiens, c'est comme si elle avait une âme bien à elle. »

Mady jeta un regard aux murs, comme pour s'imprégner davantage des explications de Manon. L'image de Yolande lui revint à l'esprit. Elle demanda alors, en tenant l'album plus fermement :

« J'aimerais que tu me dises qui était Yoyo et ce qui lui est arrivé.

— Yoyo? Comment sais-tu que nous l'appelions ainsi? »

Mady expliqua que c'était la fillette qui le lui avait dit. Manon secoua la tête, troublée.

« Yolande était bien une de nos amies d'enfance, à Guillaume et à moi. Nous étions voisins. Elle avait un frère, Luc. Nous jouions très souvent ensemble au parc, derrière chez nous. Un jour, un drame est arrivé.

— Qu'est-ce qui s'est passé? »

* * *

Maurice regarda longuement Rhonda et soupira. Sarah, qui était entre-temps revenue, émit un hoquet de surprise pour ne pas éclater de rire devant l'absurdité de la situation.

Les deux invités se retournèrent, visiblement mal à l'aise que Sarah ait entendu leur conversation.

« Vous ne pensez pas sérieusement à ce que vous avez dit? C'est impossible, voyons! éructa presque Sarah.

— Je suis vraiment désolé, Sarah... Rhonda parlait comme ça...

— J'avoue que je ne m'attendais pas à entendre une telle chose.

— Cela ne me regarde pas, pardonne-moi, Sarah, s'excusa une nouvelle fois Rhonda, soucieuse.

— Oui, peut-être, mais j'aimerais savoir ce qui t'a permis d'insinuer une telle chose. Ce n'est quand même pas à cause de cette ressemblance entre Mady et mon oncle?

— En partie...

— C'est vite sauter aux conclusions, il me semble. »

Maurice Martinon ne savait plus où se mettre. Il ne s'attendait pas à ce que leur visite commence aussi mal. Il regrettait déjà sa venue.

« Écoute, Sarah... Je ne voulais pas... Enfin, c'est que je suis si troublée... J'ai trouvé le comportement de Maurice étrange, tout à coup. Il n'est pas comme ça d'habitude.

— Ce n'est pas une raison pour penser qu'il est le père de Mady! Les airs de famille entre oncles et nièces sont tout à fait normaux. C'est pourquoi je trouve que tout ceci est ridicule!

— Tu as raison, approuva Maurice. Il se fait tard. Nous devrions aller nous coucher.

— Pas si vite, Maurice! fit soudain Rhonda, convaincue que c'était le moment ou jamais d'éclaircir la situation.

— Écoute, Rhonda, ça suffit à la fin! Avec tes allusions, tu nous as mis dans une situation fâcheuse vis-à-vis de ma nièce.

— Moi aussi, j'aurais préféré que Sarah n'entende pas ce que je t'ai dit, mais voilà, elle a entendu. Or moi, je suis persuadée que tu me caches quelque chose sur ta vie passée. Je te connais suffisamment pour conclure que cela avait un rapport avec ma remarque de tout à l'heure en regardant les photos. Et surtout, ne me dis pas le contraire! »

Sarah avait du mal à croire ce qu'elle entendait. Jamais elle ne se serait doutée que la soirée allait prendre une telle tournure.

« Désolé, mais toute cette histoire ne m'intéresse pas. Il faut laisser le passé là où il est, un point c'est tout! À quoi bon ressasser de vieilles histoires? Je suis revenu, j'ai fait ta connaissance, Sarah, et j'en suis bien content. Tu as fait la connaissance de ma compagne, et voilà. Maintenant, on va tous poursuivre notre route chacun de son côté, et puis c'est tout.

— Ah! non, mon *Boomer*! s'énerva une nouvelle fois Rhonda. On n'est quand même pas venus ici pour que tu dises ça. Surtout pas après toutes ces années sans voir tes nièces. Je crois qu'il est temps de parler. Je suis convaincue que t'en as besoin et que tu ne t'en rends même pas compte. C'est pour ça que t'as répondu à tes nièces, et pas pour jouer au touriste.

— Bah! Ce sont des histoires de bonnes femmes, tout ça.

— Non, Maurice, arrête de faire ta tête de *Big Kangaroo*!

— Laisse donc les marsupiaux où ils sont, tu veux? »

Maurice semblait furieux, et Sarah n'arrivait pas à comprendre ce qui se passait réellement.

Son oncle avait le regard fixe et le sourcil sévère. Il y avait quelque chose qui brillait dans son regard. Des larmes contenues? Rhonda lui prit la main et la serra fortement dans la sienne. Enfin, d'une voix monocorde, Maurice invita Sarah à s'asseoir de nouveau.

* * *

Marianne gara sa voiture le long du restaurant. Elle se demandait si Philippe et Mary-Gaëlle avaient déjà pris place à une table. Son cœur battait un peu plus vite sous l'effet de la crainte. Elle ne pouvait se le cacher : cette aventure, si peu dans ses habitudes, l'angoissait plus qu'elle n'aurait cru. En fait, les surprises lui donnaient toujours plus d'appréhensions que de réelles satisfactions. Elle songea à sa mère, Éléonore, et fut tout de suite persuadée qu'elle aurait totalement désapprouvé son attitude.

« Pourquoi suis-je ici alors? » s'interrogea-t-elle pour la centième fois. Elle s'était décidée si vite.

À l'accueil, l'hôtesse la dirigea sans tarder à une table. Il n'y avait personne encore. Elle pesta intérieurement.

Deux tables plus loin, Marianne nota, avec gratitude, la présence de ses amis. Elle ne fit toutefois aucun signe pour montrer qu'elle les connaissait et se contenta de s'installer. Les lieux lui étaient étrangers. Elle en prisa incontestablement le décor. Non seulement il n'y avait pas foule, ce qui était appréciable, mais, de plus, un groupe de musiciens jouait discrètement et rendait l'atmosphère langoureuse. De splendides bouquets de fleurs explosaient un peu partout. Sans comprendre pourquoi, Marianne s'envola en pensées vers sa mère Mady et espéra que son séjour se déroule au mieux. Avec appréhension, elle envisagea de rencontrer Guillaume à son tour. Après tout, c'était son père! Souhaiterait-il la voir cependant? Il n'y avait rien qui pouvait le dire. Elle-même n'était pas certaine de souhaiter cette confrontation... Il lui était bien difficile d'analyser ce qu'elle ressentait vraiment pour cet homme...

Ses pensées s'interrompirent quand on lui présenta un énorme bouquet de roses rouges. Lorsqu'elle leva les yeux, elle rencontra un regard oriental oublié pendant quelque temps.

« Vous! »

C'est tout ce qu'elle fut capable de prononcer. Elle ne put ajouter autre chose, car l'homme, le bouquet déposé sur les jambes de Marianne, se mit sur un genou. Trois musiciens s'étaient aussitôt rassemblés derrière lui.

Hishimo Mortling avait particulièrement soigné sa tenue. Ses cheveux ramenés en arrière accentuaient ses traits vifs. Ses yeux brillaient. Une veste noire en lin laqué, par-dessus sa chemise blanche ouverte nonchalamment au col, couvrait un pantalon également de lin noir. Très à l'aise avec sa guitare, le nouvel arrivant y alla d'une célèbre chanson de Pierre Bachelet, *Tu es là au rendez-vous*.

Pas plus que sa tenue, sa voix de ténor ne pouvait passer inaperçu. Marianne fut soulagée du peu de convives. Elle avait pris le bouquet, moins par envie que pour se donner une contenance, et se dissimulait à l'occasion derrière quand le regard du jeune homme se soudait un peu trop au sien.

Elle bouillait intérieurement d'avoir accepté cette folle invitation, mais devait reconnaître que Hishimo avait une certaine classe. Une partie d'elle se sentait flattée, voire troublée.

Quand la prestation s'acheva, Marianne, le cœur à la dérive, secoua la tête et applaudit discrètement tout comme son entourage. Les musiciens s'éclipsèrent sur une rapide courbette.

« Et maintenant, ai-je mérité de m'asseoir à votre table? s'enquit Hishimo, une main sur la chaise libre.

— Je ne vois pas comment je pourrais faire autrement, tout le monde nous regarde.

— C'est un faux prétexte. Avouez que ma prestation vous a éblouie et que vous mourez d'envie, chère Marianne, de mieux faire ma connaissance à présent!

— Êtes-vous toujours comme ça? préféra répondre Marianne, émue bien malgré elle.

— Je sais me montrer persévérant et persuasif quand cela en vaut le coup!

— Oh! Et selon vous, *"j'en vaux le coup"*, comme vous dites?

— J'ai envie de mieux vous connaître. Vous avez ravi mon cœur.

— Voilà qui est bien exagéré. Nous nous connaissons à peine. À moins que ce ne soit que physique chez vous?

— Voilà qui est direct. Je ne m'attendais pas à cela de vous... C'est encore plus intéressant.

— Je n'ai guère l'habitude d'être aussi désinvolte, sachez-le. Si je suis venue, c'est pour en finir avec cette histoire ridicule. Cessez de m'envoyer des fleurs.

— Impossible.

— Que dois-je faire alors?

— Commençons par dîner ensemble. Nous sommes là pour ça, non?

— Bien. Si vous le dites... Pourquoi pas? »

Hishimo émit un léger signe de la main et un serveur, empressé, arriva. Il leur présenta deux larges menus.

Au milieu du repas, tandis que Marianne se sentait indubitablement détendue et passait un temps délicieux, Hishimo murmura :

« Je pense qu'on pourrait libérer nos chaperons? »

Avec un froncement des sourcils, la jeune femme suivit son regard. Le rouge lui monta aux joues quand elle remarqua

Mary-Gaëlle et Philippe qui avançaient à la demande d'Hishimo.

« Vous saviez alors?

— J'avais reconnu votre ami et cette charmante demoiselle. N'oubliez pas que j'ai déjà eu l'occasion de les voir en votre compagnie. Je me rappelle généralement très bien le visage des personnes que je rencontre. Puis, je vous aurais trouvée bien imprudente de venir toute seule à un rendez-vous mystérieux. De nos jours, il faut se méfier.

— Selon vous, je n'ai plus à le faire? Une magnifique chanson et un repas me suffiraient pour vous faire confiance? C'est ainsi que je dois l'interpréter, n'est-ce pas? »

Au lieu de répondre directement, Hishimo se tourna vers le couple nouvellement à leur table et expliqua, en regardant Mary-Gaëlle :

« Veuillez me pardonner de vous l'apprendre de cette façon, ma chère Marianne, mais votre amie et complice de toujours, Mary-Gaëlle, m'a été d'une aide précieuse dans notre histoire.

— Quoi? »

Marianne avait l'impression d'avoir mal entendu. L'œil noir, elle ne quittait plus son amie du regard.

Mary-Gaëlle ne souriait plus du tout. Elle levait les sourcils et ouvrait de grands yeux comme pour confirmer les dires d'Hishimo.

« Elle me renseignait discrètement sur vos déplacements, cela facilitait mes envois floraux. Elle m'en disait aussi un peu plus sur vous. Maintenant, c'est de vous que j'ai envie de tout entendre, de tout savoir.

— Et comment voulez-vous que je prenne cette trahison? Jamais je n'aurais cru ça de toi, Mary-Gaëlle! Je n'en reviens pas, vraiment... Et vous, cher monsieur, votre conduite est inqualifiable! »

Marianne s'était levée et s'apprêtait à partir quand Hishimo lui attrapa le poignet et, d'une voix douce, lui murmura :

« S'il vous plaît, restez. Philippe et Mary-Gaëlle peuvent rester à notre table si vous préférez, même si quelque chose me dit qu'ils préféreraient continuer leur tête-à-tête... Ils ont des yeux qui ne trompent pas...

— Quoi? Je... »

Marianne regardait tour à tour ses amis. Sa colère semblait impossible à s'estomper.

« Je suis navrée, Marianne, expliqua Mary-Gaëlle. Je n'ai pas pu refuser de jouer le jeu d'Hishimo...

— Ah! Parce qu'en plus, tu l'appelles par son prénom! fit remarquer Marianne. Eh bien, quelle complicité! Moi qui croyais te connaître. Je me suis bien trompée.

— Écoute. Ce gars est vraiment un phénomène, crois-moi. Il serait tout à fait capable de convaincre un lion de devenir végétarien. C'est un homme charmant, attentionné et tu ne risques absolument rien avec lui. Je suis ton amie, Marianne. Jamais je n'aurais agi ainsi envers toi si je ne m'étais pas assurée de sa bonne foi...

— Une drôle d'amie qui me jette dans la gueule du lion justement!

— Ne sois pas fâchée avec nous, Marianne, supplia Mary-Gaëlle. Sois bonne joueuse. Avoue que c'est tout de même original comme situation. C'est une anecdote amusante dont on se souviendra toujours. »

Marianne dévisagea alors Philippe en se demandant tout à coup s'il n'était pas lui aussi complice de cette duperie.

« Je t'en supplie, Philippe, ne me dis pas que toi aussi... »

Le mouvement de tête de son ami la déconcerta. Elle réalisait qu'elle s'était fait piéger en beauté sur toute la ligne. Tandis qu'elle affrontait, tour à tour, le regard désolé des trois protagonistes, toute sa colère tomba subitement sans crier gare.

« Eh bien, je dois dire que vous m'avez bien eue...

— Cela veut-il dire que vous nous pardonnez et que vous allez rester à dîner? » s'empressa de demander Hishimo.

Marianne esquissa un sourire.

« Pourquoi pas! Ne serait-ce que pour vous prouver que je suis bonne joueuse, comme tu l'as dit, Mary-Gaëlle. Puis, je reconnais que ce restaurant a du style.

— Bien, dans ce cas, nous allons vous laisser, tous les deux, s'empressa Mary-Gaëlle. On se revoit plus tard, d'accord, Marianne?

— Compte sur moi! Je n'oublierai pas! Mais ne crois pas

que tu vas t'en tirer comme ça, Barbagaga. Attends-toi, à ton tour, à être surprise! Et toi aussi, Philippe! »

Souriants, Mary-Gaëlle et Philippe retournèrent à leur table. Marianne ne manqua pas de relever l'air presque triomphant d'Hishimo. Elle s'empressa de le lui faire remarquer :

« Et vous, inutile de pérorer de la sorte! Vous ne gagnez que la première manche.

— Dans ce cas, très chère Marianne, permettez-moi de profiter de cette demi-victoire en m'accordant cette soirée en votre charmante compagnie. »

* * *

Mady et Manon discutaient, enfin, c'était surtout Manon qui parlait. Elles étaient au salon, assises côte à côte, comme si les informations que donnait la sœur de Guillaume étaient confidentielles. Peut-être était-ce le cas, d'une certaine manière...

« C'était l'hiver et nous avions prévu d'inviter nos amis, Yolande et son frère, Luc, à la maison. Quand ils sont arrivés, Guillaume boudait un peu. Il voulait sortir. Aller faire du patin. Je n'en avais pas envie. Nos amis non plus. »

Mady écoutait Manon sans l'interrompre.

« Guillaume était très doué lorsqu'il avait des patins à glace aux pieds. À treize ans, il avait déjà gagné plusieurs coupes avec son équipe de hockey. Enfin, bref, ce jour-là, il avait réussi à convaincre tout le monde d'aller patiner sur la rivière gelée... derrière la maison. »

Manon avait anticipé la question de Mady. Elle poursuivit :

« C'est là que nous allions toujours pour patiner. Yolande était très contente de sortir finalement. Ses parents venaient de lui acheter des patins et une toute nouvelle combinaison bleu et jaune. Je la revois encore avec ses cheveux bouclés et son si beau sourire... »

Mady hocha la tête avec un frisson. Oui, c'est ainsi qu'elle avait toujours vu Yolande.

« Nous avons traversé le pont et obliqué tout de suite. À cet endroit, il y a comme un passage vers la rivière.

— Je vois où c'est. Je m'y suis arrêtée souvent ces derniers temps... C'est là justement que j'y ai vu... Yolande... »

207

Manon dévisagea étrangement Mady mais continua :

« Nous avons enfilé nos patins et on s'est amusés comme des fous. Un peu trop peut-être. On ne s'est pas rendu compte que nous avions franchi les limites et atteint une zone où la glace était moins épaisse. Quand on a entendu des craquements, tout s'est passé très vite. À l'endroit où se tenait mon amie, la glace a cédé... Yolande est tombée la première. Luc et Guillaume ont suivi. Moi, j'étais plus loin, tétanisée... »

Manon fit une pause. Mady lui pressa le bras avec un mélange de gratitude et d'encouragement. Manon enchaîna :

« Peu après, j'ai vu la tête de Luc et celle de Guillaume qui ressortaient du trou dans la glace. Ils cherchaient à s'agripper. C'est à ce moment seulement que je me suis ressaisie et que je suis allée à leur rencontre en avançant à plat ventre. Mon frère et mes amis étaient en danger, il fallait que je fasse quelque chose. Je ne savais pas comment m'y prendre pour les aider.

— Tu étais si jeune. »

Manon approuva, puis poursuivit :

« J'ai finalement rejoint l'endroit sans que la glace cède sous mon poids. Luc était le plus près. J'ai pu l'attraper par le bras, mais il était trop lourd pour moi... Je criais que je n'y arrivais pas... Lui me suppliait de l'aider... C'était au-dessus de mes forces. C'est à ce moment que j'ai vu Guillaume ressortir... Je ne sais trop comment il a fait... Il m'a hurlé d'aller chercher du secours pendant qu'il essaierait de remonter Luc et Yolande. J'ai fait ce qu'il m'a dit...

— Quel courage! reconnut Mady.

— Tu sais, dans de telles circonstances, il s'en faut quelquefois de peu pour que l'inverse se produise. Sans les cris de Guillaume, je ne sais pas ce que j'aurais fait vraiment...

— As-tu pu trouver de l'aide?

— Il y avait deux skieurs de fond, pas très loin. Quand ils m'ont entendue, ils sont aussitôt venus. Je les ai conduits jusqu'à l'endroit. Guillaume avait réussi à remonter Luc. Il était inconscient. Yolande, par contre, était toujours introuvable. Guillaume claquait des dents, mais il ne cessait de crier aux deux hommes qu'il fallait la sauver. L'un d'eux s'est même jeté à l'eau. Il n'a malheureusement rien pu faire. L'autre homme l'a aidé à sortir avec son bâton de ski. Guillaume a perdu connaissance à son tour. Je pleurais dans mon coin... Je me souviens encore des lumières d'une ambulance...

— Yolande?

— Des promeneurs l'ont retrouvée au printemps, à la fonte des glaces... près du pont », précisa Manon.

Mady soupira :

« Cela a dû être traumatisant...

— C'est vrai. Je n'oublierai d'ailleurs jamais le hurlement de Guillaume quand il a compris que c'était trop tard pour Yolande... Je crois que Guillaume ne s'est jamais pardonné de nous avoir poussés à aller patiner ce jour-là.

— Il ne m'a jamais parlé de cette tragédie...

— Il en est incapable.

— Il a pourtant sauvé la vie de Luc en le sortant de l'eau glacée.

— Oui, mais il ne s'est jamais pardonné de n'avoir pu sauver Yolande... enfin, à ma connaissance. Les années qui ont suivi cet accident ont été très difficiles pour lui... Il avait perdu sa jovialité et son assurance. Sa seule force, je crois, c'est en nos parents et moi qu'il la puisait. C'est sans doute pourquoi il a nourri par la suite ce besoin de sans cesse me protéger...

— Normal, tu étais sa petite sœur, expliqua Mady.

— C'est vrai. Je n'ai d'ailleurs jamais eu à me plaindre de cette attention particulière qu'il me portait quand nous étions plus jeunes. D'un autre côté, il se privait de vivre normalement, de sortir avec ses amis, de rejouer au hockey... Il a fallu que mes parents le poussent à sortir, à voyager pour qu'il se libère un peu et qu'il aille à nouveau de l'avant. Il s'est finalement décidé un matin à vouloir faire un séjour professionnel en France. C'est comme ça qu'il s'est retrouvé en Normandie.

— Je comprends tout maintenant, souffla Mady. Et il a choisi Pincourt, car c'est là qu'est née votre mère, il me semble...

— Oui, cela faisait un lien... Aussi, sa rencontre avec toi, en Normandie, fut extraordinaire pour lui. Je le sais. Quand il est revenu suite à mes problèmes de santé, il y avait quelque chose en lui de changé. On pouvait y voir cette lueur de bonheur dans ses yeux quand il nous parlait de toi, de la Normandie... Il avait de nouveau retrouvé sa joie de vivre, sa confiance en lui. »

Mady fut bouleversée par ces aveux de Manon.

« Je te remercie de m'avoir raconté tout ça! »

L'instant était particulier. Manon, le regard troublé, questionna :

« Tu crois vraiment que l'esprit de Yolande aurait cherché à entrer en contact avec toi?

— Je ne vois pas d'autres explications pour l'instant, insista Mady sans tressaillir.

— Mais pourquoi t'avoir choisie, toi? Tu ne la connaissais pas. Pourquoi ne s'est-elle pas manifestée à moi? J'étais son amie. Je ne comprends pas. »

Mady secoua la tête et haussa les épaules pour démontrer son impuissance à répondre.

« Je te raconte simplement ce que j'ai vu dans mes rêves, même si je suis parfaitement consciente de l'étrangeté de cette histoire... »

Manon caressa les murs de ses yeux, puis les reposa sur Mady. La discussion se poursuivit durant un long moment encore, faisant naître progressivement une complicité entre les deux femmes.

Chapitre XIII

Maurice se servit un grand verre d'eau et prit le temps de le vider. Au salon, le silence était à la limite du supportable. Pourtant, aucune des deux femmes ne voulait rompre ces instants oppressants. Finalement, Maurice s'éclaircit la voix et regarda tour à tour Rhonda et Sarah avant de murmurer, entre ses dents :

« Mady n'est pas ma fille. »

Un curieux apaisement suivit cette déclaration qui semblait avoir coûté un effort surhumain. L'ébauche d'un sourire flotta sur le visage des deux femmes.

La détente fut de courte durée.

Tout en serrant les poings et en leur lançant un regard de défi, Maurice Martinon enchaîna :

« C'est toi, Sarah, qui l'es! »

La jeune femme se recula dans le fauteuil, puis se mit à rire. Devant l'air consterné de Rhonda, Sarah dut prendre conscience de son attitude, car elle s'empressa d'ajouter nerveusement :

« Mais voyons, maman fréquentait papa avant ma naissance! C'est totalement ridicule.

— Non, Sarah. Pas si ridicule que ça. Tu voulais la vérité, maintenant tu la connais. Je m'étais pourtant promis d'emporter ce secret avec moi. »

Sans l'interrompre, Rhonda s'approcha discrètement de lui et glissa sa main dans la sienne. Son geste affectueux le fit soupirer. Il aurait aimé serrer sa compagne dans ses bras, mais le désarroi qu'il lisait sur le visage de Sarah était tel qu'il s'arrêta. Pour l'instant, Sarah secouait la tête :

« Je ne peux te croire. Ça ne m'intéresse tout simplement pas d'entendre ce que tu as à dire... »

Malgré sa véhémence de ton, Sarah restait assise, comme figée. Comprenant que ce déni était plutôt une incitation à poursuivre, Maurice s'exécuta :

« Je suis sorti un peu avec ta mère, bien avant mon frère. Gisèle et moi, nous nous étions rencontrés dans un bal. Un bal musette comme il s'en donnait à l'époque, avec accordéon et tout le flafla. Gisèle venait de rompre avec le bel Adrien et avait le cœur en peine. Sous la lumière des lampions accrochés tout autour de la place on a fait connaissance.

— Et ensuite? »

Pour quelqu'un qui ne voulait rien savoir, Sarah démontrait un intérêt évident...

« Notre fréquentation n'a pas duré très longtemps. Souvent Adrien et Gérard nous tenaient compagnie. Gisèle était toujours attachée à Adrien, je crois. Un jour, nous étions seuls, nous sommes allés jusqu'à... enfin, nous étions dans une voiture, au bord de la route. »

Sarah ne dit rien, mais secoua la tête d'un air pensif. Elle avait l'impression d'entendre Mady lui raconter une partie de sa propre histoire.

« Quelques jours plus tard, on s'est disputés. Je ne sais plus pourquoi. On a finalement convenu que nous n'avions pas beaucoup de points communs. Ce jour-là, Gisèle m'a avoué qu'elle éprouvait toujours des sentiments envers Adrien. Je dois reconnaître que je n'étais pas réellement amoureux et pas très surpris non plus. On s'est ainsi laissés, sans arrière-pensées. Puis, Adrien a eu cet accident fatal quelques jours après... Ç'a été très dur pour elle... Elle s'en voulait de ne pas avoir fait les premiers pas pour se réconcilier avec lui. Elle croyait que ce drame ne se serait jamais produit s'ils ne s'étaient pas séparés.

— Et ton frère est entré dans sa vie à ce moment? C'est ça, *Boomer*? »

Rhonda avait ressenti le besoin de laisser un peu souffler Maurice. L'homme hocha la tête, le regard au loin.

« Arthur a su l'aider à surmonter cette épreuve. Très vite, ils se sont attachés l'un à l'autre. Ils discutaient longuement, tous les deux, tout comme elle le faisait avec Adrien. D'ailleurs, je crois que c'est ce qui les a rapprochés aussi rapidement.

— Justement, au vu de ce que tu racontes, qu'est-ce qui peut te permettre d'être aussi affirmatif me concernant? coupa Sarah, déstabilisée.

— Ta mère est venue me voir quelque temps après. Je m'en souviens encore très bien. Il y avait un soleil radieux ce jour-là, et pourtant, nous étions en plein hiver. Nous sommes allés sur une colline où nous avions l'habitude de nous rendre. C'est là qu'elle m'a annoncé qu'elle était enceinte. Elle était bouleversée... »

Maurice Martinon jeta un regard vers Sarah.

« Alors, vous avez menti à votre frère! Vous lui avez laissé croire que c'était lui le père... »

Sarah avait le cœur qui battait à tout rompre. Elle savait qu'elle était née avant terme... Enfin, c'était la version officielle. Elle n'avait jamais cherché plus loin.

« C'est vrai. J'ai pensé que c'était la meilleure solution. Elle aimait ton père et ne voulait pas le perdre, comme elle avait déjà perdu Adrien. »

Sarah releva la tête :

« Tu penses que mon père ne l'a jamais su?

— Je ne sais pas si ta mère le lui a avoué plus tard. »

Sarah devint livide tout à coup.

« Si papa avait fini par l'apprendre, ça pourrait expliquer son changement de comportement! Il était devenu désagréable et violent envers nous... Mais pourtant, non, ça ne colle pas... C'est surtout à maman et Mady qu'il s'en prenait. Avec moi beaucoup moins. D'ailleurs, en y repensant, pourquoi ne l'était-il pas autant avec moi? S'il avait effectivement appris qu'il n'était pas mon père, il aurait dû s'en prendre à moi plutôt qu'à ma sœur. C'est logique, non? »

Maurice fronça les sourcils et se gratta la joue.

« Je ne sais pas. Peut-être, oui.

— Ça ne tient pas debout. Il ne l'a certainement pas su. Ce doit être autre chose qui l'a changé aussi radicalement... probablement cet accident. »

Sarah se mit à raconter brièvement le délit de fuite dont son père s'était rendu coupable et qui avait causé la mort d'un petit garçon. Un silence pesant se réinstalla avant que Maurice ne mentionne un autre événement :

« Ça correspondrait à l'époque où mon frère est venu me voir en Australie. Vous étiez encore jeunes, Mady et toi. Il était parti de la maison, je crois.

« — Oui, c'est ça, pendant plus d'un an. C'était après l'accident. Mais pourquoi était-il venu te voir en Australie? demanda Sarah, toujours en quête de vérité.

— Il était tombé sur une lettre que j'avais envoyée à ta mère.

— Tu y faisais mention du secret que ma mère et toi gardiez? questionna abruptement Sarah.

— Non, pas que je me rappelle. Je lui demandais certes de tes nouvelles et de celles de Mady, mais c'est tout. Toujours est-il que mon frère l'a mal pris. Je crois qu'il avait des soupçons, mais je n'en suis pas certain. Autant dire que nos retrouvailles ont été quelque peu brusques. Il s'était arrêté dans un pub avant de venir me voir chez moi. Nous nous sommes battus ce jour-là.

— Mmm! Ce n'est pas surprenant. La violence était devenue un état quasi permanent chez lui », lâcha Sarah avec amertume.

Maurice se remémora la scène :

« Je me souviens qu'il m'a crié toutes sortes d'insultes. Un instant, j'ai craint qu'il avait finalement découvert la vérité sur ta mère et moi, mais à aucun moment il n'a parlé de toi. Ses paroles étaient plutôt confuses à vrai dire... Sans doute parce qu'il était saoul. »

Maurice Martinon s'arrêta un instant, comme si ce souvenir l'avait soudainement interpellé.

« Et s'il s'était mépris, tout comme Rhonda, à cause de ma ressemblance avec Mady? C'est peut-être pour ça que, dans ses insultes, il proférait le nom de Mady! Sur le coup, je n'ai pas compris pourquoi il faisait allusion à elle. Je n'ai pas eu le temps d'y réfléchir pour être franc. On en était vite venus aux poings. Il était comme fou. J'ai vraiment eu du mal à le maîtriser. Il m'a bien amoché ce jour-là. J'ai tout de même fini par le mettre dehors. Je ne l'ai plus jamais revu.

— Papa aurait cru que Mady était ta fille, souligna Sarah d'une voix blanche. Ça expliquerait pourquoi il s'est mis à la traiter de façon aussi infâme par la suite. Il s'entendait si bien avec Mady avant ça. Cela ne peut être que ça... »

Sarah était réellement en colère au fur et à mesure des aveux.

214

« Je crois malheureusement que tu as raison... »

Sarah poursuivit :

« Pourquoi ne pas lui avoir dit la vérité? Cela aurait pu éviter que mon père s'en prenne à Mady.

— Tout s'est passé si vite. Puis, comme je te l'ai dit, je n'avais pas compris son allusion à Mady. »

Rhonda voyait le mystère du passé de Maurice s'évanouir... Elle se souvenait de cette bagarre... Maurice avait été muet comme une carpe... Une vraie tête de *Big Kangaroo*, s'était-elle dit alors. Elle regarda Sarah droit dans les yeux :

« Il ne faut pas oublier que Maurice a passé plusieurs jours à l'hôpital suite à cette bagarre avec son frère.

— Comment ça? demanda Sarah, intriguée.

— Les médecins ont dit que c'était le choc. Les blessures au visage et aux côtes que son frère lui avait infligées n'étaient pas trop graves, mais Maurice a eu une attaque cardiaque environ une heure après. Il aurait pu mourir ce jour-là. Il s'en est vraiment fallu de peu, crois-moi, Sarah. »

Sarah plongea sa tête dans ses mains et fondit en larmes. Rhonda se leva et s'installa à côté d'elle :

« Je suis désolée, Sarah, de t'avoir fait vivre ces mauvais souvenirs. Ta mère et Maurice pensaient agir pour le mieux en cachant la vérité à ton père. Il faut les comprendre. Ils étaient jeunes. Qui sait ce qu'il serait advenu s'ils avaient tout avoué? »

Refoulant ses larmes, Sarah apporta son point de vue :

« Peut-être que mon père aurait accepté la situation et aurait quand même épousé ma mère. Il n'y aurait pas eu toute cette méprise. Mady aurait connu une adolescence heureuse, puis aurait vécu sa vie d'adulte avec Guillaume et Marianne, sa fille.

— Toutes les hypothèses se valent. Chose certaine, ce n'est pas à nous de juger ta mère et Maurice. Qu'aurions-nous fait à leur place? À mon idée, ils n'ont jamais voulu faire de mal. Bien au contraire... »

Rhonda parlait d'une voix posée. Y avait-il chez elle, quelque part dans son passé, une histoire qui l'autorisait à avoir ce recul? Peut-être...

Sarah, quant à elle, sentait chaque fibre de son corps

prête à exploser. Un nouveau hoquet suffit à rompre les digues. Les larmes ruisselèrent de nouveau. Maurice observait la scène, impuissant et maladroit pour consoler sa fille... Finalement, Sarah, le visage défait, se laissa prendre dans les bras de Rhonda qui continua :

« Mady et toi, vous êtes la seule famille qui reste à Maurice. Je n'ai plus de famille de mon côté et nous n'avons pas pu avoir d'enfants. Ce n'est pas pour moi que je parle, c'est pour Maurice. C'est quelqu'un de bon. Il ne mérite pas que la seule famille qui lui reste le rejette... »

Sarah aurait donné n'importe quoi pour être ailleurs subitement... Ou pour se rendre compte qu'elle était en train de faire un mauvais rêve. Encore une fois, elle se moucha et frotta ses yeux. Enfin, elle fit face à Maurice et Rhonda :

« Il n'est pas question de vous rejeter ou de vous mépriser... J'ai besoin de temps pour absorber tout ça. Jamais je n'aurais imaginé connaître une situation aussi compliquée. Je ne peux m'empêcher de me sentir responsable... Mady a eu sa vie gâchée à cause de moi, ou du moins à cause des circonstances de ma naissance... C'est très difficile à supporter.

— Tu n'as pas à te culpabiliser. »

C'est Maurice qui venait d'intervenir. La honte le submergeait.

« Je n'arrête pas de tourner tout ça dans ma tête. C'est pourtant la vérité. Ma sœur ne méritait pas ça...

— Tu n'es pas responsable, je te le répète. La culpabilité et le remords m'incombent entièrement. Cela dit, ce qui est fait est fait. On ne peut pas défaire le passé. »

Rhonda renchérit :

« Il faut penser au bonheur de ceux qui restent. Tu as près de toi tes enfants, un mari, une sœur qui t'aime... »

Maurice reprit à son tour :

« Et moi, j'ai Rhonda. On a le devoir d'être heureux. Bien sûr, maintenant que tu sais la vérité, ne te sens pas forcée de changer ta vie et celle de ta famille. Rien ne t'oblige par ailleurs à me considérer comme ton père.

— Je ne suis vraiment pas prête à t'appeler papa, en effet. Je ne sais pas si je le serai un jour...

— Je ne te le demande pas, Sarah. Mon frère a été ton père. C'est lui qui t'a élevée avec Gisèle, et ça je ne pourrai pas te l'enlever. Tu as été et tu restes leur enfant. »

Épuisée par ces émotions, Sarah se leva finalement.

« Sans vouloir vous offenser, j'aimerais maintenant aller me coucher. D'ailleurs, vous devriez en faire autant. Il est deux heures du matin et André qui arrive tout à l'heure ! Je devrai faire bonne figure. »

Sarah resta debout, l'air hagard. Rhonda prit la jeune femme et l'entraîna dans l'escalier. Dans sa chambre, elle la força à se coucher puis lui remonta les couvertures jusque sous le menton. Son esprit s'enflammait... Des images identiques lui venaient en mémoire... Puis un journal intime... Rhonda chassa ce flot indésirable...

Les deux femmes se regardèrent longuement en silence, puis Rhonda murmura, en soupirant :

« Tu dois être forte, Sarah, et accepter ce qui est. Après une bonne nuit de sommeil, cela ira déjà un peu mieux. Comme on dit, la nuit porte conseil...

— Je crois bien que je serai incapable de m'endormir ! C'est abominable ! Dorénavant, je ne pourrai plus regarder ma sœur en face sans penser à... »

Sarah ferma les yeux. Rhonda, dans une langue étrange, se mit à chanter doucement. L'esprit de Sarah se faisait lourd... Elle sombra sans en avoir conscience. Rhonda éteignit la lampe de chevet et sortit discrètement de la chambre.

Trois heures plus tard, Sarah se réveilla en sursaut. La lecture du radio-réveil numérique la ramena à la réalité : il était cinq heures vingt-deux. Aussitôt, la troublante révélation de Maurice Martinon revint à son esprit.

Sarah chercha à se rendormir, en vain. De guerre lasse, elle passa dans la salle de bain pour se rafraîchir. La maison était silencieuse. Rhonda et Maurice dormaient très probablement.

Insidieusement, une pensée faisait son chemin. Elle éprouva la désagréable impression d'être devenue une étrangère dans sa maison. Cette sensation la révulsa.

Au rez-de-chaussée, elle enfila une veste et, sans réfléchir plus longtemps, franchit le seuil de sa maison en négligeant de refermer la porte à clé. Fuyant son domicile, elle n'eut pas un regard en arrière.

* * *

André Corneau récupéra sa voiture à l'aéroport et ils se mirent en route. Au grand bonheur de Vanessa, la radio annonçait une belle journée.

« Tu penses que maman sera encore endormie? » s'enquit la jeune fille avec un grand sourire.

Son père haussa les épaules.

« Tu sais, ta mère est une lève-tôt...

— Si elle est encore au lit, je lui préparerai son petit-déjeuner...

— Tu feras ça?

— Oui, papa. J'en ai très envie. Et comme ça, elle saura que je ne voulais pas lui faire de peine...

— Tu te fais trop de soucis. Ne te culpabilise pas ainsi. Ta mère comprendra très bien ce qui s'est passé. Ne t'inquiète pas. Ce qui ne t'empêche pas de lui préparer le petit-déjeuner. Je suis sûr qu'elle sera ravie... »

Là-dessus, André changea de fréquence radio et tomba sur de la musique classique. Du coin de l'œil, il vit la grimace de sa fille. Il continua à tourner le bouton pour trouver quelque chose qui leur conviendrait à tous les deux. Vanessa se mit à sourire, visiblement conquise par les efforts de son père. Elle joignit bientôt sa voix à celle de Michael Bublé. Sans complexe, André Corneau imita à son tour le crooner qui, malgré son jeune âge, était déjà comparé au grand Frank Sinatra. Cette complicité retrouvée fut un pur moment de félicité entre le père et la fille.

* * *

Sarah avait entamé son errance en se dirigeant instinctivement vers le canal. Le long du pont, quelques rares voitures l'éclairaient brièvement de leurs phares. Ses pensées se bousculaient, et elle entendait, comme dans un leitmotiv incessant, les paroles de Maurice...

« Ma fille! Ma fille! » se révolta intérieurement Sarah.

Aussitôt, l'image de Mady lui vint en mémoire et des larmes glissèrent sur ses joues sans qu'elle songe à s'en préoccuper.

« Elle a payé à ma place! continua-t-elle. Et maintenant c'est à mon tour de payer cette injustice. Je suis en train de perdre ma propre fille. Elle ne veut plus se confier à moi et je ne suis même pas fichue de dialoguer avec elle sans m'énerver. Quelle mère pitoyable je fais! »

Sarah occultait tant de beaux jours pourtant... Tout lui paraissait si loin.

Elle posa sa main sur la rampe du pont et regarda la Touques s'écouler en contrebas.

* * *

André faisait rouler la valise en avançant dans l'allée de leur maison. Vanessa le suivait, une magnifique rose rouge dans la main. Elle sautillait sur place à l'idée de surprendre sa mère. Son enthousiasme devait être contagieux, car André se mit à siffloter. Toutefois, en poussant la porte, il se tut. Il ne voulait pas réveiller sa femme. Lorsqu'il constata que la porte n'était pas verrouillée, il fronça les sourcils.

« Je crois que ta mère est déjà réveillée...

— Ah! non!...

— Elle n'a pas fermé à clé...

— Elle a peut-être oublié? »

Devant l'air presque implorant de sa fille, André n'eut pas le cœur à la détromper et se contenta d'opiner de la tête. Il devait reconnaître qu'il n'entendait pas un bruit. Vanessa fila dans la cuisine et murmura.

« Elle n'est pas levée. Regarde, la cafetière est froide.

— Ah! Excellente observation, ma chérie. Tu as donc une bonne chance de la surprendre. »

André Corneau décida de monter les valises. Il allait les déposer dans le couloir, près de leur chambre, quand il remarqua la porte grande ouverte. Il passa la tête et constata que le lit était défait.

Sarah n'était pas là.

Il posa vivement les bagages au pied du lit et se dirigea vers la salle de bain, sûr de trouver son épouse.

Il n'en fut rien.

Un peu désappointé, il songea à la chambre d'amis. Tout doucement, il ouvrit la porte. Un homme en pleine lecture était installé dans le lit. Maurice Martinon, réveillé depuis longtemps, releva la tête de sa revue et jeta un œil vers sa compagne. Faisant ensuite à l'intrus un signe de la main droite, il repoussa doucement la couverture.

Sur le coup, André ne sut quoi dire. Il garda bêtement la bouche ouverte, cherchant à épier la femme encore dans son lit. Découvrir des boucles blondes par exemple...

Tout sourire, Maurice Martinon accompagna le mari de Sarah à l'extérieur de la chambre pour ne pas réveiller Rhonda. Il referma doucement la porte derrière lui.

« Bonjour, vous devez être André. Je suis heureux de faire votre connaissance. Je suis Maurice. »

L'homme tendit une grosse main velue à André. Celui-ci hésita en revanche. Soudain, une lueur traversa son esprit et il releva la main précipitamment pour saluer son vis-à-vis.

« L'oncle d'Australie!

— C'est bien ça. »

Un large sourire éclaira le visage de l'invité quand il comprit la méprise.

« Sauriez-vous où est Sarah? demanda aussitôt André. Elle n'est pas dans sa chambre, ni en bas...

— Non. »

André regardait Maurice et s'interrogeait. De toute évidence sa femme était sortie, mais pour aller où? Il essaya de se rassurer.

« Elle s'est peut-être rendue au marché. Ça lui arrive de vouloir profiter de la meilleure période d'achats. Elle a dû laisser un mot en bas et je ne l'ai pas vu en rentrant.

— C'est certainement ça. »

Vanessa arriva à l'étage juste au moment où Rhonda émergeait de la chambre. Sans se formaliser de la présence des deux étrangers, Vanessa annonça :

« Maman n'est nulle part! Ses affaires sont là, son sac à main aussi. Il ne manque que sa veste.

— Aurais-tu vu si elle a laissé un mot quelque part? demanda son père.

— Non! Je suis sûre d'avoir bien regardé. Qu'est-ce qui se passe, papa? Maman a commencé à faire des fugues? À moins que ces gens-là ne la tiennent en otage? »

Cela aurait pu être une blague si cela n'avait pas été aussi sérieux. C'était son moyen de défense pour se protéger... L'humour aidait à surnager. Le regard de Vanessa indiquait clairement son désarroi.

« Tout ira bien, Vanessa. Elle n'est sans doute pas allée très loin.

— Laisse-moi aussi te rassurer : on n'a pas séquestré ta mère... Elle est peut-être sortie prendre l'air », ajouta doucement Rhonda.

Prenant la situation en main, Maurice s'approcha de sa compagne et fit rapidement les présentations, sur quoi tout le monde descendit au salon pour attendre le retour de Sarah.

Après une heure, André se résigna et entreprit de joindre quelques amies de Sarah chez qui elle aurait pu aller pour prendre un café. Avec des invités à la maison, la chose semblait peu probable. Pourtant, faute de mieux, il se rabattit sur cette idée. Sa démarche fut sans résultat. Personne ne l'avait vue et n'avait la moindre idée où elle pouvait être. De plus en plus inquiet, André appela les hôpitaux des environs. Là encore, ses démarches ne menèrent à rien.

« Bon! Je pars à sa recherche! s'exclama-t-il finalement. Elle n'a pas dû aller bien loin sans son sac à main et ses papiers.

— Je peux venir avec toi, papa? le pria aussitôt Vanessa, au bord des larmes.

— Non, je pense qu'il serait préférable que tu restes ici au cas où elle appellerait à la maison.

— Papa, s'il te plaît, je veux venir!

— Nous pouvons tout à fait rester ici, Maurice et moi, si vous voulez, intervint Rhonda. Ça ne nous dérange absolument pas!

— Tu vois, papa. Il n'y a pas de problème. »

André obtempéra et donna à Rhonda son numéro de

cellulaire. Sans plus tarder, ils partirent. À l'extérieur, le soleil continuait son ascension.

En se retrouvant seule avec Maurice, Rhonda ne put s'empêcher d'extérioriser son angoisse. Les yeux baignés de larmes, elle se reprochait amèrement d'avoir insisté autant sur la ressemblance entre Mady et Maurice.

« Tout est de ma faute! »

Elle s'en voulait encore plus de ne rien pouvoir faire. Pour tromper l'attente, elle se dirigea à la cuisine pour préparer le petit-déjeuner de Maurice. Pour sa part, elle n'avait guère d'appétit. Sur le comptoir, elle trouva, laissée pour compte dans un emballage transparent, la rose de Vanessa. Elle se concentra sur sa tâche et mit la fleur dans le vase effilé qu'elle avait fini par trouver dans un placard.

Maurice était à l'étage sous la douche.

Le téléphone sonna soudain. Pleine d'espoir, elle courut dans la pièce d'à côté. Quand elle se rendit compte qu'il s'agissait d'une erreur, sa mauvaise humeur se répercuta sur les tartines de pain. Son cœur battait la chamade. Et son angoisse montait d'un cran. Maurice, les cheveux encore humides, arriva dans la cuisine. Le regard lourd d'une interrogation muette, il prit place aux côtés de Rhonda.

En silence, ils avalèrent leur petit-déjeuner.

* * *

Sarah ne ressentait plus les frissons du jeune matin et enleva sa veste qui commençait à lui peser. Machinalement, comme dans un état second – état qui ne l'avait pas quittée depuis son réveil –, elle déposa son vêtement sur le rebord du pont et resta plantée là, à contempler l'eau, déjà moins sombre sous l'effet d'un soleil prometteur. Pour l'instant, l'astre de ce début de journée ne pouvait influencer l'humeur de Sarah. Du pied, elle poussa un caillou entre les grilles et observa sa chute, rapide. Elle voulut voir dans cette pierre le boulet qu'avait traîné Mady toute sa vie.

* * *

Maurice était remonté à l'étage et Rhonda le rejoignit dans la chambre d'invités. Elle ne put que constater sa fébrilité.

« Qu'est-ce que tu fais? »

L'homme la regarda longuement, comme si elle venait d'un autre temps, d'un autre lieu. Il ne prit toutefois pas la peine de lui répondre. La femme reprit, plus inquiète encore par ce silence que par des cris :

« *Boomer*, je t'en conjure, réponds-moi!

— Dès que Sarah sera rentrée, nous partirons! C'est décidé.

— Pourquoi dis-tu ça?

— On a fait assez de mal ici. Jamais j'aurais dû... Je sais pas ce qui m'a pris de répondre à la lettre de Mady puis encore moins de venir ici... »

Rhonda soupira et s'installa lourdement sur le lit :

« Non... Tout est de ma faute. C'est moi qui ai mis les pieds dans le plat. Je n'ai fait que te pousser à bout.

— T'accuse pas inutilement. Je n'avais qu'à me taire. Je l'ai fait durant des années, et tout le monde s'en portait bien. »

Le ton bourru de Maurice ne fit qu'exacerber l'air maussade de Rhonda, laquelle poursuivit en évitant le regard de son conjoint :

« Si tu m'avais dit la vérité avant aussi! Je me serais tue. J'aurais respecté ton choix. Maintenant, c'est trop tard. Je ne t'apprends pas que je suis curieuse. C'est plus fort que moi. J'aime pas les silences. J'ai jamais aimé ça. Pourquoi t'as rien dit? »

Maurice arrêta finalement de jeter pêle-mêle les vêtements et s'assit tout près de Rhonda.

« Oui, j'aurais sûrement dû t'en parler. D'un autre côté, il fallait peut-être que Sarah le sache. L'avenir le dira. Par contre, ma Rhonda, ta curiosité est une très bonne chose. C'est comme ça que je t'aime. N'oublie pas que c'est grâce à elle que nous nous sommes connus. »

Rhonda émit un léger sourire à l'évocation de leur rencontre. Elle se revit jeune femme, dans une des cabines d'essayage d'un grand magasin de Sydney. De là, elle avait porté attention à une voix à l'accent étranger qui échangeait avec un autre homme à propos des différences culturelles entre l'Océanie et l'Europe. Rhonda avait trouvé charmant l'accent du premier, d'autant plus que ses propos n'étaient pas dénués de sens. Voulant connaître le fond de leurs pensées sur son pays, elle s'était assise dans la cabine et avait écouté toute la conversation. Vers la fin, de peur que les deux touristes ne quittent le magasin, elle était sortie précipitamment, pour tomber presque nez à nez avec Maurice. Écarlate, elle avait regardé l'homme, pressentant pour des raisons obscures que c'était l'Européen. Le plus naturellement du monde, malgré son embarras, au lieu de se confondre en excuses ou en diverses civilités, elle avait admis avoir tout entendu et s'était immiscée dans la discussion. D'une même traite, elle lui avait signifié qu'elle était d'accord avec lui sur la plupart des points abordés.

Quelque peu déstabilisé par ce petit bout de femme, Maurice l'avait laissée continuer sans l'interrompre, puis l'avait invitée à poursuivre dans un restaurant non loin. Il avait planté là son ami – lequel d'ailleurs devait attendre son épouse.

Maurice et Rhonda ne s'étaient presque plus quittés depuis...

« On ne doit pas partir, Maurice, c'est pas bien, chuchota-t-elle en caressant avec tendresse le dos de l'homme.

— Sarah ne m'accepte pas tel que je suis. Et j'ai entaché la mémoire de sa mère.

— Sarah est une jeune femme intelligente.

— Une femme intelligente qui s'est enfuie de chez elle le jour même où son mari et sa fille rentrent d'un long voyage!

— Enfuie, enfuie, tu y vas fort! Elle est sortie pour réfléchir, c'est tout! Les femmes sont comme ça! »

Maurice soupira.

« Ah! J'aimerais tant te croire... Des fois, on dirait que un plus un, cela ne fait plus deux pour les êtres humains. Ils amplifient la portée de certains faits et finissent par oublier qu'il y a des choses bien plus importantes, et pour lesquelles il vaut la peine de vivre.

— Ne sois pas trop sévère, Maurice. »

Un bref silence s'installa. Un regard de part et d'autre... Une étincelle étrange traversa les pupilles de la femme. Elle semblait vouloir dire quelque chose. Finalement, ses yeux reprirent le reflet que Maurice connaissait. Il s'y agrippa et voulut oublier... Ne pas creuser plus loin, le moment semblait assez pénible ainsi...

« T'as raison, Rhonda. Je ne devrais pas avoir de pensées aussi cyniques, mais cette attente est insupportable.

— Cela ne doit pas nous empêcher de garder espoir. Tout va finir par s'arranger. Tout s'arrange toujours, répéta-t-elle comme par elle-même...

— Oui, c'est vrai. Ah! Heureusement que tu es là.

— Merci, mon *Boomer*. Ça fait plaisir à entendre. »

Chapitre XIV

André s'était garé sur le bas-côté et se morfondait, la tête entre les mains sur le volant. C'est Vanessa qui le sortit de ses sombres pensées.

« Papa, on doit continuer. Maman a besoin de nous. »

André Corneau regarda sa fille longuement, les yeux étrangement absents.

« Mais où est-ce qu'elle peut bien être à la fin? Cela fait près d'une heure que nous la cherchons dans les environs... »

Tout à coup, Vanessa expliqua son idée :

« Et si nous traversions le pont? Tu sais le beau pont en bois pas très loin d'ici. Maman aime bien cet endroit. Elle nous l'a souvent dit, rappelle-toi. Elle y est peut-être? »

Rempli d'un nouvel espoir, André Corneau enclencha la première et redémarra. Cinq minutes plus tard, ils abordaient le pont en roulant doucement. Au milieu, sur la main courante, Vanessa cria pour signaler la veste de sa mère.

« Oh! Papa. Tu crois que...

— Non, Vanessa. Non, ce n'est pas possible. Ta mère n'aurait jamais fait ça.

— Pourtant sa veste est là.

— Ne saute pas aux conclusions trop vite.

— Arrêtons-nous là...

— Non. Je ne peux pas m'arrêter en plein milieu du pont. Nous devons le traverser complètement. Nous reviendrons à pied ensuite.

— Je peux descendre et tu continues.

— Je suis suivi par deux voitures. Je ne peux pas faire ça. Il n'y a pas de place. Nous devons continuer. Ce ne sera pas long, je te le promets... »

André n'osait l'avouer à sa fille, mais il avait peur. Très peur même! Tout ceci était irrationnel...

De l'autre côté du pont, ils durent attendre encore un

peu avant de pouvoir se ranger sur le bas-côté. Chacun rongeait son frein sans oser émettre de commentaires superflus. Il gara enfin sa voiture. Les portières étaient à peine fermées qu'ils se précipitaient en sens inverse sur le trottoir du pont. Vanessa précédait son père facilement.

« Pourvu que maman n'ait pas...

— Arrête, Van! s'énerva son père. Regarde la hauteur de la barrière. Ta mère ne pourrait pas sauter par-dessus, sois un peu réaliste, voyons. »

Vanessa observa son père, puis lui jeta :

« Bien sûr qu'elle peut escalader. »

Vanessa pleurait maintenant. Au travers de ses larmes, elle s'exclama :

« C'est que j'ai si peur, papa. Tout ce que je voudrais maintenant, c'est d'être avec maman à la maison. Je n'ai pas été particulièrement gentille avec elle ces derniers temps et s'il fallait qu'elle... qu'elle soit partie sans que je lui parle... »

Secouée par de gros sanglots, elle ne put continuer, et André l'attrapa à bras-le-corps pour la réconforter. Ses yeux se portèrent au loin et il interrompit son geste.

« Attends, s'écria André, je vois quelque chose, là-bas, près de la berge. »

Vanessa essuya ses larmes et regarda dans la direction indiquée. Au début, elle ne remarqua que des rochers. Finalement, elle entrevit ce qui lui parut une tête.

« Tu crois que... »

Son père ne prit pas le temps de lui répondre.

Ils repartirent à la course et descendirent prudemment le bas-côté du pont. Le chemin escarpé était malaisé et Vanessa tenait fermement son père pour ne pas glisser. Elle essayait de ne pas quitter des yeux la forme – peut-être celle de sa mère –, à la recherche d'un mouvement qui se faisait désirer.

Ils ne parlaient plus, trop occupés par leur descente et sans doute aussi par leurs pensées lugubres. À quelques pas de la silhouette, il n'y avait plus aucune ambiguïté possible. C'était bien Sarah. Elle était recroquevillée sur elle-même, la tête sur les genoux.

André et sa fille ne savaient à quoi s'attendre.

« Attends-moi ici, Vanessa.

« — Non, papa, je viens avec toi. Peu m'importe. Je veux savoir et vite. »

André n'insista pas. Ils avancèrent ensemble, se tenant par la main. Derrière Sarah, André posa une main sur son épaule, s'attendant presque à sentir ses vêtements mouillés.

Il n'en était rien.

Après une pression sur son épaule, Sarah releva la tête, surprise, l'air hébété et hagard de quelqu'un qui sort d'un long sommeil.

« Maman. Qu'est-ce que tu faisais là? Tu dormais? »

Sarah regarda tout autour, comme pour se replacer dans la réalité, puis opina du chef.

« Oui. Je crois bien que je me suis un peu assoupie... Le mouvement de l'eau sans doute. Que faites-vous là? Je croyais que vous ne deviez pas rentrer avant midi. Comme je suis heureuse de vous revoir!

— Et nous donc! Oh! maman, nous avons eu si peur...

— Peur? Mais de quoi? »

Sarah comprit tout à coup ce qui se passait et se mordit la lèvre inférieure.

« Oh! Je suis navrée... Je n'ai pas voulu... Enfin, je ne voulais pas vous causer autant d'émois. J'ai juste ressenti le besoin de marcher et de venir ici... Je me sentais si mal...

— Ça, pour marcher, tu as bien marché! s'exclama André. Nous sommes assez loin de la maison! »

Ce n'était pas un reproche de la part d'André, plutôt une constatation. Sarah s'était relevée et elle serrait tour à tour Vanessa et André dans ses bras.

« Et si nous rentrions maintenant? s'enquit-elle douce-ment avec un sourire contrit.

— Oui, mais avant, je dois avertir Rhonda et Maurice que tout va bien. Tout le monde était inquiet, tu sais...

— Je n'étais pas moi-même ce matin, je dois le recon-naître. Et je ne sais pas si je le suis en ce moment d'ailleurs. Je suis si troublée. Mon oncle Maurice m'a appris hier soir qu'il était mon père!

— Quoi?! s'exclama André.

— Le plus terrible dans cette histoire, c'est que Mady a vécu l'enfer parce que notre père lui en voulait alors que

229

c'était moi la fille de Maurice! Comment puis-je accepter ça maintenant? C'est impossible. »

Sarah était soulagée de déverser ses émotions sur André. Vanessa avait du mal à tout comprendre. Elle réalisait toutefois que sa mère ne lui en voulait pas à elle...

« Pourquoi te mettre des fardeaux inutiles sur les épaules? Tu n'es pas du tout responsable des méchancetés de ton père. Tu es encore sous le choc, mais les choses vont se clarifier. Nous sommes là pour t'aider... »

La jeune femme ne répondit pas. Vanessa découvrait que ses parents aussi avaient besoin d'écoute et d'entraide.

Ils escaladaient à présent pour retrouver le chemin du pont. En haut, l'essoufflement du trio procura un répit.

« Je suis si contente que vous soyez de retour, répéta Sarah, le cœur heureux soudain. Vous m'avez beaucoup manqué. La maison était vide sans vous! »

Vanessa était à même de constater que son amour pour ses parents était plus fort que jamais. Elle s'estima chanceuse de les avoir. S'avisant qu'elle ne le leur avait jamais vraiment dit depuis des lustres, elle inspira profondément avant de souffler, le nez sur ses baskets :

« Papa et maman, merci d'être comme vous êtes. Je vous aime tant! »

Sarah et André la remercièrent vivement et ils s'enlacèrent tous les trois. L'instant partagé ne pouvait souffrir d'aucun autre bruit que leurs respirations communes. Personne ne voulait rompre ce lien si rare et précieux...

Le retour à la maison ne changea pas cet état de fait, et c'est d'un bloc qu'ils entrèrent pour tomber sur Maurice et Rhonda mais aussi sur Frédéric, Julien et Marie, qui avaient accouru en apprenant la nouvelle. Tout le monde sauta au cou de Sarah qui ne sut où donner de la tête. Elle finit par rire de tant de sollicitude. L'amour exprimé avec cette ostentation l'éclaboussait de part en part... Elle regrettait d'avoir inquiété inutilement tout son monde. Ce n'était pas son intention, bien évidemment. Force était de constater qu'elle avait semé l'émoi autour d'elle. Elle s'imposa de profiter au maximum de cet instant presque magique et décida pour le moment de laisser ses soucis et son mal-être au loin...

* * *

Jake déposa Duncan à l'école puis repartit, toujours en compagnie de Manon, vers le bureau de celle-ci. Ils étaient partis un peu plus tôt que d'habitude afin d'éviter l'heure de pointe. Ce n'était guère le moment pour la jeune femme d'arriver en retard, car une importante réunion l'attendait le matin même. Tout en se répétant son petit discours d'introduction, elle ne cessait de consulter sa montre.

« Tu seras à l'heure et tu feras une excellente présentation, la rassura son mari.

— J'ai si peu dormi. La discussion avec Mady m'a obsédée toute la nuit. Je ne sais pas si j'ai bien fait de lui rapporter cette histoire...

— Chaque chose en son temps, Manon... Pour l'instant, c'est ta réunion qui compte.

— Plutôt stressant comme début de journée, qu'en penses-tu?

— Parles-en au fiston!

— C'était si terrible que ça? »

Manon grimaça.

« Bah, on survivra! commenta en riant Jake.

— Tu sais que le magazine déploie tout un arsenal afin d'accroître sa clientèle. Je dois suivre le courant.

— Oui. Et tu as un projet solide! Je te l'ai dit, et je te le redis encore, je crois en toi, Manon.

— Merci, Jake. J'ai surtout hâte à ce midi, si tu savais.

— *Lâche-toi lousse* et tout ira bien. Tu m'appelles dès que tu es libre...

— On pourrait peut-être se rejoindre quelque part pour *luncher* juste après?

— Avec plaisir... Au resto du coin... Tiens, tu n'as plus à t'en faire, nous y sommes. File et arbore ton plus beau sourire. Tu vas les épater. »

Manon descendit non sans avoir pris le temps d'embrasser son mari. Elle respira un bon coup avant d'avancer en direction de la porte vitrée du Magazine *F.U.N. pour Nous – Femme Universelle et Naturelle.* Elle tenait dans sa mallette ses croquis et sa stratégie dûment développée.

Malgré les encouragements de son mari, elle craignait de ne pas être à la hauteur. L'entreprise n'était pas en reste d'employés prolifiques et doués. Si, en temps normal, elle s'investissait à fond dans son travail, cette fois, ce projet avait eu le don d'attiser plus que jamais son désir de réalisation. Après avoir remis de l'ordre dans sa coiffure et vérifié les détails de sa tenue vestimentaire, elle déposa son dossier sur son bureau et remarqua le voyant « message » qui clignotait. Hésitant à se laisser distraire, elle interrogea sa montre avant d'appuyer sur le bouton vert. Elle se dérida lorsqu'elle entendit Guillaume. Il lui souhaitait bonne chance avant de lui donner rendez-vous à midi.

« J'ai besoin de te parler et tu me donneras le résultat de ta présentation. Je pense bien fort à toi », l'entendit-elle conclure.

Trop préoccupée par l'instant présent, Manon appela à son tour pour accepter et convia Guillaume au resto du coin. La conversation fut brève. Le combiné raccroché, elle plissa le nez en levant les yeux au ciel. C'était le temps à présent. La réunion devrait être finie avant midi, elle pourrait ainsi rejoindre Jake. Elle emporta son dossier avec elle, de même que son ordinateur portable, puis se dirigea vers la salle de réunion où deux collègues semblaient installés depuis long-temps. Elle les salua et découvrit qu'ils avaient l'air tout aussi tendus qu'elle. Curieusement, cela la relâcha un peu et elle glissa une main sur la surface lisse de la longue table ovale de la pièce.

* * *

Connie consultait encore le petit bristol où était indiqué le résultat de son test. Guillaume venait de quitter pour le travail après être resté encore une heure avec elle. Elle ne savait trop si elle devait se sentir soulagée ou brisée par ce qu'indiquaient les deux bandes rouge vif. Finalement, des larmes coulèrent bien malgré elle et elle resserra plus fort son peignoir, comme pour y chercher protection.

* * *

Quand Jake tomba sur Guillaume au restaurant, les deux beaux-frères ne manquèrent pas de se questionner sur l'incongruité de leur situation.

« J'ai demandé à Manon de déjeuner avec moi, commença Guillaume un peu penaud. Je ne savais pas que vous seriez tous les deux.

— J'espère que cela ne te dérange pas que je sois là?

— Non, pas du tout. Manon semblait assez pressée lorsqu'elle m'a retourné mon coup de fil. Elle aura oublié de me le dire.

— Elle ne m'a même pas appelé, se renfrogna un peu Jake en apprenant la démarche de sa femme.

— Sa réunion a dû durer plus longtemps que prévu.

— C'est rare qu'une réunion soit courte, surtout une réunion de cette envergure.

— C'est vrai.

— Comment Manon t'a-t-elle paru au téléphone? demanda Jake.

— Je ne comprends pas.

— T'a-t-elle semblée contente, déçue? »

Guillaume secoua la tête, un peu ailleurs soudain.

« Comme je te l'ai dit, elle avait l'air surtout pressée. Mais c'est difficile à dire. Je n'étais peut-être pas non plus très à l'écoute. Sa réunion n'avait pas commencé.

— Nous en saurons bientôt plus. Tiens, je l'aperçois qui arrive. »

Jake se leva aussitôt pour aller escorter sa femme jusqu'à leur table. L'observant à la dérobée, il crut déceler chez elle de la déception. Peut-être se trompait-il? Comme pour conforter cette impression, Manon embrassa son frère avec un sourire contraint, puis s'assit en prenant aussitôt la carte. Manifestement, ce n'était pas la joie! Les deux hommes restèrent silencieux, se regardant d'un air perplexe. N'y tenant plus, Jake tendit finalement la main vers Manon et lui ôta le menu des mains en lui demandant, à brûle-pourpoint :

« Ta présentation s'est-elle bien passée? »

Au lieu de lui répondre, Manon fondit en larmes. Usant de douceur, Jake lui attrapa la main et tenta de la calmer.

« Allons, Manon, tu auras d'autres occasions, tu me l'as dit toi-même. C'était important, c'est vrai, mais ce n'est pas la fin du monde. Il faut garder confiance!

— C'est plus compliqué, Jake. Le projet les intéresse. La directrice veut me confier la responsabilité du développement... »

Les deux hommes restèrent éberlués devant les propos presque incohérents de Manon. Elle essuya maladroitement ses larmes, laissant ainsi quelques traînées noirâtres sous les yeux. Jake questionna :

« Où est le problème? C'est plutôt merveilleux, non? »

Manon émit un rire bref avant de préciser, d'une voix tremblante :

« Ben, je veux pas d'une telle responsabilité! Je veux défendre mon projet, d'accord, mais pas devenir chef de file.

— T'as les compétences, Manon, ce n'est pas ce qui te manque, lui assura son frère.

— Tu ne comprends pas, Guillaume. Je n'ai jamais songé à une telle situation. Tout se bouscule trop vite à mon goût.

— Tu dois y réfléchir posément, opina Jake, et te sentir à l'aise avec ton choix.

— J'ai jusqu'à la fin de la semaine pour donner ma réponse.

— Je propose tout de même que nous trinquions à l'acceptation de ton projet! » approuva Guillaume, pour encourager sa sœur. Gagnée par l'affection évidente des deux hommes, Manon se mit à rire.

Elle s'excusa dans un murmure :

« Je reviens, je vais me rafraîchir. Jake, tu sais quoi me commander. Je ne serai pas longue. »

Pendant son absence, Guillaume et Jake convinrent de ne pas chercher à l'influencer.

« C'est une fille solide, elle saura bien trouver son chemin. Quelle que soit sa décision, je suis sûr qu'elle fera pour le mieux. »

Les paroles de Jake trouvèrent l'assentiment de Guillaume.

Un peu plus tard, tandis qu'ils achevaient le dessert, Manon interrogea Guillaume :

« Et toi? Tu as eu le message de Mady au sujet de Yolande?

— Yolande? Quelle Yolande?

— Eh bien, Yoyo.

— Yolande Marquis? » sourcilla Guillaume en devenant livide.

Manon acquiesça. Elle comprit à la mine décomposée de son frère qu'elle faisait fausse route.

« Pourquoi Mady voudrait me parler de Yolande? Ne me dis pas que tu lui as tout raconté!

— Hé! Ne le prends pas sur ce ton! s'énerva Manon. Ce n'est pas de ma faute. C'est elle qui a trouvé au grenier des photos de Yolande. Elle voulait savoir. J'ai cru que... Et puis zut! Tu n'avais qu'à prendre tes messages et à rappeler Mady. Elle t'aurait tout expliqué elle-même...

— Ça va, Manon, je m'excuse. »

Guillaume bouillonnait encore sur son siège. Il se passa la main dans les cheveux. Devant lui, il croisa le regard amical de Jake qui l'encouragea d'un mouvement du menton.

Manon continua, en essayant de rester calme.

« Bien, s'il ne s'agit pas de Yolande, qu'est-ce que tu voulais me dire alors? » questionna Manon.

Toujours aussi perturbé par l'évocation de Yolande et Mady, Guillaume annonça d'une voix blanche, l'esprit ailleurs :

« C'est Connie. Je l'ai vue ce matin. »

Manon ne cacha pas un mouvement de contrariété, mais ne fit aucun commentaire. Par dépit, Guillaume leva la main vers sa sœur et poursuivit :

« Je sais, tu n'aimes pas beaucoup Connie. Il va pourtant falloir que tu fasses des efforts.

— T'as décidé de *la marier*? »

La stupeur se lisait dans le regard de Manon. Elle savait qu'elle exagérait. Ce n'était en définitive qu'une demi-surprise. Il ne restait plus qu'à attendre la date fatidique...

Au sein d'une conversation qui prenait une tournure qu'il ne prisait guère, Jake s'imposa de rester neutre. À l'occasion toutefois, il lançait des regards empreints de reproches vers sa femme.

« Non, il n'a pas été question de mariage, répondit-il. Plutôt de bébé.

— Voudrais-tu dire que Connie est enceinte? Je croyais que... que vous vouliez attendre d'être mariés.

— Oui, c'est vrai... »

La remarque de Manon ajouta à l'embarras de Guillaume. Sa sœur le remarqua, puis s'empressa de jeter ce qu'elle avait sur le cœur :

« Je trouve assez étrange que Connie tombe enceinte juste au moment où Mady arrive dans le décor. Une femme peut parfois... »

Guillaume coupa court aux insinuations de sa sœur.

« Qu'est-ce que tu vas chercher là? La grossesse remonte bien avant...

— Donc c'est un accident... Enfin, ça ne change pas grand-chose. Te voilà coincé maintenant.

— Ne sois pas négative, Manon. L'arrivée d'un bébé est une belle chose.

— Oui, quand l'enfant est voulu...

— De quoi te mêles-tu enfin? Pour ton information, Connie et moi, nous nous entendons très bien. Je l'aime et je pense que nous pourrons arriver à quelque chose de sérieux en y mettant chacun de la bonne volonté.

— Ça ne suffit pas toujours, tu sais. Pense à l'enfant! Qu'allez-vous faire si ça ne fonctionne pas malgré tout entre vous?

— Figure-toi que je n'ai pas eu vraiment le temps d'imaginer les scénarios de ce genre. Ces jours-ci, tout se bouscule dans ma tête... et Connie n'est pas dans un meilleur état que moi. »

Pour une fois, Guillaume montrait ses sentiments. Manon ne s'en émut pas pour autant et jeta, un peu durement :

« Décidément... Mady aussi était enceinte quand t'es parti...

— Manon! »

Jake venait d'intervenir. Sa femme commençait singulièrement à pousser le bouchon un peu loin. L'interpellée rougit sous le reproche évident et se mordit la lèvre supérieure.

Guillaume se leva, hésita, puis quitta la table en secouant

la tête d'un air dégoûté. Jute avant de partir, il lança brièvement :

« J'espérais plus de compréhension, Manon. On se reparle
plus tard, quand tu seras prête. »

Guillaume tourna les talons et s'éloigna. Manon porta sa
main devant ses lèvres et secoua la tête en regardant désespérément son mari :

« Des fois, Manon, tu parles beaucoup trop! T'as fait mal
à Guillaume... Très mal. Essaie d'être un peu plus compatissante et posée, ce n'est plus un gamin...

— Je fais des efforts pourtant. Parfois, ça sort bien
malgré moi. Je n'aime pas cette Connie.

— Qu'est-ce qui te permet d'avoir une telle aversion pour
elle? Tu la connais à peine.

— Cela me suffit. Nous n'avons rien en commun toutes
les deux.

— Tiens donc! Ce n'est pas avec toi qu'elle doit avoir des
choses en commun, mais avec ton frère... Il me semble que
nous en avons déjà parlé... Arrête de penser à ce qu'il peut y
avoir entre Connie et toi. Pense plutôt à ce qu'il peut y avoir
entre Connie et Guillaume. »

Après un bref silence, Manon reprit :

« C'est vraiment ainsi que j'agis?

— Oui. Tu ne t'en rends même pas compte! Dès qu'il
s'agit de ton frère, tu deviens déraisonnable au possible.
Combien de fois faudra-t-il revenir sur cette discussion pour
que tu comprennes pour de bon?

— C'est que je veux tellement que Guillaume soit
heureux!

— Si c'est le cas, lâche-le un peu. Laisse-le prendre l'essor
dont il a besoin. Il lui arrive quelque chose qui peut se
révéler merveilleux.

— J'ai si peur que Guillaume revive la même expérience
douloureuse qu'il a connue avec Mady.

— Lui aussi doit avoir peur. Tout arrive brutalement. Et,
je suis sûr que, quelque part dans son cœur, ton frère doit
songer à Mady et à l'enfant qu'elle a eu de lui. Il y a un parallèle assez désagréable.

— Il y a de quoi être bouleversé...

— Je ne te le fais pas dire. »

Manon semblait penaude. Elle se rendait compte une fois de plus qu'elle n'avait pas vraiment agi de la bonne manière face à Guillaume. Suite à leur dernière escarmouche, elle se demandait comment s'y prendre pour réparer les pots cassés... C'est Jake qui proposa :

« Nous allons l'inviter à la maison. Ou tiens, mieux encore, je pourrais lui offrir un billet pour le prochain match de baseball. Cela me servira de prétexte pour aborder le sujet.

— Tu oublies un détail : depuis que notre équipe a été vendue, le baseball l'intéresse beaucoup moins.

— C'est vrai. Guillaume était un fan des Expos. Bah! On peut quand même aller voir un autre sport. Le soccer, tiens. l'Impact de Montréal est justement dans une bonne passe. De toute façon, ce n'est pas vraiment important. L'essentiel, c'est de l'aider dans la mesure de nos moyens.

— J'aurais aussi besoin de m'entretenir en privé avec lui. C'est bien que tu prépares le terrain. Tu es plus tranquille que moi.

— Tu sais bien que ce n'est pas toujours le cas! » souffla doucement Jake en aidant sa femme à enfiler sa veste.

Ils partirent à rire tous les deux aux souvenirs de discussions vives qu'ils avaient parfois. Jake régla l'addition et raccompagna son épouse au bureau. Avant de la laisser, il lui précisa qu'il se chargerait d'appeler Guillaume.

* * *

À son réveil, Mady sursauta quand elle découvrit Yolande juste à côté d'elle. Un instant, elle se dit qu'elle dormait encore. Elle se leva et salua la petite fille comme si c'était naturel de la trouver ici. D'une voix troublée cependant, elle affirma :

« Manon m'a tout expliqué... »

Ce à quoi Yolande répondit :

« Je suis au courant. Je vous ai vues toutes les deux. Je suis contente qu'elle l'ait fait.

— Pourquoi Manon ne peut-elle pas te voir comme moi? »

La petite fille souleva les épaules.

« Je ne peux pas l'expliquer. J'ai essayé de me manifester quand elle est venue faire la décoration de la maison de Rivière-des-Prairies, sans succès. Son esprit était trop fermé, j'imagine...

— Je ne suis pas sûre que le mien soit plus ouvert pour autant...

— Vous faites erreur, Mady », affirma l'enfant.

Son ton ébranla Mady. Elle convint de se laisser conduire par les événements, aussi insolites qu'ils puissent paraître. Le temps de se faire à l'idée, elle questionna plus à fond sa visiteuse.

« Qu'est-ce que tu attends de moi à présent? Je dois t'aider à trouver la lumière au bout du tunnel ou quelque chose du genre? »

Le commentaire tomba à plat. Il est vrai que Yolande était jeune. Elle n'avait certainement pas eu l'occasion d'entendre des témoignages sur l'au-delà et sur les expériences *post mortem* vécues par certaines personnes!

« Manon était mon amie. J'aurais bien aimé entrer en communication avec elle. »

La nostalgie de l'enfant n'affecta pas Mady qui, un peu courroucée, continua :

« Je suis un peu dépassée par les événements. Mes sentiments sont à fleur de peau ces jours-ci... »

Le rire de la fillette troubla encore plus Mady.

« Je sais. J'ai bien vu que vous étiez avec Guillaume... Vous êtes amoureux tous les deux, ça se voit...

— Qu'est-ce que tu as vu exactement? »

La gêne de Mady était grandissante soudain.

« Oh! rassurez-vous, je suis partie juste après les bisous. Je sais être discrète. »

La légèreté avec laquelle Yolande parlait de leurs ébats déstabilisa Mady. Le feu aux joues, elle préféra changer de sujet.

« Qu'est-ce que je dois faire? »

La fillette perdit instantanément son sourire espiègle et jeta, d'une voix qui emplit toute la pièce et qui se reproduisit tel un écho :

« Il faut vite retrouver mon frère. Il est perdu sinon. »

Ce disant, l'enfant disparut, laissant Mady avec un chapelet d'interrogations. Ses appels restèrent vains. De guerre lasse, elle résolut de se rendre à la bibliothèque du quartier pour y faire des recherches. Mentalement, elle remercia son jeune voisin, Jacques Leroux, de lui avoir appris le b. a.-ba du Web.

Plusieurs heures après, Mady revenait méditative. En passant par le système informatisé des archives, elle était remontée à la couverture médiatique du décès tragique de Yolande. Plusieurs journaux avaient en effet relaté le drame à l'époque. Si chacun y allait de ses commentaires, à partir des conseils de prudence jusqu'aux remèdes pour lutter contre l'hypothermie, tous insistaient sur le courage du jeune Guillaume Bélanger. Il avait réussi à sortir son ami des eaux glacées de la rivière. Mady apprit par ailleurs qu'on avait remis à Guillaume une médaille du mérite pour son héroïsme.

La curiosité de Mady n'était pas satisfaite par ces entrefilets. Aussi se rabattit-elle sur l'identité de la petite Yolande. Avec l'aimable collaboration des employés de la bibliothèque, elle remonta à Luc et Yolande Marquis. Tandis qu'elle surfait dans la rubrique des annuaires en ligne, elle tomba enfin sur plusieurs Luc Marquis avec, bien sûr, plusieurs numéros de téléphone et adresses. Comment identifier à coup sûr le bon Luc Marquis? s'interrogea Mady sur le chemin du retour. De toute façon, elle essayait d'imaginer ce qu'elle pouvait faire avec cette information...

Chapitre XV

Connie s'observait dans le miroir qui lui faisait face. Après un long moment de prostration, elle posa ses doigts effilés sur son ventre encore plat. Ne pouvant réprimer une bouffée d'angoisse, elle soupira en s'asseyant sur son lit. Du coup, un torrent de larmes coula.

« Qu'est-ce que je vais faire? » lança-t-elle soudain en serrant les mâchoires.

Du fond de sa détresse, elle souhaita avoir Guillaume à ses côtés. Il était si fort et si sûr de lui. À cette pensée, elle se rendit compte avec horreur qu'elle était devenue une de ces femmes dépendantes, incapables d'assumer seules les événements importants de leur vie.

Agrippant son peignoir, elle se redressa en séchant ses larmes, puis, tout en se couvrant les épaules, elle tendit la main vers le téléphone. Ce fut un auditeur attentif qui accueillit son trouble.

* * *

Guillaume avait finalement pris connaissance du fameux message de Mady au sujet de Yolande.

« Pour qui se prend-elle en se permettant de fouiller dans notre passé comme ça! » pesta-t-il en tapant avec la paume de sa main sur le meuble à sa portée.

Il s'était bien gardé de penser à elle ces derniers temps, histoire de se libérer de ses penchants manifestes qui persistaient.

Il songea un instant l'appeler pour lui faire connaître sa façon de penser. Puis il soupira. Non. Il ne le ferait pas, pour la simple et bonne raison qu'il n'avait nulle envie d'évoquer la disparition tragique de Yolande. Son incapacité à garder près de lui les êtres chers ne regardait pas Mady. Le bébé que portait Connie s'imposa à lui.

Il eut peur soudain, très peur.

Cette sensation étrange et désagréable perdura malgré ses efforts. En relevant la tête, il croisa le portrait de Mady sur le mur et soupira. D'un pas décidé, il décrocha le tableau et alla le déposer dans un coin du garage, face contre le mur. Il repartait quand il avisa une couverture. Il l'attrapa et en recouvrit la toile.

« Je pourrais la lui offrir... en cadeau d'adieu », souffla-t-il, le cœur serré.

Après un coup d'œil à sa montre, il sauta dans sa voiture pour se rendre chez Connie. Devant chez elle, il dut laisser le passage à une Chrysler noire avant de s'engager dans le stationnement de l'immeuble. Connie sembla surprise à la vue de Guillaume. Elle afficha un sourire sincère et l'invita à entrer :

« *Allo*. Quelle belle surprise! Pourquoi ne m'as-tu pas prévenue de ta visite? J'aurais rangé un peu.

— Te connaissant, il ne doit pas y avoir plus de trois choses qui traînent. »

Connie sourit en reconnaissant qu'il avait raison.

« Je te sers quelque chose?

— Oui, comme d'habitude. »

Guillaume hésita à lui parler de son trouble. Finalement, il décida de profiter de la présence de Connie, ce que la jeune femme sembla apprécier à sa juste valeur. Il la laissa raconter sa journée avec la volubilité qui la caractérisait. Elle semblait avoir oublié qu'elle attendait un enfant et parlait de ses projets d'avenir sans jamais mentionner le bébé. Guillaume la regarda en face, avant de lui dire :

« Est-ce que tout va bien, Connie? »

La jeune femme s'arrêta, fit virevolter ses cheveux autour de ses épaules en signe de contentement.

« Oui, Guillaume. Pourquoi?

— Tu sembles avoir un peu bu... »

Connie éclata de rire et avoua :

« Un peu. Je porte un toast au renouveau de notre vie.

— Connie! L'alcool n'est pas bon pour le bébé et cela ne te réussit pas, tu le sais très bien. »

Pour un peu, en songeant à son comportement chez sa

sœur avec Mady, il aurait ajouté que cela ne lui profitait pas à lui non plus. Il s'abstint cependant.

« Oh! Ce n'est pas bien grave, juste un ou deux verres.

— C'est déjà trop. Que se passe-t-il? »

Guillaume se leva et prit les deux verres des mains de Connie. Il fila dans la cuisine et fit disparaître leur contenu dans l'évier. Il obligea ensuite Connie à s'asseoir. Il n'avait pas besoin de forcer sa colère depuis le message de Mady :

« *Coudonc*, Connie! Est-ce que le fait de porter notre enfant t'indispose tant que tu ne sais plus comment réagir?

— Pourquoi es-tu si rabat-joie, *pitounet* chéri? Je n'ai aucune envie de me *chicaner* avec toi », minauda Connie en rampant presque sur Guillaume. Cherchant un effet, elle plongea ses yeux verts troublants dans ceux de l'homme.

Sa manœuvre ne rencontra pas l'effet escompté. Guillaume la repoussa un peu rudement.

« Il semble que tu as bu plus de deux verres. T'es toute *croche!* Connie, c'est dangereux. Aussi bien pour toi que pour le *flo!* Nous pouvons parler, Connie. Je t'ai dit que je serais là. Je ne vais pas te laisser tomber. Nous formerons une belle famille. »

Connie fondit soudain en larmes en réalisant que Guillaume était sérieux. Elle marmonna, en sanglotant :

« Guillaume, comment peux-tu être aussi gentil avec moi?

— Pourquoi dis-tu ça?

— Nous n'avions pas prévu avoir d'enfants. Nous ne formions même presque plus un couple et tout à coup... tout à coup... »

Un autre spasme l'étreignit et Guillaume lui massa doucement le dos.

« Connie, tu es une chic fille. Tu traverses une passe difficile, c'est tout. Tu dois simplement accepter ce qui arrive. C'est *pas si pire* quand même, non? Nous avons des sentiments l'un envers l'autre?

— Oui, je t'aime, Guillaume. Je t'ai toujours aimé. »

Guillaume déglutit en se rendant compte que ses propres sentiments n'allaient pas aussi loin. Il s'entendit répondre néanmoins :

« Connie, ce petit *flo*, nous l'élèverons ensemble. Nous

ferons tout pour qu'il soit heureux. Tu veux le garder, n'est-ce pas?

— Je n'arrive pas à me faire une idée! » avoua-t-elle enfin dans un accès de lucidité pour finalement partir à rire d'une façon presque hystérique.

Son hilarité fut de courte durée et Connie finit par s'endormir sur Guillaume. Il l'emmena dans sa chambre et la couvrit avant de s'installer à côté d'elle. Le sommeil l'emporta après de multiples soubresauts.

* * *

Marianne et Mary-Gaëlle sirotaient une orangeade sur la terrasse intérieure d'un centre commercial quand Hishimo se présenta, un bouquet de roses rouges dans les mains. Mary-Gaëlle jeta un regard oblique vers son amie pour saisir sa réaction et fut enchantée de la voir sourire. Marianne prit les fleurs et informa son amie, avec un petit air satisfait :

« J'étais au courant qu'il viendrait si tu veux tout savoir! »

Hishimo s'installa, les yeux rieurs.

« Je vais vous laisser à vos discussions. Vous avez sans doute une multitude de choses à vous dire.

— Loin de moi l'idée de vous faire fuir, Mary-Gaëlle.

— Là n'est pas la question, ne vous tracassez pas... De toute façon, je dois voir quelqu'un, moi aussi... »

Cette fois, c'est Marianne qui jeta un regard étonné à son amie.

« Ne prends pas cet air-là! Philippe m'attend. C'est tout.

— Tiens donc, Philippe? Et vous vous rencontrez juste comme ça?

— Pourquoi pas?

— Je ne sais pas... Quelque chose me dit que vous vous voyez plus souvent depuis quelque temps... »

Mary-Gaëlle rit franchement mais préféra laisser les propos de son amie en suspens. Elle prit son sac et se sauva avec un petit salut de la main. Hishimo commanda rapidement une bière et versa sereinement son contenu dans le verre que la serveuse avait apporté. Finalement, il releva la tête et demanda, à brûle-pourpoint :

« T'es-tu enfin décidée à aller voir ce Guillaume, au Canada?

— Rien ne presse! Ma mère est déjà avec lui. J'irai au Canada quand ce sera le temps pour moi. Je suis sûre que mon père est quelqu'un de bien, mais j'ai peur tout de même... Et pourtant, d'un autre côté, j'ai hâte de le rencontrer.

— Tout ceci est bien contradictoire. »

Le ton d'Hishimo eut l'heur de cabrer Marianne. Aussi jugea-t-elle nécessaire de s'expliquer :

« C'est une histoire un peu compliquée. Tout de même. Ma mère s'est retrouvée enceinte de lui et il est parti.

— Ah! C'est là, le problème.

— Non. Qu'est-ce que tu vas chercher? Ce n'est pas un problème d'avoir un enfant. C'est bien.

— Pourquoi es-tu si irascible alors?

— Je ne suis pas irritable! »

Hishimo se releva légèrement, se pencha par-dessus la table. Il murmura, juste dans le creux de l'oreille de Marianne qui ne bougea pas :

« C'est parce que tu ne t'entends pas parler. »

Il ponctua sa phrase d'un baiser juste en dessous de l'oreille et se rassit tranquillement. Machinalement, Marianne toucha l'endroit avec ses doigts puis regarda Hishimo. Finalement, elle baissa la tête pour la relever aussitôt :

« Bon, c'est vrai! Je suis égoïste. Je ne sais pas... Il n'a pas vraiment manifesté le désir de me voir non plus... J'ai essayé d'imaginer notre rencontre...

— C'est ton côté romanesque...

— Je ne suis pas plus fleur bleue qu'une autre...

— Tu vois, tu montes encore sur tes grands chevaux...

— Tu as le don de me faire sortir de mes gonds.

— Non, Marianne, ne te mens pas. Je ne suis pas en cause. Je ne fais que ressortir ce que tu ressens.

— Mmm! Je pourrais aller voir un psy pour ça.

— Il faudrait que tu le payes. Tandis que moi, je m'offre irrémédiablement à toi. Et tu profites en plus de mon agréable compagnie. C'est le summum, non? »

Marianne se mit à rire devant la nonchalance d'Hishimo et secoua la tête.

« Tu es toujours aussi impossible à saisir?

— Je ne me vois pas comme un mystère. Au contraire. J'étale mes cartes. Tu connais mes sentiments pour toi et je veux que nous partagions du temps ensemble pour que tu me connaisses davantage... La formule est réciproque, bien sûr.

— Voilà tout un programme.

— Ce n'est que l'ouverture.

— Et cela se joue en combien d'actes?

— Ça, c'est à nous de l'écrire.

— Bien. Nous verrons où nous irons dans ce cas. »

Le ton était beaucoup plus léger à présent. Aussi léger soudain que ce petit vent qui venait caresser les deux jeunes gens.

* * *

André Corneau sursauta et décrocha vite le combiné, l'esprit embrumé par la phase de sommeil lent déjà bien avancée d'où on venait de le tirer. En reconnaissant la voix de son fils Julien, il s'inquiéta jusqu'à ce qu'il l'entende parler des contractions de Marie. Il raccrocha et réveilla doucement Sarah pour lui annoncer la nouvelle. Ils se regardèrent avant de se lever d'un même mouvement. Pour rien au monde ils ne voulaient manquer cet événement majeur. Un coup frappé à leur porte les arrêta dans leur préparation.

Vanessa apparut en pyjama.

« J'ai entendu le téléphone, expliqua-t-elle. Est-ce que ça va?

— Marie va avoir son bébé, confia sa mère. On file à l'hôpital...

— Je peux venir avec vous? S'il vous plaît! »

André et Sarah, trop heureux de la situation, ne se virent pas le droit de refuser cette simple demande. Surtout que les yeux de Vanessa se faisaient tantôt implorants, tantôt revendicateurs...

« Super. Je vais me préparer... Je vous rejoins en bas.

— Parfait. Je vais passer un coup de fil à Frédéric pour le prévenir. Je suis sûre qu'il ne dort pas encore. »

Dans la voiture, sur le chemin de l'hôpital, André Corneau essayait de rassurer son épouse. La discussion avait commencé plus tôt dans leur chambre.

« Tout ira bien, Sarah, tu verras.

— C'est ce que j'essaie de me dire... Je ne peux pas m'empêcher d'y penser, sachant que Mady a accouché dans ce même hôpital...

— Sarah, s'il te plaît.

— Oui, je sais, mais je ne comprends pas pourquoi ils n'ont pas choisi un autre hôpital ou une autre clinique, continua Sarah.

— Celui-ci était le plus proche de leur domicile, voilà tout. En plus, l'obstétricien qui s'est occupé de la grossesse de Marie exerce justement au Centre hospitalier de la Flèche. Marie a toute confiance en lui. Ne t'inquiète pas inutilement. Cet hôpital est très bien réputé malgré ce qui a pu se passer avec Mady.

— Tu as sans doute raison... Tout ceci remonte à vingt ans... Mais c'est plus fort que moi...

— Tu te fais du souci pour rien. Pense plutôt à toutes ces femmes qui ont accouché dans cet hôpital depuis toutes ces années et qui sont rentrées chez elle avec leur enfant. S'il y avait eu d'autres cas, on l'aurait su. De toute façon, tu sais très bien qu'il y a eu une enquête suite à la plainte de Mady et Marianne.

— Oui... Et cela n'a rien donné. Le dossier est clos », ajouta Sarah en regardant vaguement l'extérieur.

Vanessa, assise à l'arrière, avait écouté. Elle connaissait la tragique histoire qui était arrivée à sa tante, mais n'avait pas fait le rapprochement avec l'hôpital où sa belle-sœur allait accoucher. Elle devenait inquiète à son tour malgré les mots rassurants de son père.

L'adolescente toussa. Sarah avait presque oublié la présence silencieuse de sa fille. Elle se retourna.

« Tout ira bien, ma chérie. Tu sais comme je suis. J'ai une imagination débordante...

— Comment l'ignorer? Papa n'arrête pas de le répéter. »

Le commentaire de Vanessa déclencha dans la voiture un

accès de bonne humeur qui écartait les réminiscences obscures de l'accouchement de Mady. Avant de reporter toute son attention sur le moment que la famille s'apprêtait à vivre, elle se félicita que Mady soit encore au Canada.

« Cela lui évitera ainsi une visite dans cet hôpital. »

* * *

La perplexité de Mady venait d'être alimentée par une nouvelle expérience troublante. Le tout avait commencé en début d'après-midi quand elle avait ressenti un accès de fatigue. Voulant reprendre des forces, elle s'était assise dans un fauteuil du salon. Sans qu'elle le veuille, ses pensées dérivèrent naturellement vers Yolande.

Le combiné téléphonique était tombé de son socle. Comme ça, tout seul. Mady se contenta de penser qu'elle l'avait mal replacé sur sa fourche. Elle y remédia. Néanmoins, en retournant s'asseoir, l'objet chuta une nouvelle fois. Cette fois, elle resta debout à regarder le combiné pendre sur son fil et effleurer le sol. Un rire de fillette se fit entendre, puis, plus rien. Mady se sentit glacée soudain et elle fit un tour sur elle-même à la recherche d'une présence.

« Yolande? C'est toi? »

Mady se rendait compte qu'elle parlait aux murs. Elle préférait ne pas aller trop loin dans son raisonnement pour autant. Elle tenait le combiné en main quand elle entendit distinctement une voix de femme au bout du fil. Elle porta l'appareil à son oreille et écouta. La voix parlait anglais. Mady s'excusa, expliqua avec un vocabulaire rudimentaire qu'elle ne parlait pas cette langue. La voix reprit de plus belle en français :

« Que me voulez-vous? Qui êtes-vous? »

De peine et de misère, la pauvre Mady bredouilla des excuses :

« Désolée, madame. Je ne vous ai pas appelée. Le téléphone est tombé, puis... Je ne comprends pas ce qui se passe... »

Mady raccrocha, stupéfaite. Elle ne lâcha plus le téléphone du regard. Effarée, elle laissa de nouvelles sonneries résonner avant de répondre au bout de la troisième... Elle reconnut aussitôt la voix de la femme à qui elle venait de parler. Son interlocutrice avait haussé le ton :

« Écoutez, si c'est une plaisanterie, je la trouve de mauvais goût. Mon afficheur me permet de connaître votre numéro. Qui êtes-vous?

— Mady. Mady Lestrey. Et vous?

— Madame Marquis. »

Mady n'en crut pas ses oreilles en entendant la femme s'identifier, et un frisson descendit le long de sa colonne vertébrale. Elle serra fortement le combiné à s'en faire mal aux jointures.

« Vous avez dit Marquis? »

Mady se trouva stupide d'insister de la sorte, mais c'est tout ce qui lui était venu à l'esprit sur l'instant.

L'autre voix répliqua aussitôt :

« Oui, Marquis. Pourquoi? Cela vous surprend?

— C'est-à-dire que...

— Parlez plus fort, s'il vous plaît. À mon âge, je n'entends plus très bien.

— Oh! Excusez-moi, madame. Connaîtriez-vous un certain Luc Marquis?

— Luc Marquis, oui. C'est mon fils. Vous le connaissez? Vous êtes une de ses amies? »

* * *

Manon rentra chez elle assez tard après une dernière réunion d'affaires. Jake lui indiqua qu'il avait déjà couché Duncan.

« Il refusait de dormir tant que tu ne serais pas là.

— Il est toujours pareil. S'il n'a pas ses deux câlins le soir, des *becs* partout, il est capable de résister longtemps!

— Oui, mais pas cette fois. Il s'est écroulé comme une masse. Il s'est beaucoup dépensé au *soccer*.

— Merci, Jake.

— C'est normal. Et cette journée?

— Épuisante. Moi aussi, je vais m'écrouler comme une souche.

— Tu vas d'abord manger.

— Je n'ai guère d'appétit.

— C'est cette promotion qui te tracasse?

— Un peu, mais c'est normal. T'inquiète pas. Je prendrai la bonne décision. Parle-moi plutôt de ta sortie avec Guillaume. Comment ça s'est passé?

— On a bien *jasé*. Nous avons partagé un bon moment. Dans un premier temps, je crois que nous devrions les inviter, Connie et lui, à venir manger à la maison. J'aimerais bien la connaître un peu plus, moi aussi.

— Si tu le dis. On pourrait aussi inviter Mady tant qu'à y être...

— Allez, *envoye donc*! Un peu plus d'enthousiasme serait le bienvenu... »

Manon esquissa un pauvre sourire.

« À cette heure-là, ne t'attends pas à des miracles! C'est déjà pas si mal.

— Il faudrait tout de même que tu règles ton problème avec Guillaume avant.

— Je sais. Je ferai une tentative demain. »

Jake et Manon passèrent le reste de la soirée sur la terrasse. Le ciel était magnifique et la lune montrait ses rondeurs sous une couleur rousse.

* * *

Les heures s'écoulaient, et des cris de douleur parvenaient à l'occasion des salles de naissance. Les lieux avaient bien changé depuis les souvenirs de Sarah. Finis les murs ternes et austères! Les couleurs s'affichaient, et des fresques de bébés tapissaient les cloisons les plus en évidence.

Ils étaient assis dans un petit salon en retrait. André et Sarah étaient partis se dégourdir un peu dans le couloir. Vanessa regardait au loin, l'esprit aux récents événements. Ses yeux s'arrêtèrent soudain devant un jeune homme aux cheveux hirsutes et à la barbe naissante. Elle se leva et l'interpella, hésitante :

« Fabian? Que fais-tu là? »

Le jeune homme afficha un pâle sourire devant Vanessa, puis s'installa à côté d'elle.

« Et toi? Tout va bien?

— Oui. Ma belle-sœur est sur le point d'avoir son bébé.

— Oh! Bien. Tu vas être tatie alors?

— Oui. Je suis contente.

— Et ton séjour à New York? Comment ça s'est passé? Tu sembles différente, heureuse...

— C'est vrai. Ce n'est pas ton cas, par contre. Tu as une mine épouvantable. Est-ce que ça va? Tu ne m'as toujours pas dit ce que tu faisais ici. »

Fabian hésitait à se confier. Il était tellement embrouillé depuis sa découverte. Il remarqua les parents de Vanessa dans la salle d'attente qui leur jetaient des regards discrets. Finalement, il décida d'emmener Vanessa à l'écart et confia à son amie ce qu'il avait appris sur son père.

* * *

Connie ouvrit la porte après avoir entendu frapper assez fortement.

« C'est quoi ton problème? lui jeta l'homme en la voyant. J'suis *tanné, là*! Ça fait au moins dix minutes que j'attends devant la porte! Tu me prends pour qui? »

Connie esquissa un sourire contrit.

« J'étais au téléphone. Je suis désolée. Entre. »

L'homme de grande taille obtempéra sans attendre et bougonna encore :

« C'était qui?

— Comment ça, c'était qui?

— Ben, au téléphone! »

Connie sembla sur le point de répliquer quelque chose mais se contenta de répondre docilement.

« Ma mère... c'était ma mère.

— T'as pas intérêt à me mentir! T'as *l'esprit ratoureux* des fois.

— Pourquoi es-tu si dur avec moi, Bart? »

L'homme au regard de braise s'adoucit soudain et s'approcha tendrement de Connie. Il l'enlaça et l'embrassa fougueusement avant de lui tenir la tête fortement entre ses deux grandes mains :

« Qu'est-ce que tu racontes? Je ne suis pas dur avec toi. C'est toi qui n'es pas *fine*. Des fois, je me demande même si tu joues franc jeu avec moi. Il ne t'est pas venu à l'idée de me laisser pour un autre, j'espère?

— Mais non, voyons. Qu'est-ce que tu vas penser là? »

L'homme serra la tête de Connie un peu plus fort.

« Tu me fais mal, Bart, arrête.

— Il faut me comprendre. Je suis fou amoureux de toi. À l'idée que tu pourrais me quitter pour un autre, ça me met en rogne. C'est vrai que j'ai pas été très souvent à tes côtés, ces derniers temps. J'avais des affaires à régler. Il faut bien vivre, tu comprends?

— Oui, bien sûr. »

Connie embrassa tendrement son compagnon qui se relâcha progressivement. Son cœur s'emballait à chaque fois. Elle était de plus en plus en besoin de lui. Il commanda alors :

« T'aurais pas quelque chose à boire? Une bière?

— Attends-moi, j'arrive tout de suite.

— Super, tu es un amour. Je vais m'installer sur le fauteuil. Je suis claqué. »

Connie avait à peine tourné le coin pour aller dans la cuisine que le dénommé Bart appuyait sur le bouton du répondeur pour écouter les messages personnels de la jeune femme.

* * *

Fabian semblait marcher avec plus de vigueur quand il repartit, lançant à Vanessa un coucou par-dessus son épaule. Elle était apaisée aussi. Ce qu'elle venait d'apprendre l'avait tout d'abord plongée dans une réalité de la vie qu'elle aurait préféré ne jamais connaître. Finalement, elle avait dit ce qu'elle avait sur le cœur et parlé de sa propre expérience. Elle avait appris à Fabian qu'elle s'était confiée à ses parents, et que son choix avait été le bon. Vanessa se sentait bien pour la première fois après des mois d'angoisse. À présent, elle avait pris ses responsabilités à bras-le-corps. Elle voulait lutter et non plus subir. C'est ce qu'elle avait expliqué à Fabian qui, lui aussi, devait lutter, réagir... Le jeune homme promit et

Vanessa avait la conviction que c'est ce qu'il allait faire. Comment, elle l'ignorait... L'arrivée de ses parents pour lui annoncer qu'une petite Émilie était née lui changea les idées et ils partirent bien vite rejoindre Marie et Julien. Sarah fut soulagée de constater que Julien suivait fidèlement sa fille dans les différents examens. Elle soupira enfin d'aise quand elle entendit Marie affirmer qu'elle voulait le lit de son enfant dans sa chambre même durant la nuit. Elle lança un simple regard vers André sans faire de commentaire superflu. Son cœur pouvait se réjouir pleinement à présent...

* * *

Guillaume arriva en avance chez sa sœur et son beau-frère. Connie était avec lui. Il avait pris soin d'appeler Manon pour qu'elle accueille correctement la jeune femme. Sa sœur n'avait guère apprécié, de toute évidence, de se le faire dire. De ce fait, Guillaume ne s'attendait pas à une soirée des plus agréables. Il lui arrivait de regretter le temps où sa sœur et lui s'entendaient si bien et se disaient tout ou presque. Honnêteté oblige, il savait qu'il était en grande partie responsable.

D'entrée de jeu, Connie salua timidement Manon et lui tendit les fleurs qu'elle avait soigneusement choisies pour l'occasion.

« Entrez. Jake vous attend au salon. »

Guillaume embrassa sa sœur, puis entraîna Connie tout en cherchant Duncan du regard.

« Il est chez ses grands-parents.

— C'est dommage. Moi qui me faisais une joie de le voir.

— J'ai pensé que la soirée serait plus *l'fun* entre adultes.

— Vous avez sans doute raison », intervint Connie en reprenant de l'assurance et en serrant la main tendue de Jake.

Guillaume ne parla guère durant la soirée. Connie compensa largement en pépiant avec légèreté. Jake semblait la trouver bien agréable, car il discutait avec autant d'animation qu'elle. La maîtresse des lieux n'était pas en reste non plus; il était évident qu'elle faisait d'énormes efforts. Face à tout ce beau monde jouant un rôle, Guillaume avait souvent l'impression d'être en décalage et agissait comme un observateur. Il reconnaissait à peine Manon tant elle était enjouée. Elle, de nature si peu encline à faire des efforts ou des compromis, elle qui avait toujours crié haut et fort qu'elle n'aimait pas Connie, discutait à présent sans retenue. Il devait le reconnaître, il aurait dû se sentir soulagé, mais il n'y arrivait pas! Son esprit partait irrémédiablement vers Mady.

Il était perplexe...

Il avait essayé de la joindre sans succès pour finalement se rendre compte qu'il avait un message de sa part sur son répondeur. Mady lui disait qu'elle était partie faire une visite à Vancouver et qu'elle serait de retour d'ici une semaine tout au plus. Cette nouvelle n'avait pas manqué de l'intriguer. Qu'est-ce que Mady mijotait à la fin? Connaissait-elle quelqu'un là-bas?

Il dut se concentrer pour être attentif à la tablée. C'est d'ailleurs de leur mariage dont il était question quand il reprit pied dans la conversation pour un temps.

Leur mariage... Depuis quelques jours, Connie avait continuellement de nouvelles idées pour la célébration et passait toute son énergie à se faire conseiller auprès de toutes les grandes maisons spécialisées dans ce genre d'événements.

Elle s'était lancée, non sans un certain humour, dans les difficultés qu'elle rencontrait, en omettant toutefois de signaler que Guillaume ne s'impliquait pas outre mesure dans le processus des préparatifs. Se montrant attentive, Manon n'alla pas jusqu'à proposer son aide. Guillaume se dit qu'il devrait certainement lui demander de faire un geste. Pour l'heure, il n'en avait pas envie. Il se rendit compte qu'il en avait assez de rester sur ses gardes et de tenir tout le monde à distance. Cela voulait-il dire qu'il était enfin prêt à affronter son passé? Rien n'était moins sûr.

* * *

Marianne venait de raconter à sa mère qu'elle fréquentait assez régulièrement un garçon depuis peu. Rougissante, elle lui avoua qu'il s'agissait de l'instigateur des singulières livraisons de fleurs.

« Et comment est-il, ce jeune homme? Est-il aussi intéressant que ses envois? »

Le sourire taquin n'échappa pas à sa fille, qui secoua la
tête en souriant à son tour.

« Il est gentil, c'est vrai. Nous rions assez. Pour tout vous
dire, je ne sais pas trop où nous allons. Cela va très vite en
fait, sans doute trop vite.

— Il te fait peur? »

Marianne s'empressa de la dissuader.

« C'est un homme qu'on suivrait au bout du monde, je
crois. Enfin, on peut lui faire confiance. C'est étrange de
dire cela. Je le connais si peu et, pourtant, quelque chose me
dit que c'est vrai. Ce qui m'angoisse un peu, c'est que tout
ceci ne me ressemble pas.

— Marianne, il se peut fort bien que tu sois tout simplement tombée sur quelqu'un de bien. J'ai du mal à croire qu'on
pourrait abuser de ta sagacité. Suis ton instinct, mon enfant.
Je te fais confiance, ton père aussi. As-tu parlé de lui à Mady?

— Disons que ce n'était pas le moment la dernière fois...
Au téléphone, ce n'est pas l'idéal...

— Bien sûr. Tout se déroule bien pour elle?

— On dirait... Elle m'a annoncé qu'elle passerait quelques
jours à Vancouver. »

Éléonore ne put réprimer un sourcillement. Vancouver!
Ce n'était pourtant pas dans les plans de Mady. À moins
qu'elle ait décidé d'accompagner Guillaume en voyage
d'affaires... Sa curiosité était piquée. Elle se força à être le
plus laconique possible dans sa nouvelle question :

« Elle part seule?

— Oui. Je ne sais trop pourquoi. Elle s'est montrée assez
évasive en fait. J'avoue que cela m'a un peu inquiétée.

— C'est-à-dire?

— C'est vraiment difficile à expliquer. Quelque chose
dans sa façon de parler. Ses silences avant de répondre à mes
questions. M'a-t-elle sentie froide, distante? Des fois, cela
m'arrive, surtout au téléphone...

— Ne te blâme pas ainsi! C'est sans doute l'éloignement.
Tu te fais des idées. Tu devrais mettre ça au clair avec elle la
prochaine fois.

— Je ne sais même pas quand je la reverrai. En fait, j'éprouve un curieux sentiment à l'idée de mes parents, réunis là-bas, au Canada. Ça ne doit pas aller de soi d'être ensemble dans leur cas...

— Tu dois apprendre à gérer tout ça, d'autant que leur situation ne t'appartient pas. Comme je te le répète, prends une journée à la fois et assume seulement ce qui te revient.

— J'admets qu'en ce moment mes sentiments sont exacerbés et que...

— Justement, parle-moi davantage de ce garçon. »

De bonne grâce, Marianne s'exécuta :

« Il s'appelle Hishimo.

— Hishimo? De quelle origine est-il?

— C'est assez pittoresque, à son image en fait... (Marianne ne cacha pas un franc sourire.) Son père est américain, un Texan. Et sa mère est japonaise. Elle a été une véritable geisha. Il m'a montré des photos d'elle. C'est saisissant.

— Oh! Bien, voilà qui va nous ouvrir de nouveaux horizons. C'est un monde fascinant que je ne connais guère... Entre nous les sujets de conversation ne manqueront pas...

— Comme vous y allez, mère! Nous n'en sommes pas encore à nous présenter nos familles respectives. »

Malgré son ton légèrement indigné, Marianne riait pourtant. Sa mère était si proche d'elle en ces instants de partage. Elle avait toujours été là dans les moments importants, Marianne en avait bien conscience. Éléonore savait établir avec sa fille une complicité empreinte de respect.

Un instant, Marianne se revit lors de ses toutes premières menstruations. Elle avait eu honte de ce sang qui avait souillé son drap et sa culotte. Sa mère l'avait pourtant bien instruite des phénomènes reliés à son sexe. Mais on ne devient pas une jeune fille sans s'émouvoir un peu... Le jour même, mettant de côté toutes ses occupations, sa mère l'avait emmenée, et toutes les deux avaient fait les boutiques. Le midi, elles étaient allées au restaurant, toujours en tête-à-tête. C'est dans un duo parfait qu'elles avaient fêté son tout nouveau statut de « petite femme ». Marianne revint au présent avec un sourire des plus chaleureux.

« Et tu le vois ce soir? demanda doucement Éléonore en jetant un coup d'œil complice à sa fille.

— Oui, nous devons aller au cinéma.

— C'est bien. Essaie de te détendre, profite de chaque instant et tout rentrera dans l'ordre. Tu sais très bien que tu ne peux régler tout en quelques semaines.

— C'est sans doute vrai. Merci, mère. »

Chapitre XVI

De retour à la maison après cette nuit mouvementée marquée par la naissance de cette merveilleuse petite Émilie, Sarah se retrouvait au salon en compagnie de Vanessa et André. Maurice et Rhonda s'étaient discrètement éclipsés à l'étage. Ils se préparaient pour aller visiter la nouvelle maman à leur tour.

Sarah commençait à s'adapter face à la situation qu'elle vivait. Tout s'était enchaîné. L'aveu de paternité de Maurice, la naissance de sa première petite-fille... En moins de quelques heures elle était devenue grand-mère et la fille d'un Australien d'adoption...

Si cette dernière idée l'avait d'abord perturbée sans commune mesure, elle se surprenait maintenant à faire ouvertement de nouveaux projets qui incluaient Maurice et Rhonda. Vanessa profita de cet instant de calme et d'intimité.

« J'ai tout raconté à papa, commença-t-elle d'une petite voix encore remplie de remords. Je suis désolée de vous avoir caché si longtemps la vérité. Je voulais vous en parler, mais c'était pas possible. C'est que... »

Sentant la confusion dans les propos de sa fille, André intervint doucement et prit la relève. Il expliqua à son épouse ce qui s'était passé avec Vanessa durant ces dernières semaines; l'école, le racket qu'elle subissait, sa peur, son changement radical de comportement... Bouche bée, Sarah prit sa fille dans ses bras.

« Comment ai-je pu être aussi aveugle? Je suis vraiment désolée, Vanessa.

— C'est moi qui te demande pardon d'avoir été odieuse et méchante avec vous. Je ne voulais pas. Parfois, j'ai un caractère de cochon... »

Le trio se mit à rire devant ce dernier commentaire. Pour

la taquiner, André opina du bonnet et Vanessa émit même un hoquet de rire.

« Tout s'arrange, Van, tu vois? Je te l'avais bien dit.

— Oui, Vanessa. Et crois-moi, l'école va recevoir notre visite. On ne va pas laisser cette histoire en suspens. Nous serons tous ensemble pour lutter. »

* * *

Guillaume venait d'arriver chez Connie, radieuse de toute évidence de le revoir. Elle se laissa aller tout contre l'homme qui lui caressa le bras. Puis, il arrêta son mouvement et demanda :

« *Coudonc*, c'est quoi ce bleu? »

Connie suivit son regard et soupira :

« Je me suis cognée en ramassant quelque chose dans la cuisine. Je crois que ma peau devient fragile avec la grossesse. Je n'ai jamais tant marqué qu'en ce moment... C'est rien. Ça ne me fait même pas mal.

— Tu devrais faire plus attention dans ton état.

— T'inquiètes-tu pour moi ou pour le *flo*?

— Pour vous deux, tu le sais bien. »

D'une voix volontairement détachée, Connie lâcha :

« On n'entend plus parler de cette Mady ces derniers temps. Est-elle retournée chez elle?

— Non. Elle est partie dans l'Ouest. »

Connie se sentit bien à cette nouvelle. Elle redoubla d'attention pour Guillaume et mit tous ses charmes en avant. Guillaume ne la repoussa pas et apprécia l'entrain de la jeune femme. Dans un murmure, il demanda :

« Puis, ma douce, la grossesse, ça va? »

Connie souleva les épaules et soupira.

« Je passe mon temps dans la salle de bain! C'est épouvantable. Mais je veux avoir cet enfant avec toi.

— Il sera un vrai petit roi.

— Ou une petite reine, rectifia Connie dans un souffle, en ajoutant aussitôt :

— Tu n'as pas apporté de travail aujourd'hui? Cela ne te ressemble guère. »

Guillaume se souvint soudain que sa mallette était restée à son appartement. Il pesta et lui dit rapidement qu'il devait absolument rentrer chez lui... Contre toute attente, Connie n'en prit pas ombrage, bien au contraire. Mieux, elle lui fit promettre de lui faire connaître tous ses projets pour l'entreprise. Comme si souvent ces derniers temps, elle lui expliqua qu'elle voulait l'épauler. Guillaume apprécia encore l'intérêt manifeste de la jeune femme.

* * *

L'homme aux épaules de joueur de football américain gara sa Chrysler noire le long du trottoir et descendit. Il actionna le bouton pour verrouiller automatiquement les portières, puis poussa la porte du bâtiment. Devant l'ascenseur, il patienta en faisant alterner son poids d'un pied sur l'autre. Il pressait une petite balle de mousse orange dans sa main droite toutes les trois secondes. Enfin, les portes s'ouvrirent. En arrivant à l'étage de Connie Suisseau, le colosse croisa un homme. Cette vue l'indisposa.

* * *

Au double martèlement du heurtoir de la porte, Connie ouvrit, pensant que Guillaume avait oublié quelque chose, quand elle tomba nez à nez avec Bart Viscont.

« Bart? Qu'est-ce que tu fais ici? »

Connie Suisseau semblait effrayée et recula de quelques pas.

« Y a quelqu'un qui sort de chez toi?

— Quoi? Ben non, pourquoi?

— J'ai croisé un type devant l'ascenseur qui semblait venir d'ici. Ne me prends pas pour un *épais!*

— Tu te trompes, crois-moi! » jeta Connie sans réfléchir, d'une voix enrouée.

L'homme referma la porte derrière lui et s'avança au salon. Connie préféra changer de sujet et proposa bien vite un whisky au nouvel arrivant.

« Tu m'embrasses pas d'abord, ma poupée?

— Oui, bien sûr.

— T'as pris du poids. Faudra faire attention à ne pas devenir une baleine. »

Connie se retourna, les yeux flamboyants, et répondit :

« Je te rappelle que je suis enceinte! Et je n'ai pas encore pris de poids. C'est même plutôt le contraire...

— Ouais, mais ça va venir... C'est mon *flo* que tu portes. Faut qu'il soit beau. Par contre, ma belle, je n'apprécie pas le ton sur lequel tu me parles. Tu devrais faire attention si tu veux pas avoir de *trouble*.

— Je te parlerai sur le ton... »

Connie n'eut pas le temps de finir sa phrase qu'une gifle retentissante venait de la projeter sur le canapé.

La joue en feu, la future maman versa des larmes en regardant l'homme au-dessus d'elle. Doucement, elle se reprit :

« Bart, s'il te plaît, arrête. C'est sorti tout seul. Je ferai attention, je te jure. »

Bart sembla satisfait de l'empressement de la jeune femme et se donna le beau rôle.

« Bon, je passe l'éponge... On va faire la paix. Je prendrais bien un whisky avant qu'on ait du *fun*, toi pis moi.

— Je vais te servir, attends. »

Sentant qu'il avait le contrôle de la situation, Bart s'écrasa dans le canapé et alluma la télévision. D'une voix presque adoucie, il lança :

« Tu devrais mettre de la glace sur ta joue. Ça te fera du bien. C'est plus fort que toi, avec tes crises d'hystérie, tu m'obliges toujours à te calmer. C'est à croire que tu aimes vraiment ça... Nos petits extras, au lit, ne te suffisent pas?

— Je suis désolée, Bart. Tu as raison, je vais me mettre un peu de glace.

— Après mon verre, ma poupée! Chaque chose en son temps. *Envoye*.

— Oui, bien sûr », répondit la belle Connie, soumise.

Elle attrapa la bouteille de whisky et un verre. Sa main tremblait encore. Elle se tenait volontairement de dos pour que Bart ne la voie pas pleurer et se mette de nouveau en colère. Si elle redoutait au plus haut point ses crises, qui devenaient de plus en plus fréquentes, le souvenir troublant de leurs échanges intimes lui enjoignit la conduite à suivre. Tout comme ses sentiments. Bart était l'homme qu'elle aimait... Et Guillaume? Connie devait parfois jongler entre ses besoins et ses intérêts...

* * *

Marianne retrouva son amie Mary-Gaëlle et l'embrassa chaleureusement. La matinée avait été incertaine et la pluie s'était finalement manifestée. Cela semblait s'être calmé à présent. Marianne en était soulagée, car depuis plusieurs heures elle sentait le besoin impérieux de parler à son amie de sa nouvelle situation. Le téléphone ne lui avait pas paru indiqué pour ce genre de confidence. Maintenant, en présence de son amie, elle ne savait pourtant comment aborder ses questionnements.

« Et alors, qu'est-ce que tu voulais me dire de si important? »

Marianne, nerveuse, avoua :

« Je suis amoureuse! Tout ce que j'ai connu jusqu'à présent, ce n'était rien face à ce que je vis en ce moment.

— Holà! Que de grands mots. C'est magnifique, Marianne.

— Hishimo est tout ce que je désire. Il est drôle, attentionné, passionné, intelligent. Il a un sens incroyable de la répartie.

— Et il est beau, ce qui ne gâche rien. »

Les deux jeunes filles se mirent à rire. Mary-Gaëlle reprit soudain :

« Pourquoi est-ce que je sens quelques réticences derrière tes mots alors? Ce n'est tout de même pas le fait de me confier ça qui te met dans cet état? »

Marianne soupira en secouant la tête affirmativement :

« Tout est si rapide, justement. Et puis, l'an prochain, je voulais m'inscrire à l'Université de Milan, tu te souviens?

— Les deux ne sont pas incompatibles.

— Il n'est pas question que je fasse des navettes France-Italie. Maintenant, j'ai du mal à songer à partir, tout simplement.

263

— Tes yeux brillent en tout cas. Tu sembles réellement heureuse.

— C'est vrai. Pourtant, je ne sais plus ce que je dois faire. Peut-être que ce n'est pas un bon choix, Milan. Après tout, la même formation se donne ici... »

Mary-Gaëlle sembla réfléchir, puis, malicieusement, elle se contenta d'opiner de la tête en glissant un bref :

« Sans doute. »

Son sourire s'élargit quand elle constata que Marianne repartait aussi vite dans ses explications.

« D'un autre côté, j'avais pensé profiter de cette belle expérience pour ouvrir mes horizons. Pour avoir une vie autonome à l'étranger.

— Marianne, arrête! Qu'est-ce que tu veux vraiment?

— Je n'arrive pas à trancher : je souhaite y aller et en même temps garder Hishimo près de moi!

— Mmm! Difficile mais pas incompatible, non?

— Qu'est-ce qui me dit que nous allons continuer à bien nous entendre? Par ailleurs, si je mets mon projet de côté, est-ce que je ne vais pas le regretter un jour? Finalement, Hishimo a aussi une vie au Texas... »

Mary-Gaëlle but une gorgée de sa citronnade posément puis questionna :

« En as-tu discuté avec Hishimo? Ce serait sage, je pense. »

Marianne ouvrit de grands yeux puis s'exclama :

« Je ne vais tout de même pas lui dire que je suis amoureuse de lui! Il va me prendre pour...

— Marianne, ce n'est pas un problème en soi. Je pense qu'à ce petit jeu, Hishimo t'a déjà fait savoir qu'il était fou de toi! Maintenant, si tu es gênée de lui avouer tes sentiments, vous risquez de vous retrouver dans l'impasse. Il faut être honnête en amour comme en amitié. Quand vous aurez franchi ce pas, parle-lui de ton désir d'aller étudier en Italie. Il aura peut-être des idées de son côté? Et les États-Unis, cela ne te tente pas? »

* * *

Fabian de Runay s'entretenait avec son père. Jusque-là,

l'homme l'avait écouté sans broncher. Devant lui, son fils s'impatientait parfois, bafouillait pour finalement se reprendre et changer une phrase, un commentaire, un mot...

Puis, ce fut le silence.

Valéry de Runay n'était pas resté de glace. Loin de là. Fabian l'avait senti parfois prêt à intervenir. Il s'était retenu. Sa maîtrise avait tour à tour suscité l'admiration et la rancune du jeune homme, lequel en ce moment attendait la réplique.

« Tu ne peux pas comprendre... »

Fabian resta éberlué par cette remarque qui sonnait comme un aveu. Il sortit des papiers imprimés dans un dossier et les lui mit en évidence.

« Ce que je comprends, c'est que tu t'empares de certains enfants pour les donner en adoption!

— Ne me juge pas trop vite. Ce que je fais ou plutôt ce que nous faisons au sein de l'organisation répond à une cause juste. On accélère les adoptions... Ce n'est pas un crime...

— Ne joue pas sur les mots, papa. Ce que vous faites est illégal. »

L'éminent gynécologue bougea sur son fauteuil de cuir, mal à l'aise devant son fils et peut-être aussi face à sa conscience, une fois de plus... Ce travail parallèle le titillait, l'empêchait de dormir parfois. Pourtant, il endormait chaque fois sa conscience en songeant au bonheur des couples stériles qui se retrouvaient avec un enfant à chérir... Sa femme et lui en avaient d'ailleurs pleinement profité avec l'arrivée de Fabian et de Sylvie dans leur vie...

« Comment as-tu obtenu toutes ces informations?

— Dans ton ordinateur. Puis, j'ai aussi fait de longues recherches sur le Web... J'ai eu du mal, mais je suis parvenu à découvrir ce que tu manigances depuis toutes ces années.

— Pourquoi? »

L'homme semblait fatigué en posant sa question.

« J'ai eu des soupçons quand tu rentrais bredouille de tes sorties de pêche. Je me demandais... Une nuit, je t'ai suivi à la sortie de la clinique et je t'ai vu avec un couffin, que tu as déposé ensuite devant la porte d'une maison. »

Fabian appuyait maintenant chacune de ses mains à plat

sur le bureau de son père. Une assurance toute nouvelle l'habitait.

«Je me suis introduit dans la base de données de ton organisation... Toutes les mères ne sont pas consentantes dans vos histoires.

— C'est impossible! Tout est soigneusement orchestré. Rien n'est mis au hasard. Chacun a ses responsabilités.

— Aucune organisation ne peut se targuer de ne pas avoir de faille... Ou de pommes pourries. Je t'affirme qu'il y a des mères qui n'ont jamais voulu abandonner leur enfant à la naissance. Je connais un cas personnellement, c'est arrivé par hasard! Et ces mêmes femmes se sont vues privées du droit de tenir leur bébé dans leurs bras. »

Sous la longue accusation, les épaules de son père s'affaissaient irrémédiablement vers l'avant. Ses lèvres formaient encore un « c'est impossible », mais il ne pouvait douter davantage devant la pile de documents brandis par son fils. La mâchoire se contractait à intervalles réguliers. Accablé, il lui jeta :

« Et que comptes-tu faire maintenant? »

La phrase avait été prononcée dans un murmure. Fabian ressentit un étrange élan d'amour filial face à cet homme qui semblait avoir commis un acte si répréhensible.

« Je ne sais pas encore. Je me vois mal vous dénoncer. Tu es mon père et... Je pense que tu as fait ce que tu as cru être juste dans un monde d'injustice...

— Tu es bien bon de m'attribuer de si beaux mérites... Mais si tes documents sont vrais, j'ai fait beaucoup de mal... Tout s'écroule autour de moi. Tout ce pour quoi j'ai construit ma vie, toutes mes valeurs...

— Ce n'est pas ce que j'ai voulu en fouillant dans tout ça! »

Le père et le fils se regardèrent d'une façon ambiguë sans rien ajouter.

* * *

Connie était au téléphone. De toute évidence, elle ne se sentait pas bien.

« Je peux plus continuer comme ça. Cela devient trop dur.

— ...

— Je vais tout lui dire. Puis on va en rester là.

— ...

— Entendu. Si tu le dis... D'accord. Je te promets rien. Je vais essayer. »

Son interlocuteur sembla lui enjoindre de faire plus, car Connie souleva les épaules en signe d'impuissance pour reposer le téléphone sans entrain.

Plus tard, Guillaume se gara en bas de chez elle. Il était assez satisfait d'avoir trouvé une place proche, car depuis la nuit précédente une pluie ténue exerçait ses droits printaniers. Il avait pris soin cette fois de se munir de sa mallette contenant plusieurs nouveaux projets et ceux en cours. Une belle soirée s'annonçait.

À peine sur le seuil, Guillaume remarqua pourtant une nouvelle ecchymose sur la joue de la jeune femme.

« T'es encore tombée ? »

Guillaume commençait à trouver que cela se produisait un peu trop souvent ces derniers temps. Connie ne lui avait jamais donné de raisons de croire qu'elle était maladroite. Au contraire, lorsqu'elle s'adonnait à une activité quelconque, on la sentait minutieuse, voire tatillonne dans ses gestes. Histoire d'endormir sa conscience, Guillaume avait avalé facilement ses explications. Cette fois, devant une autre évidence, il décida d'approfondir la question.

Comme d'habitude, Connie n'en fit pas cas et profita du fait qu'elle avait remarqué la mallette pour éluder habilement le sujet. Après tout, ne devaient-ils pas parler affaires ? Elle allait s'en emparer quand Guillaume s'interposa fermement.

Ses questions pleuvaient tant et si bien que, finalement vaincue, Connie se mit à fondre en larmes, incapable d'émettre un son intelligible.

« *Coudonc*, Connie, je ne peux pas croire que ce soit si grave... »

Guillaume écarta les longs cheveux de la jeune femme pour dégager son visage et lui embrassa le cou. Cela sembla déclencher un nouveau déluge de pleurs. Il resta près d'elle, puis alla lui chercher un verre d'eau. Quand il revint s'asseoir, il comprit que Connie balbutiait des mots d'excuses, des mots d'abandon. Il fronça les sourcils et questionna :

« Pourquoi tu me demandes pardon, Connie? »

Elle tamponna délicatement ses yeux pour toute réponse. Comme le silence s'éternisait, Guillaume s'en voulut d'avoir poussé Connie à bout. Il allait abandonner quand il l'entendit expliquer, les yeux rivés au mur d'en face :

« Je t'ai menti, Guillaume. Je te mens depuis plusieurs mois déjà! »

Guillaume encaissa sans broncher, préférant attendre la suite avant de poursuivre sur ce terrain glissant.

« J'ai... Quand on a commencé à moins se voir avant... enfin, il y a quelque temps, j'ai... j'ai rencontré un gars. Nous nous sommes vus à l'occasion. Tu travaillais beaucoup... Tu remettais constamment nos rendez-vous...

— C'est vrai...

— C'est un gars chouette. J'ai craqué complètement pour lui. Je l'ai dans la peau... Pis, il est gentil avec moi, enfin la plupart du temps.

— Qu'est-ce que tu entends par là? »

Guillaume s'était soudain redressé, incertain.

« Tu sais que je ne suis pas tellement raisonnable. Je ne t'apprends rien. J'aime plaire. C'est plus fort que moi, j'ai besoin du regard des autres sur moi. Pas pour *cruiser*, juste parce que j'aime ça.

— Qu'est-ce que tu cherches à me dire vraiment?

— C'est que...

— C'est lui qui t'a fait ces ecchymoses? »

Les lèvres tremblantes, elle le lui confirma.

« Dis-moi qui c'est? Et je te promets qu'il ne recommencera plus. »

Connie serra les lèvres et versa encore des larmes.

« Je l'aime. Mais aussi j'ai tellement peur, Guillaume. Je sais qu'il peut être dangereux...

— Pourtant, ça ne peut plus durer, cette histoire. Tu attends quoi de ce gars? Qu'il t'envoie à l'hôpital ou pire encore? »

Guillaume n'arrivait pas à croire qu'il n'avait rien vu, rien compris. Il s'en voulait soudain. S'il aimait vraiment Connie, il aurait dû voir des signes, se reprochait-il à présent. Il pesta, et c'est l'image de Mady qui lui vint à l'esprit. Oui, c'est à cause de Mady qu'il n'avait rien compris. Il n'arrivait pas à gérer le retour de Mady dans sa vie. Maintenant qu'elle était à Vancouver, ce n'était pas mieux...

Les yeux effarés, Connie éructa :

« Je ne veux pas te perdre, Guillaume. Tu ne sais pas de quoi ce gars est capable. Il m'aime comme un fou. Il pourrait te tuer si tu t'en mêles !

— Ça n'arrivera pas, Connie. Je ne le laisserai plus t'approcher. Il aura affaire à moi s'il s'avise de te toucher encore. Je ne vais pas te laisser tomber. »

Au lieu d'être apaisée par la promesse de Guillaume, Connie semblait complètement déboussolée. Une étrange lueur brillait dans son regard. Elle attrapa vivement la main de Guillaume et le regarda droit dans les yeux :

« J'ai encore des choses à te dire... Des choses pas agréables... Pas agréables du tout...

— Je pense qu'au point où on en est, il est temps de tout m'avouer. »

L'hésitation faisait secouer les épaules de Connie. Les larmes coulaient toujours, intarissables.

« Le bébé...

— Quoi, le bébé ? Ne me dis pas qu'il t'a frappée au ventre et...

— Non, ce n'est pas du tout ça. C'est lui le père. »

Guillaume se leva, sous le choc.

« Je suis désolée, Guillaume, de t'avoir menti et de t'avoir caché cette aventure. »

Guillaume resta longtemps silencieux, cherchant à comprendre ce qu'il éprouvait vraiment. Il se rendit compte que c'était de la compassion. Il s'assit face à Connie et, d'une voix douce mais ferme, il lui renouvela son soutien.

« Inutile de te dire que je ne m'attendais pas à un tel aveu. Je m'étais fait à l'idée d'avoir cet enfant. C'est tout un choc. En d'autres circonstances, je serais sans doute parti en claquant la porte. Mais ce gars te frappe ! Je ne peux pas le laisser continuer. Tu as besoin d'aide, Connie... »

La jeune femme redressa la tête, sûre que ses oreilles lui

avaient joué des tours ou que Guillaume avait mal compris. Le regard qu'il lui lança la rassura. Mais elle se sentait honteuse d'accepter son aide après ce qu'elle lui avait fait. Connie suggéra finalement :

« Je crois que le mieux serait qu'on ne se voie plus tous les deux. Peut-être qu'alors tout finira par s'arranger avec Bart.

— Il s'appelle Bart...

— Oui.

— Écoute, Connie. Je ne te comprends plus. Qu'est-ce que tu attends de moi à la fin? Tu aimes ce type, c'est inconcevable... Je veux t'aider!

— Tu ne peux pas comprendre...

— Comment ça?

— Tout ira bien.

— Comment une fille comme toi, belle et intelligente, peut accepter de recevoir des coups? Et le bébé? Quelle vie l'attend?

— Restons-en là, l'interrompit Connie. Va-t'en, ça vaut mieux pour nous deux. Tu pourras retrouver ta Mady et refaire ta vie avec elle comme tu le souhaitais. »

Guillaume fut assez perspicace pour ne pas tomber dans une conversation qui les éloignerait de l'urgence du moment. Plus que jamais, il se sentit responsable de Connie, laquelle, jugea-t-il, avait manifestement besoin de soins d'un professionnel. Pour le moment, il jouerait ce rôle du mieux qu'il pourrait...

« Je ne crois pas que ce soit une bonne idée de te laisser ce soir. Tu n'es pas en état. En dépit de tout, laisse-moi prendre soin de toi. Tu ne portes peut-être pas mon enfant, mais tu es en danger. Je le sens, Connie.

— Toi aussi, Guillaume. »

Connie, visiblement terrorisée, l'apostropha :

« Et si Bart arrive? Qu'est-ce qu'on va faire?

— Eh bien, je le recevrai. »

Guillaume fouilla dans sa poche et en ressortit ses clés de voiture.

« Écoute, il me faut des documents qui se trouvent dans ma voiture. Je reviens tout de suite après. En remontant, je préviendrai aussi ma sœur que je passerai la nuit ici. Nous devions nous voir ce soir, mais ce n'est pas grave.

— Pourquoi es-tu si gentil avec moi, Guillaume? Je ne le mérite pas! Tu devrais me laisser tomber au contraire. »

Guillaume préféra ne pas répondre et s'empressa de lui dire qu'il revenait tout de suite. Connie l'accompagna jusqu'à l'entrée. Dans le couloir, il se trouva presque nez à nez avec un homme à l'allure robuste qui sortait de l'ascenseur. Connie referma vivement la porte. Guillaume salua machinalement l'homme en le laissant sortir. L'inconnu sembla hésiter. Guillaume sentit soudain ses sens en alerte. Il songea à Connie et regarda mieux l'inconnu.

« C'est vous, Bart? demanda-t-il à l'homme.

— Oui, c'est moi? Qu'est-ce que tu me veux?

— C'est toi qui t'amuses à frapper Connie?

— Hé! C'est quoi ton problème? »

Sans crier gare, le colosse envoya un direct qui propulsa Guillaume contre la paroi arrière de la cage d'ascenseur. Le miroir se fendit sous l'impact. Guillaume se redressa. L'autre sembla s'en réjouir et l'aguicha, la lèvre mauvaise :

« C'est ça, approche. »

Guillaume adressa un crochet du droit qui effleura son adversaire. Le gaillard se jeta aussitôt sur lui comme un enragé. Les poings volèrent de toutes parts dans l'espace exigu de l'ascenseur. Le dénommé Bart eut très vite l'avantage sur Guillaume qui essayait de parer les coups répétés de l'autre et se retrouva bientôt sur le sol.

Puis soudain, plus rien. Guillaume resta dans une position fœtale pendant quelques secondes avant d'ouvrir les yeux. Il comprit que son assaillant était parti. Les portes de l'ascenseur venaient de se refermer et les étages commencèrent à défiler sur le cadran numérique. Le visage en sang et les côtes douloureuses, Guillaume dut admettre qu'il venait de subir une véritable correction. Il n'avait pas fait le poids contre cet homme.

Il songea à Connie. Elle était en danger.

Il se releva tant bien que mal en grimaçant, puis sortit de l'ascenseur dès l'ouverture des portes au rez-de-chaussée. Les lumières du plafonnier l'éblouirent à son entrée dans le hall, et il plaça machinalement sa main devant ses yeux. Ce fut son dernier souvenir, car l'instant d'après il s'écroula...

* * *

« Je ne comprends pas. J'essaie de joindre Guillaume depuis plus d'une demi-heure et je n'y arrive pas. »

Jake regarda son épouse et secoua la tête.

« Laisse-le vivre sa vie. Il a sans doute besoin de tranquillité et a débranché son cellulaire.

— Si longtemps? Cela ne lui ressemble pas. Puis, il devrait être là depuis au moins vingt bonnes minutes.

— C'est vrai qu'il est plutôt ponctuel d'habitude, même s'il lui arrive quelquefois de se décommander au dernier moment.

— Ah! Tu vois. Toi non plus, tu ne trouves pas ça normal, n'est-ce pas? »

Jake ne put s'empêcher de sourire.

« Disons que je n'irais pas jusque-là!

— Tu devrais!

— On ne va pas se *chicaner* pour ça tout de même? Il ne va plus tarder. Il doit être dans le *trafic*.

— Peut-être, mais il ne fermerait pas son cellulaire dans ce cas.

— Pas si sûr. Je le fais bien, moi.

— Oui, je sais. Quand t'es en voiture, t'es concentré comme un métronome! Rien ne peut te perturber. Lui, non.

— Je n'y peux rien. C'est ainsi... J'ai conscience de n'être pas seul sur la route.

— Oh! Bien sûr, Jake, ce n'est pas un reproche, au contraire... mais là, je suis *tannée*, je suis sur les nerfs. Quelque chose me dit qu'il y a un problème. »

Jake essaya de rassurer sa femme et demanda :

« As-tu essayé chez Connie?

— Bien sûr. C'était déjà *engagé*. J'ai laissé un message. S'il est chez elle, elle va nous le dire, ou Guillaume appellera aussitôt.

— Bien. Attendons encore un peu et nous aviserons, d'accord? »

De guerre lasse, Manon secoua la tête et retourna faire des puzzles avec son fils.

Chapitre XVII

Connie se tenait embusquée derrière la porte de la cuisine, sûre que Bart ne la laisserait pas en paix. Elle avait bien vu, à son regard, qu'il avait compris! Qu'il ne laisserait pas Guillaume s'en aller ainsi. Qu'avait-elle fait? ne cessait-elle de se reprocher, le dos collé au mur. Elle avait tout gâché de cette belle opportunité, par caprice, par amour... Elle entendit la porte de son appartement s'ouvrir, mais la chaîne bloqua l'entrée.

Tendue, elle écouta Bart lui ordonner d'ouvrir. Elle ne bougea pas. L'homme essaya une voix douce, laquelle fonctionnait d'habitude. Connie ferma les yeux et sentit ses mains trembler. Elle passa machinalement ses doigts dans sa poche arrière et palpa le manche du couteau qu'elle y avait glissé fébrilement plus tôt. Dans l'autre pièce, elle ne percevait plus rien à présent.

Finalement, des coups répétés et un grand bruit!

Elle comprit que la chaîne venait de céder sous l'épaule de Bart. Elle envisagea de le laisser s'éloigner de la porte d'entrée; ainsi, elle se glisserait pour sortir. Tous ses sens en alerte, elle chercha à visualiser toutes les étapes avant de passer à l'action.

Bart semblait furieux. Elle le sentait rien qu'à l'entendre la chercher partout. Elle n'osa s'arrêter sur ce qui avait pu advenir de Guillaume. Elle ne connaissait que trop la violence dont Bart était capable... Devait-elle avoir le couteau à la main pour sa fuite ou se garder l'alternative de la surprise en cas de besoin? Elle hésitait encore, mais savait qu'elle ne pourrait tergiverser trop longtemps...

Sans faire de bruit, la jeune femme franchit le seuil de la cuisine et regarda de chaque côté.

Rien en vue. Elle s'élança.

Son cœur exulta quand elle sentit sous ses doigts le froid

du métal de la poignée de la porte d'entrée. La vue du couloir accentua ce soulagement bien légitime. Pourtant, quand elle voulut crier, rien ne sortit de sa gorge. Au même moment, elle sentit son corps tiré en arrière par une poigne de fer. Elle aurait voulu alerter les voisins. Sa peur l'en empêchait. La porte de son appartement fut refermée et elle fit face à l'homme qui la regardait avec un air mauvais. Le souffle court, elle demanda, dans un élan de courage ou d'inconscience :

« Qu'est-ce que tu as fait à Guillaume?

— Tu te fais encore de la bile pour lui? »

Connie tremblait de tous ses membres. Pourtant, elle continua et alla même jusqu'à se justifier :

« Il n'y est pour rien dans cette histoire. C'est un ami, c'est tout, mentit-elle maladroitement.

— C'est fini les *chums*. Je suis là et ça te suffit.

— Non, je ne suis pas d'accord. »

Une gifle lui mit la joue en feu.

« C'est moi qui prends les choses en main maintenant. Il est temps que tu comprennes.

— Je ne veux plus de toi. »

Connie elle-même fut surprise de ses propos.

« Tu n'as pas le choix. C'est mon *flo* que t'as là! Pis, t'es à moi.

— Non, je ne t'appartiens pas. Je ne suis pas ta chose. Et le bébé, il sera mieux sans toi. Tu es fou, Bart! Il faudrait t'enfermer. »

Ce ne fut plus une claque qu'elle reçut mais bien une poussée qui la projeta contre le canapé. Bart s'approchait encore d'elle, menaçant. Le premier coup tomba, puis les autres...

* * *

Dans la cuisine, à Vancouver, Mady était assise entre Carole Marquis et son fils Luc. La femme arborait un visage rayonnant malgré la tragédie qui frappait à nouveau sa famille. On avait réservé à la visiteuse un accueil chaleureux.

Troublée mais réconfortée par leur attitude à son endroit,

Mady narra brièvement son histoire et ce qui l'avait poussée à entrer en contact avec eux. Opinant à l'occasion de la tête, Mme Marquis poussait en direction de Mady le plat de brownies qu'elle venait tout juste de sortir du four. Grignoter les biscuits moelleux permettait à Mady de prendre son temps et d'expliquer calmement sa venue ici, si loin du Québec...

Elle eut d'emblée la curieuse sensation que rien ne pouvait altérer l'humeur de cette femme aux cheveux blancs. De profondes rides sillonnaient son visage, mais son sourire et ses yeux gardaient un air de jeunesse indéniable. Ce qui venait même à l'esprit de Mady, c'était « fraîcheur ». Oui, il y avait de la fraîcheur dans ce corps vieilli. Quant à Luc, son visage était pâle, accusant indéniablement une immense fatigue. Ses doigts osseux tapotaient la table dans un rythme connu d'eux seuls. Les yeux bruns qui se posaient sur Mady à l'occasion semblaient vouloir sonder son esprit. Elle détourna la tête, intimidée soudain par ce regard sérieux et mystérieux.

* * *

Connie retrouva ses esprits tandis que les coups se succédaient. Elle tenta de les parer le mieux possible avec ses bras. Bart ricana au-dessus d'elle :

« Est-ce que t'as compris maintenant? Dis-moi que tu vas être docile. »

Malgré ce qu'il lui en coûtait, Connie s'exécuta.

« Bien. Je vais me chercher une bière pendant que tu te relèves. Arrange-toi un peu, t'es pitoyable. Ah! Tu sais à quel point je déteste quand t'as cette attitude. Je suis désolé d'en arriver là. Faut toujours que tu me pousses à bout! Heureusement, tout ça va changer. »

Le regard perdu, Connie hocha la tête et réitéra sa promesse de soumission.

Tandis que Bart s'éloignait, la jeune femme se dirigea vers la porte d'entrée. Des douleurs irradiaient tout son corps et tout particulièrement le bas du ventre. Elle sentait ses mains moites et son cœur palpiter, mais elle n'osait se retourner.

« Où crois-tu aller comme ça? »

Connie fit volte-face, les yeux exorbités. Le ton employé

par Bart était loin de la rassurer. Elle savait qu'elle venait de commettre une nouvelle erreur. Une erreur sans doute irréversible. L'homme s'approcha, les poings serrés. Connie baissa la tête en signe d'obéissance.

Tandis qu'il lui prenait le bras gauche fermement, elle referma sa main droite sur le manche du couteau. Aussitôt, elle se propulsa vers l'avant et enfonça la lame sans réfléchir plus avant sur ce qu'elle faisait.

Le contact fut saisissant.

La lame ne pénétra pas si facilement qu'elle aurait cru. Dans les films, cela semblait si facile, pensa-t-elle, au bord de la folie. Elle appuya plus fort et sentit avec horreur le contact du sang sur le dos de sa main. Elle résista à l'envie de lâcher le tout lorsqu'elle rencontra les yeux de Bart.

Un regard étonné, incrédule.

Il ouvrait déjà la bouche pour parler en resserrant plus fort son étreinte sur le bras de Connie. La jeune femme avala sa salive, respira rapidement et retira le couteau qu'elle replanta une seconde fois en poussant un puissant cri, comme pour se donner du courage.

L'homme recula, la lâchant du même coup. Il posa sa main sur le couteau et le ressortit. Connie restait figée, la main droite et le haut de son corps ensanglantés. Bart avança de nouveau vers elle, les yeux hagards, un rictus horrible sur les lèvres. Il allait s'effondrer à tout instant.

* * *

« Écoute, Jake, c'est insupportable cette attente! Je suis vraiment *tannée, là!* C'est pas *correct de faire attendre le monde de même*, reprit finalement Manon, de retour au salon.

— Je suis d'accord. Guillaume n'a pas l'habitude d'être aussi en retard. Il s'est passé quelque chose. »

Manon regarda Jake quelques instants, les yeux agrandis de stupeur. D'une voix incertaine, elle voulut se rassurer :

« Il est peut-être tout simplement sur le bord d'une route, pis son cellulaire est *à plat*. Et il essaye de faire du pouce...

— On n'habite pas en pleine campagne, Manon! Et quand bien même, je connais ton frère, il trouverait un moyen...

— Bien, j'appelle la police.

— Tu ne penses pas que c'est un peu prématuré?

— Non, pas du tout. »

* * *

Connie reçut la lame sans rien ressentir. Elle crut que Bart avait raté son coup. Gravement blessé, il bascula et l'entraîna dans sa chute. La scène apparaissait plus que surréaliste. Au même moment, la porte d'entrée s'ouvrit à la volée sur deux policiers.

« Dis aux ambulanciers que nous avons deux autres blessés ici. »

Connie regarda l'homme qui venait de parler et qui était penché sur elle à présent. Elle lui souffla :

« Merci. Merci d'être venu.

— C'est vous qui nous avez appelés, n'est-ce pas?

— Oui... »

Le policier tourna brièvement la tête vers son collègue et lui demanda comment allait l'homme à côté.

« On ne peut plus rien pour lui.

— Que s'est-il passé? » interrogea le policier accroupi près de la femme.

Connie fronça les sourcils.

« Il m'a agressée. Je l'aimais... »

Le policier arrêta son mouvement en constatant les blessures de la femme.

« Restez tranquille. Vous êtes blessée. L'ambulance ne devrait plus tarder. »

Connie baissa les yeux et remarqua la large auréole à son abdomen. Elle s'exclama :

« Non, c'est pas possible, je ne sens rien. C'est... »

Des larmes coulèrent soudain. L'homme resta près d'elle et lui tint la main pendant que les ambulanciers arrivaient.

« Avez-vous trouvé Guillaume? souffla-t-elle en recevant les premiers soins.

— Qui est Guillaume? demanda l'ambulancier.

— Bart s'est battu avec lui, j'en suis sûre. Il lui a fait du mal aussi. Vous ne l'avez pas trouvé en arrivant?

— Ne vous inquiétez pas. Votre ami est parti dans une autre ambulance un peu plus tôt. »

Connie posa au même moment sa main sur son ventre, puis s'écria :

« Et mon bébé? J'attends un bébé... »

Devant l'agitation de plus en plus grandissante de la jeune femme, l'un des infirmiers décida de lui administrer un calmant.

* * *

Quand Manon raccrocha, elle était visiblement déçue. La sonnerie l'empêcha de donner les dernières nouvelles à Jake et elle répondit machinalement. Elle écouta plus qu'elle ne parla cette fois. Jake voyait bien le visage de sa femme se modifier et il se leva. C'est dans un état proche de l'hystérie que Manon raccrocha.

« Il est à l'hôpital! Ce n'est pas un accident. Il a été agressé. Je vais aller le voir. Ils ne veulent pas m'en dire plus au téléphone.

— Je t'accompagne. Nous déposerons Duncan chez ma mère. »

* * *

Dans l'appartement de Connie Suisseau, la détective Rachel Toury écoutait attentivement son coéquipier, Jean-François Millet, en hochant la tête à l'occasion.

« Affaire classique du trio amoureux qui tourne mal... Le p'tit copain surprend sa *blonde* dans les bras d'un autre. Le gars s'enfuit. L'autre lui court après et lui inflige une correction dans l'ascenseur. Ensuite, il revient auprès de sa petite amie. Ils se disputent. Elle se défend en se saisissant d'un couteau de cuisine et le blesse. Le gars parvient finalement à retirer la lame et la poignarde à son tour avant de s'écrouler. »

La femme aux cheveux longs et aux yeux verts l'arrêta :

« Ne sautons pas trop vite aux conclusions, Jeff. Attendons d'interroger la fille et l'autre gars avant.

— Pour la fille, il faudra attendre qu'elle sorte de la salle d'opération. Nous pourrons interroger l'autre gars en attendant. Ses blessures ne sont pas trop graves.

— Bien. »

La détective Rachel Toury observait ses collègues faire leur travail tout en les écoutant. Les prises de clichés se poursuivaient. L'acuité de son regard ne laissait rien passer. Elle donnait des ordres de-ci, de-là, pour un angle particulier, une information ou un détail... Enfin, elle jeta, un peu lasse :

« J'ai cru entendre que la fille était enceinte?

— Oui, confirma l'enquêteur Millet. Elle a été poignardée à l'abdomen. Ah! Quelle histoire pathétique. Son enfant n'est même pas encore né et il est déjà victime de violence... »

Rachel n'essaya même pas de cacher une grimace. Elle comprenait les implications. Elle ne pouvait avoir d'enfant.

« Espérons que le bébé n'ait rien et qu'il verra le jour dans de meilleures conditions. »

Au même moment, l'attention de Rachel fut attirée par un mouvement dans l'embrasure de la porte d'entrée. Un homme roux en imperméable beige scrutait à distance l'intérieur de l'appartement et semblait analyser la situation rapidement. Un voisin curieux ou un témoin? s'interrogea la jeune femme en avançant vers lui.

Quand leurs regards se croisèrent, l'homme partit en courant en sens opposé. Rachel le suivit en appelant à la radio pour quadriller les issues. Venu à sa rescousse, l'enquêteur Millet s'élança à la poursuite du fuyard. Ce dernier, leste, prit rapidement de la distance. Au tournant de l'escalier, Jeff crut l'attraper, mais seule la ceinture de l'imperméable lui resta dans la main. Déséquilibré, il trébucha dans l'escalier. Il se releva, un peu étourdi, puis continua sa course folle. La détective Toury le retrouva finalement au rez-de-chaussée.

« Il nous a filés entre les pattes! Je le tenais presque pourtant...

— T'as perdu la main, on dirait, le taquina Rachel, essoufflée...

— C'est ça, moque-toi. Ce type a eu de la chance, c'est tout. Même nos gars dehors n'ont pas été capables de l'arrêter quand il est sorti devant eux.

— Je vois que tu as pu attraper quelque chose lui appartenant, remarqua la détective.

— Oui. C'est tout ce que j'ai pu avoir de lui. Ah! quel beau...

— Eh bien, tu vas pouvoir commencer une collection d'objets trouvés, s'empressa d'ajouter Rachel Toury.

— C'est ça, continue de te payer ma tête. Je me demande qui pouvait être ce gars? Finalement, nous n'avons peut-être pas affaire à un triangle amoureux, mais plutôt un quadrilatère...

— Et pourquoi pas un pentagone et un hexagone amoureux pendant que tu y es! jeta la détective avec sarcasme. Le caractère amoureux n'est peut-être plus approprié maintenant. »

Les deux collègues se dirigèrent à l'hôpital où avaient été admis Connie Suisseau et Guillaume Bélanger.

* * *

Manon et Jake discutaient avec le médecin de garde. De toute évidence, l'homme d'une cinquantaine d'années n'était guère alarmé par l'état de son patient. Cela ne suffit pas à rasséréner Manon. À se retrouver ainsi dans un centre hospitalier où elle avait déjà trop longtemps séjourné, elle ressentait bien malgré elle des effluves désagréables de sa jeunesse, et elle dut se faire violence pour ne pas repartir en courant.

« Que s'est-il passé? redemanda-t-elle.

— Je l'ignore. Je suis médecin et non policier. »

L'homme expliqua rapidement dans quel état se trouvait Guillaume Bélanger, puis repartit après avoir été appelé d'urgence à l'interphone. Jake et Manon se retrouvèrent dans le couloir, perdus en conjonctures une nouvelle fois.

« Qu'est-ce qui a bien pu se passer? Et pourquoi dans l'ascenseur, chez Connie?

— Tout ira bien, Manon. Guillaume n'a rien de grave. C'est ce qui importe.

— Mmm! J'espère. »

Jake enlaça sa femme puis ajouta, comme pour meubler le silence trop lourd :

« Il a croisé un voleur peut-être?

— Possible. Tiens voilà sa chambre. »

Manon poussa la porte et retint un cri en voyant l'état pitoyable de son frère. Le médecin l'avait avertie que Guillaume avait des ecchymoses un peu partout mais à ce point, elle ne s'y attendait pas. Elle avisa la salle de bain et s'y précipita. Le repas s'échappa bien malgré elle.

Une vingtaine de minutes plus tard, tandis que Guillaume dormait sous l'effet des tranquillisants, Jake obligea sa femme à sortir. Ils se retrouvèrent dans le couloir menant aux ascenseurs. Soudain, arrêtant son pas, Manon tendit l'oreille. Toute son attention se portait sur la conversation d'un couple qui se tenait non loin. Sans prévenir, elle lâcha la main de son mari et apostropha la jeune femme dont elle bloquait maintenant le passage :

« Pourquoi demandez-vous des informations sur Guillaume Bélanger? Qui êtes-vous? »

Le couple et le médecin la regardèrent, puis l'interpellée expliqua doucement :

« Je suis la détective Rachel Toury. Voici ma carte.

— Enquêteur Jean-François Millet, annonça son coéquipier.

— Puis-je vous demander à mon tour qui vous êtes? s'empressa de questionner la détective.

— Je suis la sœur de Guillaume Bélanger. Savez-vous ce qui lui est arrivé? »

Rachel Toury ne perdit guère de temps et se tourna vers son collègue.

« Jeff, je te laisse avec le docteur. Je te rejoindrai. »

Manon entraîna la détective Toury vers son mari et fit brièvement les présentations.

« Nous avons répondu à un appel de détresse au domicile d'une jeune femme, Connie Suisseau. Vous la connaissez?

— Connie Suisseau et mon frère sont fiancés.

— Il y avait également un autre homme dans l'appartement. Un certain Bart Viscont. Vous le connaissez également?

— Bart Viscont, vous dites? Non, ce nom-là ne me dit rien. Que faisait-il là?

— Nous ne le savons pas encore. Il semble être impliqué dans l'agression qui a eu lieu sur votre frère et sa fiancée.

Malheureusement, il ne pourra pas nous éclairer sur la question puisqu'il est mort.

— Mort, vous dites? Vous ne soupçonnez tout de même pas mon frère de... »

Manon ne compléta pas sa phrase et mit sa main devant sa bouche, horrifiée.

« Écoutez, ce serait prématuré de vous en dire plus. Les premiers agents arrivés sur les lieux ont découvert votre frère inconscient près de l'ascenseur. Ils ont ensuite trouvé la fiancée de votre frère dans son appartement près du corps de cet homme, Bart Viscont. Il aurait été poignardé. Connie Suisseau présentait également une blessure à l'arme blanche au niveau de l'abdomen. Il s'agit très probablement de la même arme.

— Mon Dieu! s'exclama Manon. Connie a été poignardée! Elle est...

— Non, rassurez-vous. Elle était dans un état stable quand elle a été transportée à l'hôpital.

— Vous avez dit qu'elle avait été atteinte à l'abdomen. Elle est enceinte, vous le saviez? »

La détective Toury secoua la tête en serrant les lèvres. Manon comprit.

« Elle est en de bonnes mains maintenant. Toutes les mesures seront prises pour les sauver, elle et son bébé. On ne peut qu'espérer... Maintenant, vous m'excuserez, je dois vous laisser. L'enquête suit son cours. Vous serez informée en temps et lieu.

— Merci, madame Toury.

— Un dernier détail : si vous apprenez quelque chose, appelez-moi. Même si cela vous paraît anodin. Voici ma carte.

— Bien, oui. Je n'y manquerai pas... »

Les deux femmes se serrèrent la main. Rachel Toury ajouta une pression sur l'épaule en plus de sa poignée de main, et Manon sentit une force émaner de la jeune femme. Ce geste fut important pour Manon. Elle se sentit plus solide tout à coup.

* * *

De l'autre côté de l'océan, Vanessa et sa mère retrouvaient

une nouvelle complicité et une certaine félicité par la même occasion. Il est vrai que l'arrivée fracassante d'Émilie aidait à relativiser les choses. Un bébé était toujours l'occasion de fêter la vie.

Sarah apprivoisait peu à peu l'idée que son père était cet homme qui s'était exilé de son propre chef en Océanie. Maurice se comportait du reste avec discrétion et n'imposait à personne son nouveau statut. Il insistait pour que tout le monde l'appelle par son prénom. Cela simplifiait beaucoup la situation, enfin, surtout du point de vue de Sarah.

Mady avait communiqué brièvement avec ses proches pour transmettre ses coordonnées. C'est avec bonheur qu'elle avait appris la naissance de la petite Émilie, et elle avait chargé sa sœur de bien féliciter les nouveaux parents. Il fut à peine question de Guillaume, Mady donnant l'impression que leurs retrouvailles s'étaient révélées au bout du compte une formalité ou une mise au point finale. Elle résumait davantage ses allées et venues comme toute bonne voyageuse et parlait des beautés de Vancouver...

Avant de raccrocher, Sarah avait changé de ton pour lui annoncer la présence de leur oncle Maurice. Elle ne lui parla pas toutefois des révélations qui lui avaient été faites. L'esprit un peu ailleurs, Mady exprima ses regrets de ne pas pouvoir être là.

* * *

À l'accueil, on informa Manon et son mari que Connie se reposait dans sa chambre et qu'elle ne pouvait recevoir la visite que de sa famille. Manon, sans rougir, expliqua qu'elle était sa belle-sœur. La préposée indiqua la chambre sans sourciller. Devant la porte, une affiche indiquait que les visites ne pouvaient aller au-delà de quinze minutes.

Debout devant le lit, Manon contempla Connie qui lui renvoya un sourire crispé. Les yeux brillants de la jeune femme alitée en disaient long.

« Connie, comment te sens-tu?

— Ça peut aller. Ils m'ont donné quelque chose contre la douleur.

— Et le bébé?

— Je l'ai perdu. »

Manon posa tendrement sa main contre celle de Connie, qui s'empressa d'ajouter :

« Le plus terrible, c'est que je ne voulais pas de cet enfant... enfin, c'est ce que je croyais... Et maintenant que je l'ai perdu, je ressens comme un vide immense. »

Connie se mit à pleurer et Manon resserra son étreinte sur sa main en soupirant. Son corps voulait crier sa douleur encore si vive et la partager avec Connie.

* * *

Le soir même, de retour à la maison, Manon se tenait pensive devant la fenêtre de la cuisine. Jake s'approcha par-derrière et l'enlaça tendrement.

« Ça va, Manon?

— Oui. Mais je repense à tout ce qui s'est passé. Guillaume et Connie auraient pu être tués, et rien que d'y penser, j'en ai la chair de poule.

— Ils ont eu de la chance dans leur malheur. C'est terrible qu'ils aient perdu leur bébé, mais d'après ce qu'a dit le médecin, elle pourra en avoir d'autres. Ça pourra les aider à surmonter cette épreuve.

— Oui, c'est une bonne nouvelle. D'ailleurs, en parlant d'avoir d'autres enfants, j'ai quelque chose à te dire... »

Jake écouta.

« Tu as sans doute remarqué que j'ai l'estomac dérangé ces derniers temps?

— Oui, tu manges comme un oiseau. »

Jake regarda sa femme sans comprendre. Il ouvrit la bouche, tel un poisson sorti de son bocal trop longtemps.

« Serais-tu en train de me dire que tu es enceinte?

— Oui. Je viens de faire trois tests avec trois marques différentes!

— Trois! Tu penses qu'il en fallait autant? »

Cette fois, le sourire de Jake était franc et brillant.

« Oui. Pour moi! Pour être totalement sûre. Mais j'ai peur, Jake.

— Manon, c'est une nouvelle formidable! Il ne faut pas avoir peur, voyons. Je suis très heureux.

— Je partage ton bonheur, mais si je devais encore perdre mon bébé, j'aurais du mal à le supporter. L'expérience de Connie m'a rappelé la dernière fois où...

— S'il te plaît, Manon. Il ne faut pas que ça te trouble. L'histoire de Connie n'a aucun rapport avec ton cas et il n'y a pas de raisons que tu vives une autre fausse couche. Nous ferons tout pour que cela se passe bien.

— Nous avions aussi pris des précautions la dernière fois. Cela n'a pas empêché notre bébé de... »

Manon partit à pleurer et Jake la prit dans ses bras.

« Je sais que je ne peux pas comprendre tout ce que tu as éprouvé et que tu éprouves encore. Je n'ai pas porté ce bébé. Mais tu peux être sûre que je t'aime plus que tout au monde, en dehors de Duncan bien entendu.

— Merci, Jake. Tout est si soudain... Je ne suis pas sûre que ce soit le bon moment...

— L'arrivée d'un bébé est toujours un bon moment. »

Manon soupira, puis ajouta mollement :

« Je ne sais pas... Avec Guillaume à l'hôpital. Et Connie qui perd son enfant. J'ai l'impression de la trahir. C'est une gentille fille finalement. C'est vrai, j'ai mis du temps à l'apprécier... Que veux-tu, c'est ainsi chez moi.

— Eh bien, tu vois...

— C'est tout de même étrange, je ne vois pas mon frère avec elle malgré tout. Je n'arrive pas à me l'expliquer. Oh! Et puis, je me mêle encore de ce qui ne me regarde pas. Je suis sur-protectrice avec Guillaume comme tu me le dis si souvent... »

Jake embrassa les cheveux de sa femme et tenta de l'apaiser :

« Calme-toi, Manon. Tu es bouleversée par cette grossesse inespérée et les derniers événements. De toute façon, pour ton frère, ce n'est qu'une question d'une nuit ou deux à l'hôpital. Je t'en conjure, tu ne dois plus te tracasser autant.

— Facile à dire...

— C'est toi qui importes aussi en ce moment. Et pour *ta job*? Tu t'es tellement investie... C'est beaucoup d'heures et peu de repos. Tu dois *prendre un break*.

— Je sais, mais il y a ce nouveau projet. Je dois encore y réfléchir. Je pourrais aussi en faire un peu à la maison afin d'étaler. C'est assez inattendu, tu sais. Dis-moi la vérité, tu es vraiment heureux pour le bébé?

— Oui, Manon. Je ne peux l'être davantage. »

Le couple resta enlacé dans le salon sans échanger d'autres paroles.

Chapitre XVIII

Rachel Toury ramena une mèche rebelle en arrière et soupira.

« Qu'en penses-tu maintenant, Jeff?

— Je reste convaincu qu'il s'agit d'un cas de légitime défense! Le gars se pointe à l'étage de Connie Suisseau au moment où Guillaume Bélanger sort de chez elle. Il voit rouge et se jette sur lui comme un enragé. Il laisse ensuite Bélanger, salement amoché, puis s'en prend à la femme. Elle le poignarde avec un couteau de cuisine. Il le retire et la poignarde à son tour avant de s'écrouler. Voilà. C'est aussi simple que ça.

— Oui, mais l'autre gars qui rôdait et qui s'est enfui en nous voyant dans l'appartement? Tu en fais quoi?

— Bah! Un curieux qui a des antécédents avec la police et qui a cru qu'on lui poserait un peu trop de questions à cause de son casier.

— Mouais, possible. Ce ne serait pas la première fois que nous sommes confrontés à ce genre de type. En tout cas, tu m'as l'air bien pressé que l'on boucle cette affaire...

— Non, c'est pas ça, Rachel. C'est simplement qu'il n'y a rien de bien compliqué là-dedans. Tout est clair pour moi. »

La détective Toury fronça les sourcils en notant le regard lointain de son coéquipier.

« Quelque chose ne va pas, Jeff? Ton esprit semble ailleurs, je me trompe?

— Non. Enfin, c'est que...

— Qu'est-ce qu'il y a? insista Rachel. T'as des problèmes?

— Bah! C'est Angelina.

— Vous avez rompu? »

La perspicacité de Rachel surprenait sans cesse Jean-François.

« Oui. Elle est partie ce matin en claquant la porte.

— Encore une qui s'inscrit dans ton passé...

287

— Rachel, ce n'est pas drôle.

— Désolée, Jeff, je n'aurais pas dû. Mais j'ai du mal à comprendre pourquoi tu n'arrives pas à rester très longtemps avec une fille. J'en perds même le compte, c'est pour te dire!

— Je n'y peux rien.

— Ta calvitie joliment dessinée est pourtant à ton avantage.

— N'en rajoute pas, veux-tu? Ou je répète à Valentin que tu me fais des avances durant les heures de boulot! »

La détective partit franchement à rire en imaginant la scène et la réaction de son mari :

« Tu peux bien lui dire. Il sait pertinemment que j'ai un penchant pour les hommes aux cheveux rares ou bien les tempes argentées à la Stewart Granger. Je n'arrête pas de lui dire que j'ai hâte.

— Bien, tu vois, cela ne risque pas de m'arriver d'avoir les tempes argentées!

— Oh! Jeff, tu broies du noir. Tu as tout pour être un compagnon génial. Nous traversons un jour ou l'autre des périodes difficiles. Il ne faut pas se laisser abattre. Tu finiras bien par trouver la femme idéale. »

La voix était devenue douce. Jean-François Millet savait à quoi sa coéquipière faisait allusion en parlant de périodes difficiles. Rachel venait de subir l'ablation d'un ovaire suite à une tumeur maligne. Il haussa les épaules.

« À vrai dire, je ne sais pas vraiment si je la trouverai un jour.

— Mais si, tu verras. J'en suis sûre.

— Si tu le dis. Bien, si on en revenait à cette affaire au lieu de parler de mes problèmes personnels? Je t'ai donné mes conclusions. Maintenant, c'est toi l'experte. Je t'écoute.

— Je suis d'accord avec toi. À la lumière des indices en tout cas. Connie Suisseau devrait s'en tirer en plaidant la légitime défense... »

Quelque chose dans son intonation fit relever la tête de l'enquêteur.

« Oui, mais tu as des doutes sur son innocence, n'est-ce pas? »

Rachel confirma ses interrogations :

« Son dossier est vierge. Elle était enceinte et fiancée à un homme d'affaires, Guillaume Bélanger. Ça jouera en sa faveur. C'est la relation qu'elle entretenait avec le dénommé Bart Viscont qui me dérange un peu.

— C'est-à-dire?

— Eh bien, nous savons maintenant qu'elle fréquentait ce type en même temps que Guillaume Bélanger. Or, quel avenir pouvait-elle espérer avec ce Bart Viscont qui fuyait le travail comme la peste? Tu as bien vu l'appartement de la fille... Elle aime définitivement les belles choses...

— Tout juste. Viscont était un *loser*. Par contre, l'autre gars a dû être une véritable aubaine quand elle l'a rencontré. Elle pouvait enfin espérer une vie meilleure sur le plan financier. Mais elle avait un problème avec ce dénommé Bart dans le décor...

— Je vois où tu veux en venir. Tu penses donc qu'elle aurait pu manigancer tout ça pour se débarrasser de son ex-petit copain devenu trop gênant, et peut-être aussi gourmand par la même occasion.

— Ce n'est pas à rejeter en tout cas. Nous avons déjà eu à traiter de telles affaires dans le passé, rappelle-t'en.

— Bon, qu'est-ce qu'on fait alors?

— On continue à fouiner. On ne doit écarter aucune piste. Même si tout semble facile et clair. Peut-être découvrirons-nous d'autres éléments qui innocenteront définitivement Connie Suisseau ou bien qui prouveront qu'elle a bel et bien fomenté le meurtre de son ex-petit copain. Puis, ça nous laissera également le temps de découvrir qui était cet autre homme, le roux à l'imperméable...

— D'accord. On retourne interroger Connie Suisseau et Guillaume Bélanger? »

Rachel Toury consulta sa montre.

« Je vais te laisser y aller. Je te rejoindrai plus tard. Il faut que je passe chercher Kyle à l'école. Valentin ne pouvait pas aujourd'hui.

— Tu veux dire que tu me laisses dans les filets d'une femme aussi belle?

— Tu vois, tu as déjà oublié Angelina! »

La boutade de Rachel ne resta pas au point mort.

« C'est toi qui viens de me dire de me changer les idées.

— Jeff, je t'en prie, tu es incorrigible. Ce n'est vraiment pas le moment. Même si elle est l'instigatrice de cette sombre histoire, n'oublie pas que Connie Suisseau vient de perdre son enfant. Elle est diminuée psychologiquement. Donc, vas-y mollo.

— Ah! la psychologie, c'est le domaine de Peggy Fitzgerald, pas le mien.

— Je sais que tu l'ignores encore, mais Peggy a été chargée de son suivi psychologique. Elle me fait un rapport écrit et verbal, du moins sur la partie qui ne touche pas le secret professionnel.

— En tout cas, on dirait que ça va mieux entre la psy et toi. »

Rachel ne cacha pas un sourire.

« C'est une femme très compétente. C'est vrai que nos relations ont toujours été plus ou moins tendues. Pourtant, je dois reconnaître que ces derniers temps elle s'est montrée particulièrement gentille et attentive. J'ai sans doute aussi changé de mon côté, je l'avoue. L'un ne va pas sans l'autre... Toujours est-il que nous parlons plus facilement toutes les deux maintenant. »

Jean-François siffla entre ses dents.

« J'avoue que je ne m'attendais pas à ça. Bravo! Tu as encore une fois mon admiration. Être capable de transcender ton aversion pour "Madame-perfection-je-sais-tout"... Mmm! Chapeau.

— Toi aussi, tu devrais apprendre à mieux la connaître, se contenta de répliquer Rachel à demi souriante.

— Tout ce que je sais d'elle, c'est pas mal grâce à toi.

— C'est justement pour cela qu'il faut que tu la connaisses mieux. Je crains de t'avoir donné une fausse image d'elle. »

Le rire de Rachel se répercuta dans le bureau. L'instant d'après, Jeff partait pour rencontrer Connie Suisseau.

* * *

Manon se leva brusquement et sortit dans le couloir. Jake

ne tarda pas à la rejoindre et enlaça son épouse par-derrière. La jeune femme rejeta la tête et rencontra le torse de Jake. Elle resta dans cette position et s'exclama :

« Voilà. Guillaume sort demain après-midi! C'est un peu plus long que prévu quand même.

— Je devine ce que tu ressens.

— Non, Jake. Tu peux pas savoir. »

Manon sentit le mouvement de son mari et se justifia bien vite :

« Je n'ai pas voulu te faire de peine. C'est simplement que... Enfin, quand j'étais si malade, c'est grâce à Guillaume que j'ai remonté la pente. Je lui dois tant. Et maintenant, je voudrais le protéger de tout...

— Tu n'as pas à te sentir coupable. Arrête de tout reporter sur toi, Manon.

— Tu n'es pas juste avec moi, Jake.

— Au contraire, je crois que je suis plus lucide.

— Ça me fait de la peine que tu ne comprennes pas mieux.

— Ne le prends pas ainsi. Je veux t'aider, moi aussi. Je suis ton mari. Je t'aime. Je sais que ton frère est très important pour toi. Et Guillaume est quelqu'un que j'apprécie énormément, moi aussi. Mais il est adulte! Il a besoin de toi, c'est vrai, mais tu n'es plus l'enfant qu'il a connu, tu es sa sœur et ses sentiments le portent aussi vers d'autres personnes, je te l'ai déjà dit.

— Connie? C'est à elle que tu fais allusion?

— Elle ou Mady, qu'en savons-nous? Il était assez confus quand nous lui avons parlé... »

Manon baissa la tête et reconnut, en avalant sa salive :

« J'ai la conviction qu'il pense davantage à Mady.

— Corrige-moi si je me trompe, tu en es persuadée depuis longtemps, n'est-ce pas?

— Oui, Jake. Depuis toujours, sans doute. J'aimerais bien joindre Mady d'ailleurs, pour l'informer de ce qui est arrivé.

— Tu crois que Guillaume y voit clair?

— Non. Je sens qu'il est dépassé. Comment tout cela va-t-il tourner selon toi?

— Oh! Je ne m'attends pas nécessairement à un

miracle... Encore que, pourquoi pas? On a bien le droit d'y croire.

— Et Connie dans tout ça? Elle souffre déjà tant. Si Guillaume se détourne d'elle, cela risque d'être très difficile. On ne peut tout de même pas demander à mon frère de rester avec Connie pour cette raison! Il ne l'aime pas. Je le sens. D'ailleurs, je me demande à quel point Connie est attachée à lui. »

Jake, surpris, commenta :

« C'est pourtant évident, non? Ils voulaient se marier et allaient avoir un enfant. Elle doit l'aimer.

— Non, Jake. Elle l'a aimé, c'est vrai. Mais, depuis que Guillaume m'a dit qu'elle avait un autre homme dans sa vie, je n'en suis plus sûre. Il s'est montré très discret à ce propos, d'ailleurs. Je crois que c'est sa peur qui la faisait se tourner vers Guillaume. Elle devait sentir intuitivement que... je ne sais pas, qu'elle pourrait être en danger.

— Mmm! Elle ne l'est plus en tout cas.

— Elle peut aussi aller en prison, jeta Manon, amère. C'est trop injuste. Elle ne mérite pas ça.

— Tu oublies qu'elle a menti à ton frère.

— C'est vrai. Cela ne fait pas d'elle une criminelle. »

Jake interrompit un instant leur discussion puis reprit :

« Ton opinion vis-à-vis d'elle est assez ambiguë et contradictoire. D'un côté, tu la condamnes et, de l'autre, tu la défends.

— Je sais. Je ne peux me l'expliquer. C'est comme ça. »

Jake déposa un baiser sur la tête de sa femme.

« Tu veux qu'on retourne voir Guillaume?

— Oui, mais avant j'aimerais passer chez lui pour voir s'il a des messages. Je ferai aussi un saut à la maison de Rivière-des-Prairies, histoire de vérifier que tout est en ordre. »

* * *

De retour en Australie après un vol turbulent, Maurice Martinon soupirait d'aise.

« Ah! je suis quand même content de retrouver notre vieille bicoque! »

Rhonda le gronda doucement :

« Comment ça, une vieille bicoque? Elle est presque aussi jeune que nous!

— C'est bien ce que je dis : nous sommes de vieilles choses!

— Mmm! Parle pour toi! »

La boutade les fit rire et Rhonda poursuivit :

« Tu as parfaitement raison : c'est bien agréable de rentrer chez soi. »

Rhonda laissa couler entre eux un léger silence, puis elle reprit la parole en regardant son compagnon droit dans les yeux :

« À présent que tu as mis ton passé au clair, comment te sens-tu, mon *Boomer*? »

Maurice ne répondit pas aussitôt. Il prit le temps de fouiller ses sentiments avant de s'expliquer :

« Beaucoup mieux en fait que je l'imaginais. Oui... je dois reconnaître que t'avais raison. J'ai l'impression d'avoir moins de poids sur les épaules.

— J'aurais fait pareil à votre place.

— Quoi? »

Maurice ne comprenait pas les propos de Rhonda.

« Pour le bébé... Je crois que c'était une bonne idée de ne pas dire à ton frère que tu étais le père.

— Tu me donnes raison d'avoir agi ainsi?

— Oui, Maurice.

— C'est gentil de ta part. Mais maintenant que je suis au courant de toutes les abominations commises par mon frère, j'ai des doutes! La pauvre Mady a dû souffrir. Si j'avais clarifié les choses pendant qu'il était encore temps... »

Rhonda ne le laissa pas se morfondre et l'interrompit :

« Tu as agi pour le mieux. On peut pas prévoir la réaction des autres! Qui sait ce que ton frère aurait fait s'il avait appris que tu étais le père? »

Maurice secoua la tête.

« C'est une autre histoire. Il a toujours eu un penchant pour la bagarre. Enfin, entre garçons, c'était normal. C'est mon père qui disait toujours ça.

— Je suis pas du tout d'accord avec lui.

— Tu n'aimes pas la brutalité, point à la ligne. Il faut que je te dise, malgré ses défauts de jeunesse, mon frère était un chic type. Enfin, avant...

— Je crois qu'il s'est enfermé dans son malheur. C'est ce qui a fait ce qu'il est devenu. Il aurait dû essayer de sortir sa peine au lieu de cogner.

— C'était pas dans sa mentalité.

— Et pas toujours dans la tienne non plus! » commenta Rhonda en souriant.

Maurice grogna.

« C'est vrai, mais j'y travaille. Grâce à toi, d'ailleurs.

— Et tu fais des progrès spectaculaires.

— C'est normal, j'espère, après tant d'années! »

Le couple éclata de rire et Rhonda sortit les affaires tout en continuant à discuter.

« Tu penses qu'on pourra aller les visiter de temps en temps?

— Qui? Sarah et Mady? Oui, si elles veulent bien de nous.

— Sarah est formidable.

— Oui. C'est une bonne personne.

— Et c'est ta fille. Tu te rends compte?

— Je ne me rends pas vraiment compte, justement... J'ai si longtemps gardé ça pour moi, je ne m'y suis jamais vraiment arrêté. Au début, oui, j'étais souvent près d'elle. Puis, je suis parti à l'étranger. Et j'ai laissé un peu faire... Je crois, aussi étrange que cela puisse paraître, que je m'étais habitué à être l'oncle.

— À Sarah aussi, il faudra du temps...

— C'est pour ça que c'était bien qu'on parte, continua Maurice, pensif.

— Dommage cependant qu'on n'ait pu rencontrer Mady...

— De toute façon, nous aurons d'autres occasions de faire sa connaissance. Il ne sert à rien de tout précipiter. On va laisser les idées retomber un peu et apprendre à se connaître mieux encore par le biais de lettres.

— Tu as raison. Un pas à la fois, comme on dit... »

« Oui, un pas à la fois », se répéta Rhonda, l'esprit lointain.

* * *

Sarah et André quittèrent une nouvelle fois le bureau du directeur de l'école de Vanessa. De toute évidence, la situation évoluait dans le bon sens. Le chef d'établissement affirmait qu'il n'avait jamais eu connaissance que de tels procédés avaient cours dans son école. Pourtant, grâce à la collaboration diligente de certains parents dont les enfants étaient concernés par cette affaire, les faits avaient été établis. Un père était même venu à l'école avec un sac de sport grand format rempli d'objets de valeur dans les mains. Il l'avait jeté sur le bureau du directeur et avait expliqué, d'une voix bourrue :

« J'ai trouvé ça dans la chambre de mon fils! Je sais que ce n'est pas à lui. Il a reçu une punition appropriée! En tout cas, il n'est pas près de recommencer, je vous le garantis! »

Le principal, mal à l'aise devant le colosse qu'il savait peu enclin au dialogue, l'avait remercié. À sa grande surprise, l'homme se révéla même plus courtois que son physique imposant ne le laissait supposer. C'est grâce à sa collaboration que le directeur put dresser la liste des amis de son fils possiblement impliqués dans ce racket. Après des aveux, les jeunes reconnus coupables furent suspendus pour deux semaines. En cas de récidive, c'était l'expulsion définitive, accompagnée d'une plainte officielle à la police. Le directeur n'avait pas mâché ses mots et on le sentait ferme dans ses décisions.

Sitôt le couple Corneau sorti de la pièce, le chef d'établissement ferma le dossier en soupirant. Il rédigea un document pour compléter le volumineux rapport à ses supérieurs. Il souhaita qu'un tel cas ne se reproduise plus, plus jamais! Il avait été particulièrement éprouvé dans l'affaire... Son fils unique figurait parmi la liste des racketteurs et il avait dû y faire face!

De retour à la maison, Sarah monta directement dans la chambre de Vanessa. Elle la trouva allongée sur son lit, en train de lire un roman. Il y avait de la musique à un volume raisonnable sur son lecteur CD.

« Je te dérange?

— Non, maman, entre. Alors? »

Vanessa inséra son signet dans son livre et se releva aussitôt.

« Il semble que ton école soit redevenue accueillante pour tout le monde.

— Vraiment? Plus de racaille?

— Je ne dirais pas ça. »

Une ombre passa dans le regard de Vanessa. Sarah reprit :

« Par contre, tous les jeunes impliqués dans ce racket ont été suspendus. Ils sont au courant qu'une nouvelle tentative les conduirait directement à la police.

— Bien... »

Vanessa semblait peu convaincue.

« Tu n'es pas satisfaite?

— Je ne sais pas, maman. Ces derniers temps ont été très durs, tu sais. Puis, j'ai fait tellement de choses dont je ne suis pas fière non plus...

— Tu as essayé de te défendre avec tes moyens. C'est déjà ça.

— Mmm!

— Tu as aussi appris que tu pouvais compter sur nous, j'espère. »

Cette fois, Vanessa sourit franchement.

« C'est vrai. Et c'est important.

— Qu'est-ce que tu souhaites maintenant? »

Au froncement de sourcils de Vanessa, Sarah comprit que sa fille ne savait pas ce qu'elle attendait d'elle. Elle alla droit au but :

« Es-tu prête à retourner en cours, à retrouver tes amies?

— Oui. Enfin, je crois.

— Tu prendras un jour à la fois.

— J'ai déjà appelé mes amies. Enfin, deux.

— C'est un bon début. Comment s'est passée la conversation?

— Assez bien. On a beaucoup parlé, c'est vrai.

— Elles ont compris?

— Oui et non.

— Laisse-leur du temps aussi. Puis, tu peux choisir tes amis. »

Vanessa rit en regardant sa mère.

« Elles ne sont pas toutes intéressantes, c'est ça? »

Sarah leva les sourcils dans un geste d'innocence :

« Je n'ai pas dit ça...

— Maman, s'il te plaît, plus d'honnêteté.

— O.K.! Tu as raison. Mais de toute façon, je ne t'ai jamais menti sur tes fréquentations et sur ce que j'en pensais.

— C'est vrai. Même si je ne suis pas toujours prête à recevoir tes critiques.

— Je sais, Vanessa. Ce n'est jamais facile de se faire dire qu'on ne partage pas les mêmes idées. Des fois, on est maladroit pour s'exprimer.

— Qu'est-ce qu'il y a, maman?

— Pourquoi me demandes-tu ça?

— Parce que je sens bien qu'il y a autre chose.

— Mmm! Je suis si transparente?

— Pas toujours, mais là, oui.

— Bien! »

Sarah détourna son regard vers la fenêtre. Elle hésitait, ne savait trop comment aborder le sujet sans affronter sa fille. C'était peut-être encore tôt. Finalement, elle reporta ses yeux sur Vanessa.

« Et ce garçon à la moto, ce... »

L'adolescente esquissa un sourire.

« Fabian?

— Oui, Fabian, je voulais savoir, enfin, est-ce que tu le vois toujours?

— Beaucoup moins. Il doit régler plusieurs trucs avec son père! Il est très gentil, maman.

— Loin de moi l'idée de dire le contraire.

— Tu le trouves un peu vieux pour moi, c'est ça? »

À la mimique de Sarah, Vanessa s'empressa de poursuivre :

« Fabian est sorti quelque temps avec une fille. Elle était un peu jalouse quand elle le savait avec moi, c'est vrai.

— C'est normal, non?

— Je ne trouve pas.

— J'aurais eu la même réaction que cette jeune fille. Tu es jolie comme un cœur!

— Tu n'as aucun recul, maman, tu es ma mère!

— Et alors? Je n'ai pas le droit d'avoir bon goût? »

Vanessa rit doucement puis jeta :

« Là n'est pas la question... Rassure-toi, maman, pour l'instant, je ne suis pas encore attirée par les garçons, même si plusieurs de mes amies ne cessent de les regarder et de faire leurs intéressantes devant eux.

— Cela viendra bien vite.

— Peut-être. En tout cas, je préfère me plonger dans un livre, aller au cinéma ou me promener. »

Sarah partit un instant dans ses souvenirs et l'image de Mady, tenant un livre à la main même pour mettre la table, apporta un sourire à ses lèvres.

« Tu as beaucoup de traits communs avec ta tante Mady...

— C'est vrai... J'ai hâte qu'elle rentre... Nos sorties me manquent des fois... Et pour répondre à la question que tu n'as pas posée directement, non, je n'ai pas couché avec Fabian. »

Sarah rougit devant l'à-propos de sa fille.

« Tu avais compris?

— Maman... Je ne suis plus une gamine...

— Ah! Et moi qui me faisais un tel souci... Je me demandais comment te demander ça sans te bousculer...

— Tout va bien.

— Et si un jour tu ressentais le besoin de... enfin, d'aller un peu plus loin avec un garçon, je sais, tu as le temps, et c'est tant mieux... anticipa bien vite Sarah en riant à demi devant le visage de Vanessa, je me sentirai honorée que tu veuilles bien m'en parler et qu'on fasse ce qu'il faut pour que tu n'aies pas de désagrément...

— Oui, maman. Au collège, on nous fait aussi la morale à ce propos. Il y a régulièrement des campagnes où on nous distribue parfois des préservatifs. On nous explique les différents moyens de contraception.

— Tu sembles bien informée. Je suis impressionnée. Tu vas finir par m'en apprendre.

— Bah! les générations évoluent...

— Oui, sans doute... On dit toujours ça à chaque géné-ration, je crois... »

Le silence perdura entre elles deux sans pour autant être lourd. Impulsivement, sans crier gare, Vanessa demanda :
« Est-ce qu'on ira bientôt en Australie?
— Tu le voudrais?
— Bien oui, après tout, mon grand-père vit là-bas. »
Sarah hocha la tête, quelque peu mal à l'aise.
« Oui, ton grand-père.
— C'est super, non?
— Pour ma part, je ne me sens pas prête à affirmer que je trouve ça "super", comme tu dis.
— En tout cas, j'aime bien. J'ai maintenant un grand-père et une grand-mère encore en vie... Ils ont l'air cool en plus!
— C'est vrai qu'ils sont gentils. Nous aurons sans doute l'occasion de mieux les connaître le temps venu.
— Est-ce que tu l'appelleras papa? »
Vanessa avait retenu sa respiration avant de poser la question. C'était à son tour de se montrer indiscrète. Maintenant, elle attendait la réponse de sa mère. Sarah posa une main sur l'avant-bras de sa fille et avoua :
« Je ne suis pas pressée, Vanessa. Je sais que ce serait logique d'une certaine manière... En même temps, j'aurais l'impression de ne pas être honnête avec moi-même si je le faisais en ce moment. C'est encore trop récent. Je commence à moins y penser avec les jours, c'est vrai, mais il est bien rare que je me couche sans avoir une pensée qui s'envole vers l'Océanie. Je crois que seul le temps le dira. Cela viendra ou ne viendra pas. C'est vraiment trop tôt pour le dire.
— Prends le temps qu'il faut. Mais tu veux bien que moi, je l'appelle grand-père? »
Encore un sourire et Sarah se pencha vers sa fille pour l'embrasser sur la joue :
« Oui. Je sais que, pour toi, c'est important. Je n'ai pas de problème avec ça. Bien, je te laisse maintenant.
— Merci, maman. Merci pour tout. »
La mère et la fille échangèrent un regard profond qui en disait long sur leur complicité retrouvée.

* * *

Fabian de Runay, étendu sur son lit, réfléchissait. Son père était disposé à se remettre en question, mais il lui avait demandé un peu de temps pour bien peser les conséquences. Il avait essayé d'écarter son fils de cette histoire. En vain. Le jeune homme s'était même fait un point d'honneur à l'aider à trouver une solution. Pour sa plus grande fierté, plusieurs de ses initiatives s'étaient révélées concluantes, y compris certaines qui n'avaient pas de rapport direct avec l'affaire. Depuis leur tête-à-tête, le médecin s'ouvrait davantage à son fils. Toutefois, il restait encore des zones d'ombre entre eux.

Profitant de l'absence de son épouse, Valery de Runay frappa à la porte de la chambre de Fabian, puis entra. Un regard des deux hommes, et le gynécologue hocha la tête comme pour confirmer qu'il était finalement disposé à tout lui révéler. Posément, il lui expliqua le fonctionnement de l'organisation, qui en était l'âme dirigeante, comment il y était entré et le rôle qu'il y tenait.

Après de longues explications, le fils exprima son ressentiment :

« Je comprends ce qui t'a poussé à le faire, mais à aucun moment tu as pensé que ton action pouvait comporter des risques ?

— Je voulais y croire... Je pensais à toutes ces jeunes mères, accablées par le poids des responsabilités qu'elles ne se sentaient pas capables d'assumer, puis à toutes ces femmes désespérées de ne pouvoir elles-mêmes donner la vie. »

Fabian de Runay resta quelques moments silencieux, troublé par les propos de son père. Même s'il n'approuvait pas, il les comprenait. Son cœur était pris dans un étau. Il savait que son père n'en sortirait pas indemne s'il devait les dénoncer. Après avoir été recueilli par cet homme, il se voyait mal être la cause de sa chute. Par ailleurs, il briserait du même coup la carrière de tous les autres éminents spécialistes impliqués. Il était par trop conscient de la responsabilité qui lui incombait.

Chapitre XIX

Connie n'avait qu'une envie, sortir de l'hôpital! Elle commençait à en avoir assez de toutes ces questions qu'on lui posait. Et le regard des autres devenait difficile à gérer, parfois trop dur, parfois trop compatissant. Une infirmière lui avait remis discrètement les coordonnées d'un organisme qui traitait de cas comme le sien.

Elle ne se considérait pourtant pas comme « un cas ».

Connie se tenait le ventre et sentait du vide, non pas physiquement mais psychologiquement. La douleur restait vive en elle, un poignard à la lame encore plus tranchante que celle de Bart. Heureusement, Peggy Fitzgerald la mit très vite à l'aise. Elle sentait curieusement qu'elles étaient sur la même longueur d'onde. Connie n'éprouvait pas de réticence à parler de son passé, de ce qu'elle ressentait.

C'est ainsi qu'elle avoua à la psychologue qu'elle n'aimait pas vraiment Guillaume. C'était les circonstances de la vie qui avaient fait en sorte qu'ils étaient devenus un couple. Elle avait voulu y croire. Elle s'était menti à elle-même. L'amour qu'elle avait éprouvé pour Bart était sincère quant à lui... Aussi absurde que ce fût... Elle pleura longuement en prenant pleinement conscience de cet état de fait.

Quand l'enquêteur Millet se présenta à son tour, Connie était lasse. Elle demeura volontairement vague dans ses réponses. La psychologue lui avait pourtant suggéré de ne rien cacher aux forces de l'ordre.

De nouveau seule dans sa chambre, Connie prit le magazine juste à côté d'elle et ressentit un tiraillement au bas-ventre. Demain, elle devrait essayer de se lever. À cette idée, la jeune femme fit la grimace.

Marianne attendait la réaction d'Hishimo, mais resta stupéfaite quand il s'éclaircit consciencieusement la voix.

« Si tu préfères, on en reste là avec notre histoire.

— Pardon? »

Marianne essaya de lire les véritables pensées d'Hishimo. En vain.

« Parfaitement. Si notre rencontre compromet tes projets d'avenir, autant en rester là.

— Je te croyais plus sincère dans tes sentiments. »

La réponse cinglante de Marianne ne sembla même pas déranger Hishimo qui garda un masque impénétrable.

« Écoute, Marianne, je n'ai aucune envie de t'entendre dire un jour que tu aurais dû aller là-bas.

— Ou le contraire!

— Peu importe. Là n'est pas le problème. Le fait est que tu le souhaites.

— C'est vrai, j'en conviens.

— Pourquoi ne m'en as-tu jamais parlé dans ce cas? Y a-t-il beaucoup d'autres choses que tu as gardées pour toi? »

Marianne commençait à se sentir vraiment exaspérée par les questions en ligne du jeune homme, lequel de surcroît affichait à son égard une indifférence inhabituelle.

« Nous ne nous connaissons pas depuis si longtemps, je te signale! Puis, c'est normal de ne pas tout savoir sur l'autre. C'est une partie du mystère et c'est à découvrir... Enfin, je le croyais.

— Dans le cas présent, il s'agit d'un projet crucial. Je pourrais l'avoir su, il me semble! Nous avons maintes fois abordé le sujet de tes études, et tu n'en as jamais touché mot. »

Marianne fit la moue. Elle perdait le contrôle de la situation et n'en avait pas l'habitude. Au-delà de cette blessure d'amour-propre, elle devait surmonter la fâcheuse impression qu'elle voyait Hishimo sous un autre jour, et la colère du jeune homme lui paraissait injuste. Finalement, après un long silence de part et d'autre, elle lâcha :

« Je ne t'amuse plus, c'est ça? Pour toi, je n'ai été qu'une jeune fille à conquérir?

— C'est vraiment ce que tu penses?

— Comment savoir, Hishimo? Tu me fais une scène et ne cherches même pas de solution? J'ai voulu être honnête en te faisant partager mes projets, et voilà ce qui se passe.

— Tu n'es pas juste, Marianne. Tu me mets au courant parce que tu n'as plus le choix.

— Et alors?

— Tu dois remplir les formules d'inscription?

— Oui.

— Bien. C'est très bien.

— Qu'est-ce qui est très bien?

— Je viens avec toi! »

Marianne crut avoir mal entendu.

« Comment? »

Hishimo souleva les épaules et répéta, un brin narquois :

« Nous partons ensemble. Je me trouverai bien une occupation là-bas!

— Le moins qu'on puisse dire, c'est que tu es plutôt déstabilisant.

— Je te fais peur? »

Marianne garda le silence puis pencha la tête de côté, comme si elle évaluait la réponse la plus adéquate.

« Je pense qu'avec toi, il vaut mieux y aller un jour à la fois. Tu viens de faire volte-face si vite!

— Tu te trompes, Marianne. Dès que tu as abordé la question, je voulais t'accompagner. Il était hors de question que je te laisse aller aux pays des hidalgos sans moi.

— Oh! Ce n'est donc pas tant pour moi! Tu veux me surveiller?

— Non, ce sont les autres que je dois surveiller. En toi, j'ai confiance. »

Marianne, encore hésitante, répondit à la demande muette d'Hishimo et s'engouffra dans ses bras.

« Mary-Gaëlle avait raison. Je dois apprendre à te faire plus confiance.

— J'aime beaucoup Mary-Gaëlle! Elle a toujours de sages conseils. »

Marianne rit doucement et se laissa envelopper par ces moments de douceur.

« Elle m'a dit aussi que je pourrais très bien étudier au Texas...

— Je te l'ai bien dit, les solutions se ramassent à la pelle. Tu pourrais rencontrer mes parents...

— Tu vas bien vite encore...

— Mais non, je vais à une vitesse de croisière... »

* * *

Connie déambulait dans le couloir de l'hôpital. Son abdomen était douloureux, mais elle arrivait enfin à marcher! Autour d'elle, des bruits multiples lui parvenaient dans un brouhaha particulièrement désagréable. Un bébé se mit à pleurer et elle tourna la tête. Un sourire lui arriva au visage et elle se toucha le ventre machinalement.

« Je suis bien contente que tu sois enfin née, Micheline. Je viens tout de suite. Tu as sans doute faim? »

Un patient qui venait dans la direction de la jeune femme ne manqua pas d'être intrigué par le comportement de celle-ci. Les yeux rivés vers le sol, avançant à pas laborieux, Connie murmurait pour elle-même une douce berceuse. Quand il fut à sa hauteur, l'homme arriva à saisir quelques bribes de la chanson. Il était question d'une petite Micheline recevant de doux câlins de sa maman... Ému par cette démonstration touchante, il poursuivit son chemin, non sans avoir adressé son plus beau sourire à cette maman aux traits angéliques. Connie Suisseau passa devant la pouponnière et contempla les bébés au travers de la grande baie vitrée. L'un d'eux, tourné sur le côté, la regardait avec des yeux ronds, ses petits poings en avant comme pour un combat de boxe entre super-légers.

Une agitation, dans le couloir, détourna soudainement son attention. Une patiente haranguait violemment un jeune interne. Bientôt, une préposée approcha à son tour en essayant de la ramener à de meilleurs sentiments, mais son intervention ne changea rien. La femme agitée refusait de se calmer. Sa colère frisait de plus en plus l'hystérie.

Alertée par les cris, l'infirmière en chef, qui se trouvait dans la pouponnière, décida d'intervenir.

Connie observa la scène en se demandant ce qui avait

bien pu se passer pour que cette jeune femme se mette dans un pareil état. La perte de son bébé lui sembla l'explication la plus plausible.

Gagnée par l'atmosphère survoltée, Connie se sentit tout à coup oppressée. Une bouffée de chaleur lui traversa le corps. Elle tourna la tête et remarqua encore ce bébé qui semblait la regarder. Sans préméditation, elle entra dans la pouponnière laissée sans surveillance et s'approcha du berceau. Un sourire, empreint de tendresse, se dessina aussitôt sur son visage en voyant cette adorable petite frimousse qui lui faisait maintenant face. Elle se pencha et prit le nouveau-né en lui chantant une berceuse de son enfance... Cette même berceuse qu'elle murmurait plus tôt, dans le couloir.

Connie sortit tranquillement de la pouponnière avec l'enfant dans les bras, puis regagna sa chambre.

Elle ne croisa personne.

* * *

« Alors, Rachel? J'ai cru comprendre que l'affaire Bart Viscont était classée?

— Si nous n'avons rien de nouveau d'ici vingt-quatre heures, oui, expliqua la détective Toury. Par ailleurs, on avait tort...

— À quel propos?

— Connie Suisseau n'a pas voulu se débarrasser de Viscont. Elle l'aimait...

— Pourquoi voulait-elle épouser Bélanger alors? »

Rachel Toury leva les yeux au ciel.

« Confort financier? De toute façon, tout ceci s'est terminé de bien tragique manière.

— Le capitaine est convaincu que nous avons affaire à un cas de légitime défense, ni plus ni moins. »

La détective confirma.

« Il pense que nous devrions nous concentrer sur les deux autres affaires en cours. Elles sont bien plus importantes, selon lui.

— Pour être honnête avec toi, je pense comme lui. Bien sûr, je ne dis pas ça pour aller dans son sens, mais tu connaissais déjà ma position sur cette affaire.

— C'est vrai. Il est probable que vous ayez raison, tous les deux. Je ne devrais peut-être pas chercher de petites bêtes où il n'y en a pas... Que veux-tu, Jeff? Des fois, il y a des dossiers dont j'ai du mal à me défaire tant que je ne suis pas totalement convaincue.

— Ah! c'est sûr, ce n'est pas toujours facile. D'un autre côté, on peut difficilement considérer cette Connie Suisseau comme une meurtrière. Même si elle n'a guère apprécié mes questions...

— Tu sais, elle a subi un traumatisme suffisamment grand avec la perte de son enfant, je peux comprendre ça.

— Qu'est-ce qu'il y a, alors? Tu penses qu'elle nous a caché quelque chose? Même si elle n'a pas fait beaucoup d'efforts pour répondre à nos questions, je l'ai trouvée plutôt convaincante quand je l'ai interrogée. Pas toi?

— Je ne sais pas. Quand nous étions tous les deux, la deuxième fois, il y a quelque chose qui m'a dérangée chez elle.

— Quoi?

— C'est difficile à dire. J'ai eu comme l'impression qu'elle n'était pas tout à fait sincère avec nous, oui, c'est ça...

— Ah bon! Moi pas. Mais bon, peut-être qu'entre femmes vous sentez davantage ces choses... »

Rachel s'interrompit un instant et regarda longuement son collègue.

« Je ne sais pas, mais je suis sûre qu'elle était sincère quand elle a fait allusion à la perte de son enfant. Et je la comprends, crois-moi. Je ne peux pas m'empêcher de penser au parallèle de nos vies... Je considère Kyle comme mon propre fils, même si je ne l'ai pas mis au monde.

— Je te crois, Rachel. Je n'en ai jamais douté. Depuis le jour où Valentin et Kyle sont entrés dans ta vie, ça t'a complètement transformée. Je dirais même que ce changement a ajouté un plus à tes intuitions et à nos enquêtes.

— Ah bon!? Tu trouves?

— Oui... Et c'est pour ça que je respecte ce malaise que tu ressens.

— Merci, Jeff. En tout cas, le traumatisme subi par la perte de son enfant ne fait aucun doute, selon moi. Une femme enceinte qui perd son bébé, peu importe dans quelle condition, ne pourra jamais effacer ce tragique souvenir de son esprit. Elle devra vivre avec le reste de sa vie.

— Comment peut-on connaître le bonheur après ça?

— Le bonheur est toujours possible, Jeff. Connie Suisseau sera en mesure d'avoir d'autres enfants d'après ce qu'a dit le docteur. Je l'espère pour elle en tout cas, mais... »

La détective Toury s'arrêta.

« Mais quoi? demanda son coéquipier, désireux d'en savoir plus ou d'en finir une bonne fois pour toutes.

— Eh bien, nos sentiments ne doivent en aucun cas fausser notre jugement. Il ne faut pas écarter le fait que cette Connie Suisseau a très bien pu chercher à nous tromper pour une raison que j'ignore. N'oublions pas qu'elle avait beaucoup à perdre dans cette histoire...

— Bart Viscont était loin d'être un tendre, souligna l'enquêteur Millet. De toute évidence, il avait la main lourde. Les nombreuses ecchymoses relevées sur Connie Suisseau en témoignent. Plusieurs d'entre elles sont bien antérieures à sa blessure à l'abdomen, selon le rapport du médecin.

— Oui, c'est un fait. Peggy l'a également constaté. Mais nul n'a le droit de se faire justice, cependant. D'ailleurs, elle a tout dit à Guillaume Bélanger. Elle voulait arrêter et rester avec Bart Viscont...

— C'est assez complexe comme situation... »

Rachel Toury se mordit les lèvres et esquissa un pâle sourire.

« Tu as raison, Jeff. C'est pourquoi je n'ai pas persisté quand le capitaine a dit qu'il nous laissait vingt-quatre heures pour apporter de nouveaux éléments. Ensuite, cette affaire sera classée.

— Bien. Qu'est-ce que tu veux que je fasse en attendant?

— Va chez Connie Suisseau. Peut-être y trouveras-tu quelque chose. Je pense à son PC, son répondeur ou bien un journal où elle aurait pu laisser des indices compromettants. Cherche aussi chez Viscont.

— Entendu. Je devrais peut-être emmener Matt avec moi...

— C'est une bonne idée. Il ne sera pas de trop. Lui qui rêve depuis longtemps d'aller sur le terrain. Ça lui fera les pieds, plutôt que de rester toute la journée dans son labo.

— Et toi? Que comptes-tu faire?

— Je vais lire le rapport psychologique de Peggy, puis ensuite, je verrai si je peux trouver quelque chose sur le gars à l'imperméable. J'ai eu le temps de bien voir son visage, contrairement à toi qui l'as surtout aperçu de dos.

— Oh, ne m'en parle pas! Tu penses que tu pourrais le reconnaître dans nos fichiers? »

Rachel esquissa un sourire :

« Je peux toujours essayer. Sinon, je demanderai qu'on dresse un portrait-robot. »

* * *

Une infirmière au pas pressé entra dans la chambre de Connie Suisseau. Elle resta interdite quand elle vit la jeune femme tenir un bébé dans ses bras.

« Que faites-vous avec cet enfant? »

Le sourire aux lèvres, Connie regarda l'infirmière.

« Micheline pleurait, alors j'ai décidé de la bercer. Tout va bien, elle s'est endormie à présent.

— Micheline? » continua la femme d'un ton un peu abrupt.

Ses yeux allaient de Connie à l'enfant.

« Bien oui, ma petite fille. Je suis allée la récupérer à la pouponnière.

— Et on vous a laissée la prendre? »

Le ton sévère de l'infirmière contrastait avec l'extrême douceur de Connie.

« Il n'y avait personne. »

L'infirmière fronça les sourcils. Elle décida de rester prudente et d'user de diplomatie pour ne pas mettre en danger l'enfant, car Connie Suisseau semblait étrange. Avec calme, elle avança en tendant les bras :

« Je vais reconduire Micheline à la pouponnière et je reviens. Je dois vous faire une prise de sang.

— Oui, bien sûr. Tenez, acquiesça Connie, un sourire béat aux lèvres. Elle est très belle, n'est-ce pas?

— Oui, c'est vrai. Attention, ne la réveillons pas. »

Soulagée, l'infirmière sentit l'enfant tout contre elle et

l'examina des yeux brièvement. Tout semblait bien aller. D'un pas tout aussi pressé qu'à son arrivée, elle repartit en lançant un vague :

« Je reviens tout de suite. »

* * *

Rachel Toury reposa le rapport de Peggy Fitzgerald et soupira. Connie Suisseau n'allait pas bien. Pas bien du tout, avait même conclu Peggy après de longues explications. Elle devrait continuer à être suivie, car, sous des apparences douces et conviviales, la jeune femme présentait des symptômes graves de dépression et de dissociation des événements.

Rachel se leva et fit les cent pas dans son bureau en jetant parfois un regard vers l'animation de la rue. Que pouvait-elle faire? Elle retourna rapidement à son bureau et consulta les fichiers de la police. Les visages défilaient... Ses yeux recherchaient l'homme à l'imperméable.

* * *

Dans l'Ouest canadien, en Colombie-Britannique, Carole Marquis avait expressément demandé à Mady Lestrey de s'installer chez elle durant les quelques jours qu'elle séjournerait à Vancouver. Mady obtempéra et régla sa note d'hôtel.

L'après-midi, Luc l'invita à une promenade dans le centre-ville. Ils évoquèrent des souvenirs qui les rapprochaient tous deux. Ils parlèrent aussi longuement de Guillaume.

Leurs pas s'étaient dirigés sans préméditation vers le magnifique parc Stanley. Au milieu d'un superbe pont de bois, Mady avait observé avec bonheur une bande de cygnes qui glissaient au fil de l'eau. Luc avait pris des photos sur le vif. Plus loin, Mady s'était arrêtée longuement pour admirer les totems et les effleurer du bout des doigts. Luc lui avait glissé à l'oreille qu'en hiver, le parc était toujours aussi avenant et invitant. Mady avait hoché la tête, conquise par cette journée. Pendant de longues minutes, le cœur repu de ses découvertes, elle était restée collée littéralement aux arbres géants, essayant de les contourner bien vainement de ses deux bras. Luc et elle avaient ri de bon cœur.

* * *

Connie ne comprenait pas ce qui arrivait. Une infirmière se tenait en quasi-permanence dans sa chambre et cherchait toujours à discuter avec elle. Elle lui répondait, bien sûr, mais elle ne savait trop au juste où l'autre femme, prénommée Catherine, voulait en venir. Son ange gardien avait des traits délicats et un visage rayonnant. Connie n'aimait pourtant pas son chignon, qu'elle trouvait bien trop sévère. Le contraste la saisissait à chacune de ses visites, tout autant que ses commentaires d'ailleurs. Pourquoi cette femme se croyait-elle obligée de lui répéter qu'à sa sortie prochaine de l'hôpital elle aurait d'autres enfants? Sa petite Micheline était bien là pour la combler! Elle ne ressentait nul besoin de faire d'autres projets...

Elle admettait toutefois facilement que la compagnie de cette infirmière lui faisait du bien. De fait, un véritable courant de sympathie se tissa rapidement entre les deux femmes. Dans ses moments de relative lucidité, Connie était une interlocutrice raisonnable, allant même jusqu'à offrir ses conseils de beauté à son infirmière quand cette dernière lui avait parlé d'un mariage où elle avait été invitée. Néanmoins, par vagues successives, ce lien précaire s'envolait, et c'est une Connie furibonde qui réclamait à grands cris sa fille.

On ne voulait plus la lui apporter.

Pire, on ne la laissait plus aller la voir!

Dans l'après-midi, la même infirmière se présenta à nouveau dans la chambre, un sourire sincère sur le visage.

« Comment vous sentez-vous? lui demanda-t-elle.

— Bien, mais j'ai hâte de sortir et de montrer sa chambre à mon bébé. »

Un soupir presque indicible souleva les épaules de Catherine. Elle tendit la main vers sa patiente et la regarda une nouvelle fois dans les yeux. Connie fut frappée par la force de ce regard, de l'amour qui s'en dégageait. Mais la tristesse s'installa brusquement et Connie se mit à pleurer, à marmonner des mots incohérents. L'infirmière finit par entendre distinctement les mots « bébé » et « perdu ». Elle était spécialiste en suivi psychologique. Elle soupira de soulagement. Connie Suisseau avait en elle les ressources pour s'en sortir.

Les deux femmes discutèrent longuement, puis l'infirmière suggéra à sa patiente de se reposer avant de la revoir un peu plus tard.

Une fois seule, Connie s'assit sur son lit, attendit encore un moment, puis se leva prestement. Le sourire béat aux lèvres, elle ouvrit son placard et enfila sa veste. Au loin, elle entendait son bébé l'appeler.

« Qu'elle grandit vite! Je l'entends dire "maman"! »

Dans le couloir, il y avait beaucoup de monde. C'était l'heure des visites. Les siennes se faisaient rares. Pourtant, une naissance, cela se célèbre, pensait-elle confusément. Elle marcha droit devant elle, prit l'ascenseur et s'arrêta à l'accueil. Elle demanda à voir son fiancé, Guillaume Bélanger. La préposée consulta son ordinateur et expliqua qu'il avait reçu son congé de l'hôpital. Connie la remercia et retourna à l'ascenseur. Elle s'arrêta à un autre étage et poussa une porte au hasard. Elle y trouva un homme alité. Elle s'approcha et lui prit la main sans hésiter. Le patient ne montra aucune réaction. Il semblait dormir. Connie s'installa sur la chaise toute proche, tenant toujours la main de cet inconnu qu'elle croyait être Guillaume.

« Tout va bien aller, mon amour. Micheline nous attend. Elle est là-haut. Elle dort paisiblement. On va bientôt sortir. Nous serons heureux tous les trois ensemble. »

Connie resta encore un peu, puis embrassa l'homme sur le front avant de s'éclipser. Elle reprit l'ascenseur, mais cette fois elle appuya sur le bouton du rez-de-chaussée. Lorsqu'elle se retrouva à l'extérieur, le soleil illumina son regard. Fermant consciencieusement sa veste, elle s'éloigna sans plus attendre, incertaine de la direction à prendre. Elle marchait le long de la rue commerciale depuis quelques minutes quand elle ressentit une vive fatigue. Elle s'écroula presque sur un banc et ferma les yeux...

* * *

À Vancouver, juste après être passé à l'hôpital St. Paul, Luc Marquis entraîna avec un enthousiasme presque juvénile Mady au célèbre pont Capilano. Ils avaient emprunté le Seabus pour s'y rendre. Mady avait trouvé charmant ce transport en commun sur l'eau. Elle était heureuse et oubliait momentanément ses soucis, tout comme Luc d'ailleurs. L'architecture grandiose du pont Capilano qui enjambait un canyon à soixante-dix mètres au-dessus d'un ruisseau impressionna Mady. Elle contempla longuement la structure de bois suspendue et retenue par des câbles d'acier, puis y posa un pas timide en tenant fermement la rampe d'une main et, de l'autre, celle de Luc. Le pont oscillait sous eux et Mady riait, les yeux brillants.

* * *

Guillaume avançait dans un endroit qui lui était totalement inconnu... Malgré tout, il se sentait bien. Pas de douleur, pas de regrets. Il marchait droit devant lui, sans but. Le calme qui s'étendait autour de lui l'emplissait même d'un bonheur intense, d'autant que le ciel était irisé de couleurs magnifiques, pouvant rivaliser avec les plus beaux couchers de soleil auxquels il avait assisté. Les couchers de soleil, particulièrement au bord de l'eau, avaient toujours exercé sur lui une fascination. Il n'y avait pas d'eau ici. Au loin, il distinguait une forme. Curieusement, il avait beau avancer, la distance entre lui et cette silhouette restait la même, inaccessible. L'autre personne marchait-elle aussi?

Sans doute!

Ce petit jeu de poursuite lui rappela la lune et ses promenades nocturnes. Quand, au bout d'une journée épuisante, il avait besoin de faire le vide, il aimait se promener dans les rues endormies de son quartier. Souvent, la lune se trouvait devant lui. Elle lui apparaissait si proche et pourtant elle demeurait toujours insaisissable. Voilà que ce phénomène se répétait.

Où était-il? ne put-il s'empêcher de se questionner.

Dans un même temps, il comprit confusément qu'il n'avait pas envie de savoir...

Guillaume remarqua qu'il arrivait à mieux distinguer la personne en face de lui. Il s'agissait d'une femme, cela ne faisait aucun doute.

Après avoir marché au même rythme que lui, voilà qu'elle semblait l'attendre! Malgré son visage flou, il parvenait à voir un sourire qui flottait sur ses lèvres. Ces traits lui étaient familiers. Il connaissait cette personne. Son cœur ne s'émut pas pour autant de sa présence en ces lieux. Il était heureux, c'est vrai. Ils allaient certainement parler ensemble, mais le meilleur de son esprit tendait à autre chose en même temps.

La jeune femme tendit la main et lui frôla le bras. Guillaume se laissa faire même s'il ne ressentait rien.

« Pourquoi? » demandait une part de son esprit rationnel. Il trouvait que quelque chose clochait. Il aurait dû ressentir plus d'émotions et ce n'était absolument pas le cas!

Progressivement, les traits du visage de la femme se précisèrent, et Guillaume la reconnut enfin.

C'était Connie!

Que faisaient Connie et lui dans cet endroit étrange?

Elle continuait à lui sourire. Ses lèvres ne bougeaient pas. Pourtant, Guillaume lisait sans peine dans ses pensées. Il comprit qu'elle pouvait aussi lire dans les siennes.

Connie lui assura qu'elle se sentait bien, qu'elle était heureuse. Que là où elle se trouvait, tout le monde était gentil avec elle.

Guillaume demanda :

« Qui est gentil, dis-moi? Il n'y a personne ici. »

Ce fut au tour de Connie de paraître surprise. Doucement, toujours avec ce beau sourire lumineux, elle voulut lui faire entendre raison :

« Voyons, Guillaume, regarde autour de toi! Ne vois-tu pas toutes ces personnes qui nous sourient dans la rue? »

Guillaume n'insista pas. Il comprenait que Connie ne voyait pas les mêmes choses. Ils avaient une interprétation différente de leur environnement.

Encore une fois, le fait lui parut tout naturel! Des souvenirs confus l'amenèrent soudain à s'inquiéter pour la jeune femme.

« Connie, es-tu sûr que ça va?

— Je vais on ne peut mieux! Je suis passée voir Micheline à la maternité. La petite est magnifique. »

Guillaume eut un sourire compassé.

« Finalement, tu étais faite pour être maman... »

Le sourire de Connie s'effaça soudain pour réapparaître presque aussi vite.

« Nous ne nous reverrons plus, Guillaume. Enfin, plus comme ça.

— Qu'est-ce que tu racontes?

— C'est normal. Tu comprendras quand ce sera le temps. Mais ne t'inquiète surtout pas pour moi. Je suis vraiment bien où je suis. Si tu savais comme je suis heureuse d'avoir pu te rencontrer une dernière fois.

— Connie... »

Avec douceur, la jeune femme fit « chut » en dévoilant ses belles dents blanches et disparut.

Aussitôt le paysage changea et Guillaume se retrouva dans un autre endroit. Cette fois, quelques personnes l'entouraient. Ces gens étaient remplis d'amour à son endroit. Ébahi, il comprit que ses parents, qui lui manquaient tant depuis leur tragique disparition deux ans plus tôt, étaient à ses côtés!

Sa mère l'enveloppait d'une tendresse infinie. Guillaume dut reconnaître qu'il se sentait encore mieux qu'auparavant. Il se laissa guider sur le chemin qu'on lui indiquait.

* * *

Mady, qui regardait sous le pont Capilano, remarqua le sommet des conifères. Pour la première fois de sa vie, elle dominait les grands sapins. La sensation était étrange et un vertige la prit. Elle cligna plusieurs fois des yeux quand elle remarqua le visage de Yolande. Il n'y avait pas son corps, juste son visage, sérieux.

« Mady, vous vous sentez bien? » questionna Luc devant le visage crayeux de sa compagne.

Comme Mady ne cessait de blêmir davantage, il n'attendit pas de réponse et la conduisit à l'autre extrémité du pont. Il la força à s'asseoir dans un coin ombragé et versa sur son front de l'eau fraîche de sa gourde.

Mady ne répondait pas à ses questions.

Le visage de Yolande se tenait toujours devant elle. Elle lui souriait. Puis, avec un regard étrange, la fillette se pencha au-dessus d'un homme allongé dans son lit.

C'était Guillaume!

Dans un état second, Mady leva les mains. Elle tâta le front de Luc, puis lui caressa les deux joues dans un geste puissant...

Ce dernier resta interdit devant les agissements singuliers de Mady qui pourtant semblait avoir pris du mieux... Il s'en voulait de l'avoir amenée jusqu'ici. Il pensait que sa réaction soudaine était due à une phobie du vertige, même si elle n'avait montré aucun signe dans ce sens en empruntant le pont. Il ne voyait cependant pas d'autres explications possibles.

Mady avait les mains brûlantes et elle semblait ailleurs. Finalement, elle murmura :

« Guillaume. »

Luc sentit un froid glacial le parcourir. Il avait l'impression qu'on l'attirait dans un endroit sombre, un endroit où il n'avait aucune envie d'être. Il résista de toutes ses forces à cette sensation. La chaleur commença à se répandre à nouveau en lui, en même temps que Mady serrait sa main.

* * *

Guillaume entendit un bruit derrière lui. Pourtant, il hésitait. Ses parents le conduisaient avec tant d'amour, pourquoi renoncer à tout cela? Quelque part, il songea à sa sœur, mais son cœur se rassura de lui-même. Elle était mariée, elle avait un enfant. Tout irait bien pour elle. Quant à Connie, elle lui avait dit au revoir.

Il avança encore.

Son front le brûla vivement, puis ses joues. Son avancée devenait difficile. Il ne comprenait pas pourquoi.

Se retourner devenait nécessaire pour voir ce qui arrivait!

Guillaume voulait dire à sa mère de l'attendre, mais elle l'arrêta au moment même où il formulait cette pensée. Elle lui expliqua que ce n'était pas possible... qu'il devait la suivre maintenant ou bien beaucoup plus tard.

Le cœur de Guillaume se contracta douloureusement.

Enfin, il se retourna brusquement. Suivre ses parents n'était plus son désir. Il devait absolument repartir d'où il venait, convaincu de reconnaître la voix de Mady qui l'appelait.

Il se sentait si confus soudain...

Chapitre XX

Mady était agitée et prononçait régulièrement le prénom de Guillaume. À ses côtés, Luc se sentait démuni devant son comportement étrange. Certains visiteurs embrassaient la scène du regard, se demandant ce qui pouvait bien arriver à cette femme. D'autres hésitaient à s'approcher, préférant laisser le couple régler seul son problème.

Sans se soucier de la présence de tous ces curieux, Mady sentait toujours la présence de Yolande. On aurait dit que la fillette l'encourageait... à moins qu'elle ne soit plutôt venue chercher Guillaume pour le conduire dans un « ailleurs ». À cette pensée, un frisson glacial lui traversa l'échine et, dès lors, elle évita de jeter des regards à l'endroit où s'était repliée l'enfant.

« Reviens, Guillaume. Je sais que tu m'entends. Reviens. Il faut que tu saches... Je n'ai jamais cessé de t'aimer... »

Mady n'avait aucune idée à quel point sa voix était devenue hystérique.

Autour d'eux, la surprise avait fait place à l'ironie. Quand Luc tenta de la ramener à la raison, elle lui serra brutalement le bras.

Puis, soudain, le calme reprit ses droits, et Mady afficha un air de sérénité sous le vent léger du grand air qui lui caressait les cheveux et le visage. Elle posa un regard étonné sur Luc avant de se rendre compte qu'elle lui broyait le bras. Relâchant aussitôt son emprise, elle rougit et haleta en même temps, à la recherche d'un second souffle. Prise d'une certitude, elle débita :

« Excusez-moi, Luc. Il s'est passé quelque chose avec Guillaume. J'en suis sûre.

— Comment est-ce possible?

— J'ai vu Yolande... Elle était avec lui... »

Après avoir frappé plusieurs fois à l'appartement de Guillaume, Manon prit la liberté d'ouvrir la porte avec un double qu'elle possédait. Elle était convaincue que son frère était là même s'il ne répondait pas.

Elle était très inquiète.

Elle traversa les pièces pour finalement trouver Guillaume dans sa chambre. Il était aux prises avec un sommeil agité. Elle l'entendait crier sans cesse le prénom de Mady. Manon décida d'intervenir et le réveilla sans plus attendre.

Guillaume ouvrit les yeux et croisa ceux de sa sœur.

« Manon! Mady vient de me ramener. »

Ce furent ses seules paroles. Guillaume referma les yeux. Manon, hagarde, posa un regard vers le téléphone. Devait-elle appeler pour de l'aide? Elle regarda encore son frère qui dormait paisiblement.

Elle posa une main sur son front. Il n'avait pas de fièvre.

Pourtant les paroles de son frère l'habitaient. Manon n'avait plus à tergiverser!

* * *

L'enquêteur Millet s'entretenait avec la détective Toury au sujet d'une autre affaire quand, brusquement, il s'interrompit avant de lancer, sur le même ton :

« Je suis aussi allé me baigner tout nu dans le fleuve cet après-midi. Je vais recommencer demain.

— Très bien, Jean-François. »

Rachel ne remarqua même pas le sourire narquois de son interlocuteur quand il poursuivit, conciliant :

« Il faudrait peut-être qu'on parle, tous les deux...

— C'est ce que tu fais, non?

— Oui, sauf que tu ne m'écoutes pas. »

Rachel reporta son regard sur son vis-à-vis.

« Ah oui? »

La surprise n'était pas feinte.

« Oui, Rachel. Je viens de te dire que je m'étais baigné tout nu dans le fleuve et tu acquiesces comme si c'était naturel! »

Rachel éclata de rire devant l'absurdité du moment.

« Je suis désolée, Jeff. Je t'ai fait perdre ton temps.

— Sérieusement, qu'est-ce qu'il y a, Rachel? C'est personnel?

— Non. Tout va bien de ce côté... C'est le rôle qu'a tenu Connie Suisseau... Je n'arrive pas à me l'enlever de la tête... Y a rien à faire...

— Tu es toujours persuadée qu'il y a autre chose?

— Je ne sais pas. Mais je voudrais bien aller faire un petit tour à l'hôpital, histoire d'interroger cette fille, de faire le point.

— Tu penses la faire craquer en la harcelant?

— Je n'ai pas cette prétention.

— Très bien. Je viens avec toi.

— Tu ne devais pas être avec Matt en ce moment? Votre fouille dans l'appartement de Connie Suisseau a donné des résultats?

— Pas grand-chose pour l'instant. Matt était en train de fouiner dans son PC quand je suis parti. Je ne servais à rien en restant à ses côtés.

— Peut-être, mais tu n'aurais pas dû le laisser seul tout de même.

— Bah! Que veux-tu qu'il lui arrive? Il s'en sort très bien. Il voulait aller sur le terrain. Le voilà servi. »

Rachel poussa doucement son collègue vers la porte en ajoutant, à demi souriante :

« Bon, si tu le dis. On prend ton vieux tacot ou ma voiture pour aller à l'hôpital? »

* * *

Connie se réveilla avec un gros mal de dos. Elle avait un peu froid aussi et toujours cette douleur au ventre. Ses cicatrices, encore si récentes, la tenaillaient. C'est avec d'infinies précautions qu'elle se leva péniblement du banc. Au fur et à mesure qu'elle marchait, ses mouvements redevenaient plus réguliers.

Elle ressentit le besoin impérieux de manger, ne serait-ce que pour atténuer sa faiblesse. Elle entra vivement dans un restaurant tout proche et commanda un plat à emporter. Au moment de régler, elle constata qu'elle n'avait rien sur elle. La caissière la regarda d'un œil sévère, sans s'attendrir le moins du monde devant les explications de Connie. L'autre, irritée, n'en démordait pas.

« Ici, pour emporter, il faut payer! »

Connie insista en élevant la voix. La dame répéta la même phrase. La gérante, une femme aux cheveux auburn, se tenait non loin. Lasse, Connie demanda :

« Un verre d'eau, c'est possible? Un simple verre d'eau? Je dois aussi nourrir mon bébé. Il est à la pouponnière. »

La gérante prit les choses en main, écartant doucement l'employée. Un mouvement chez Connie lui avait fait entrevoir sous sa veste une blouse de patiente de l'hôpital tout proche. Elle le savait, car son père portait la même... Elle souffla à la caissière de lui apporter à la table le plateau-repas que Connie avait commandé. La responsable de l'établissement conduisit l'étrange cliente à une table et s'installa en face d'elle. Doucement, elle l'interrogea :

« Comment vous appelez-vous?

— Connie.

— Connie. C'est très joli comme prénom. Dites-moi, Connie : est-ce que vous vous sentez bien?

— Oui. Enfin, je crois. Je suis une nouvelle maman. Mon bébé m'attend à la maternité. Mais j'ai eu faim, alors, je suis entrée ici.

— Oh! je vois. Et le papa? Il n'est pas avec vous? »

Connie se mit à rire comme une enfant.

« Oh non! Son papa, j'ai dû le tuer. Il était violent. Je n'avais pas le choix. Je l'aimais pourtant... Tout va bien maintenant. Avec ma petite Micheline, on va bien vivre à présent.

— Très bien, acquiesça la gérante, toujours aussi calme. Écoutez, Connie. Je vais vous laisser terminer votre repas tranquillement. Je reviens dans un instant. Vous allez m'attendre, n'est-ce pas? »

La jeune femme hocha la tête, puis reporta son attention sur le plateau. La gérante sortit de son champ de vision et passa derrière le comptoir. L'instant d'après, elle communiquait avec les services d'urgence et relatait sa singulière histoire.

Rachel et Jeff arrivaient dans la chambre au moment où une infirmière en sortait, l'air affolé. La détective eut juste le temps de demander :

« Connie Suisseau? »

Que l'autre répondait un rapide :

« Disparue. »

En se dirigeant au bureau non loin, Rachel et son collègue se jetèrent un regard stupéfait avant d'emboîter le pas à la femme. L'effervescence montait et les téléphones ne dérougissaient pas.

« Elle n'a tout de même pas disparu ainsi! » commenta Rachel, rageuse, plus contre elle que contre quiconque.

Un médecin auquel elle avait déjà eu affaire la questionna :

« Je croyais que votre enquête était terminée?

— Oui, mais j'avais un dernier détail à vérifier. Je voulais rencontrer Connie Suisseau.

— Elle a pris sa veste. Mais son portefeuille est resté là.

— Vous pensez qu'elle est sortie de l'hôpital?

— Peut-être, difficile à dire. Il y a tellement de personnes qui entrent et qui sortent.

— Comment se fait-il que vous l'ayez laissée seule dans son état?

— Écoutez, nous ne pouvons être partout. Nous faisons déjà de notre mieux avec le personnel que nous avons. »

Rachel sentait que ses paroles pouvaient avoir choqué le médecin, aussi, elle reprit doucement :

« Je suis désolée, je n'ai pas voulu prétendre... Enfin, je sais que... »

Le spécialiste posa une main sur l'épaule de Rachel et secoua la tête.

« Je sais. On est parfois sur les nerfs... Et cette histoire! Comme si nous avions besoin de cela. »

L'homme se retourna et poursuivit sa quête. Rachel appela le poste de police pour s'enquérir si on avait reçu des appels d'urgence significatifs qui correspondraient au secteur. À peine quelques minutes plus tard, son cellulaire vibrait.

La gérante d'un restaurant signalait qu'une femme au comportement étrange, vêtue d'une tenue d'hôpital, se trouvait dans son commerce.

Rachel demanda l'adresse et se dirigea vers les ascenseurs au pas de course. En chemin, elle renseigna Jeff sur les dernières informations qu'elle détenait, puis ils se retrouvèrent sur le trottoir. C'était sur la droite. Bientôt, le restaurant fut en vue. Rachel poussa la porte et se dirigea aussitôt vers la table où elle trouva Connie Suisseau qui achevait son repas. Elle salua brièvement la gérante et se présenta. Connie leva la tête et lui sourit.

« Je vous reconnais! s'exclama-t-elle. Vous étiez là pour la naissance de Micheline. »

Rachel trouva la phrase douloureuse, mais hocha la tête.

« Oui, Connie. Venez, nous allons retourner à l'hôpital maintenant. Tout le monde vous attend. »

Devant la gérante, elle demanda encore :

« Je vous dois combien?

— Non, rien, laissez. J'espère que tout s'arrangera pour cette pauvre femme. Elle semble si désorientée. »

La détective Toury se contenta d'un hochement de tête puis conduisit Connie Suisseau vers la sortie. L'enquêteur Millet n'avait été que spectateur durant toute la scène. À présent, il appelait au poste pour signaler que la femme disparue avait été retrouvée saine et sauve.

« Qu'est-ce qu'on fait d'elle? murmura-t-il le plus discrètement possible près de l'oreille de sa coéquipière.

— On la ramène à l'hôpital, voyons.

— Et si elle tente de nouveau de s'enfuir? Son état semble s'être dégradé d'une façon alarmante. »

Rachel détailla la tenue et les cheveux désordonnés de Connie Suisseau. Puis, elle plongea dans son regard intense, lumineux. La jeune femme ne s'était pas départie de son sourire. La détective secoua la tête et commenta :

« J'ai l'impression qu'elle est bien là où elle est. C'est assez étrange en fait. Regarde-la, Jeff. Elle a l'air si paisible. »

Ils retournèrent à l'hôpital et le médecin resta médusé de les trouver avec leur patiente.

« Comment avez-vous fait? demanda-t-il laconiquement.

— C'est notre métier. »

Connie Suisseau alla docilement dans les bras du médecin qui l'emmena dans sa chambre. Une infirmière l'aida à enlever sa veste et à s'allonger. Elle s'endormit presque aussitôt.

« Mettez tous ses vêtements personnels dans un sac et emportez-les, commanda ensuite le médecin une fois sorti de la chambre. Il faut nous assurer qu'elle ne sortira plus. C'est trop risqué. Je vais me charger de la faire transférer en psychiatrie le plus tôt possible. De toute évidence, cette femme a besoin de soins appropriés sans attendre. »

Intérieurement, le médecin se reprocha de ne pas avoir écouté Catherine avec plus d'attention quand elle lui avait fait part du cas préoccupant de cette patiente...

* * *

Mady n'apprécia pas le chemin du retour à sa juste valeur et s'en excusa à plusieurs reprises auprès de Luc. Son compagnon restait pourtant d'humeur égale et tentait maladroitement de la rassurer. Il est vrai que, dès le début, il avait trouvé les explications de Mady étranges tout autant que les apparitions de sa sœur Yolande. Les faits étaient là pourtant, mais, contrairement à sa mère, le surnaturel ne l'atteignait pas. Cela ne l'empêchait pas d'apprécier Mady au-delà de sa volonté. Oui, décidément, Guillaume était bien chanceux, se disait-il.

Une douleur, errance de son passé, se précisa. Il regretta toutes ces années sans contact avec son ami d'enfance. Guillaume et lui, c'était quelque chose quand même... Des années de cabanes dans les bois, de parties de pêche, de matchs de hockey. Guillaume et lui, c'était l'époque où ils croquaient la vie à pleines dents. La santé était loin de faire partie de leurs préoccupations d'enfants. Tout était bien loin. Maintenant, Luc luttait depuis des années contre une maladie des reins. Dans l'instant, les belles images de complicité refaisaient surface. Ces belles années au Québec. Comme Guillaume, il essayait de gommer le tragique accident de ce funeste hiver sur la rivière gelée...

***

Quand Guillaume ouvrit de nouveau les yeux, son attention fut attirée par des bruits familiers. Il se leva et découvrit sa sœur en train de préparer le repas. Manon l'accueillit chaleureusement :

« Je suis contente de voir que tu vas mieux.

— Oui. C'est curieux...

— Qu'est-ce qui est curieux? »

Guillaume plissa le regard puis hocha la tête, comme absorbé par des images que son esprit lui renvoyait :

« Tout me revient. Je me souviens dans l'ascenseur, avec ce gars... Puis...

— Guillaume. Inutile de ressasser cette horrible histoire.

— J'ai envie d'en parler. J'en ai besoin plus exactement. Je me souviens de Connie aussi. »

Manon se mordit les lèvres. Elle avait peut-être tort finalement. Elle s'empressa de demander :

« Tu as rêvé d'elle? »

Guillaume s'agita, dansant un pied sur l'autre, mal à l'aise. Il murmura presque :

« Oui. Elle est venue me dire au revoir. »

Sa sœur fronça les sourcils. Elle attendait la suite, mais plus rien ne sortit des lèvres de Guillaume, si ce n'est le fait que Connie semblait en paix.

« Ce n'était qu'un rêve, Guillaume.

— Oui, peut-être, mais ce rêve m'a fait comprendre certaines choses. Je sais ce que je dois faire maintenant. »

***

Sur la route, en retournant au poste, l'enquêteur Millet se tapa sur le front. Rachel attendit tout en regardant la route. L'explication ne tarda pas à arriver :

« J'ai dit à Matt que je passerais le prendre à l'appartement de Suisseau. Il doit pester en m'attendant.

— À sa place, j'en ferais autant, compléta malicieusement Rachel, un sourire en coin.

— Mouais.

324

— Eh bien, en route... Allons-y ensemble. Je verrai comment il s'en est sorti pour sa première expérience sur le terrain.

— Tu oublies qu'il est aussi venu avec moi pour l'appartement de Viscont.

— C'est vrai... Mais comme cela n'a rien donné... »

En arrivant, la détective Toury remarqua la porte légèrement entrouverte. Intriguée, elle la poussa du bout des doigts, puis entra en dégainant son arme de service. Un homme se trouvait de dos. Ce n'était pas Matt. Rachel le somma de ne faire aucun geste et de se retourner doucement. Elle reconnut aussitôt l'homme à l'imperméable qui s'était enfui quelques jours plus tôt devant ce même appartement.

« Tiens, tiens. Encore vous... et avec la même tête que dans les fichiers », ironisa la détective.

Du menton, elle fit signe à son coéquipier de lui passer les menottes.

Elle fit rapidement le tour de l'appartement et ne tarda pas à trouver Matt sur le sol de la salle de bain, ligoté et inconscient. Elle fut soulagée de sentir son pouls quand elle se pencha sur lui. Matt finit par ouvrir un œil et sourire bêtement.

« Alors, on dort pendant le service? s'amusa Rachel. Je comprends maintenant pourquoi tu voulais aller sur le terrain.

— C'est ça, moque-toi. J'aurais bien voulu t'y voir. »

La détective détacha Matt et lui remit ses lunettes sur le nez. Très vite, elle le vit arborer son sourire habituel, presque arrogant, et comprit qu'il allait déjà beaucoup mieux.

« Bien, je te retrouve, Matt. Presque égal à toi-même.

— Inutile d'en rajouter. Je me suis fait avoir comme un débutant.

— Que s'est-il passé? »

Les rougeurs montèrent instantanément sur le visage de Matt. Rachel se rendait bien compte que c'était sans doute la première fois qu'il se trouvait dans une situation aussi délicate. Il est vrai que Matt faisait partie de la police scientifique depuis une bonne dizaine d'années et qu'il excellait dans le domaine informatique. Néanmoins, il avait la fâcheuse tendance à se prendre pour un être d'exception, ce qui n'était pas toujours aisé à accepter quand il était temps de l'écouter analyser ses conclusions dans une affaire.

Matt regarda ses pieds longuement puis expliqua, visiblement à contrecœur...

« Je suis allé dans la salle de bain. Une petite envie, ça arrive à tout le monde, quoi!

— Je ne te reproche rien, Matt.

— Bref, je venais de tirer la chasse d'eau quand j'ai reçu un coup sur la nuque. Après, je ne me souviens plus de rien... Jusqu'à ton arrivée... J'étais en train de copier tout sur ma clé USB par sécurité pendant que... que j'étais au petit coin, quoi! Est-ce qu'on a volé quelque chose? Le disque dur?

— Non, nous sommes arrivés avant, je crois. Pour ton information, nous avons arrêté celui qui t'a frappé. Il est à côté, avec Jeff. T'es sûr que ça va? On peut appeler une ambulance... »

Matt réitéra son refus avant d'expliquer ce qu'il avait trouvé.

« Y a des trucs bizarres sur le PC de cette femme. Elle n'a pas l'air très nette. »

La détective Toury demanda à son collègue de s'installer sur le canapé tout en continuant à écouter. Pendant ce temps, Jeff prenait l'identité de l'homme à l'imperméable. Les informations semblaient se recouper entre cet homme et les suppositions de Matt et de Rachel. Tous les quatre retournèrent au poste. Le dossier Connie Suisseau ne serait pas clos tout de suite, semblait-il...

* * *

Guillaume venait de prendre ses messages, entre autres celui de Mady où il était question de son retour. Elle ajoutait aussi ses coordonnées en cas de besoin. Il hésita un instant à la rappeler quand la sonnerie de la porte d'entrée se fit entendre. C'était la seconde fois en l'espace de deux heures. Guillaume découvrit la détective Toury avec son coéquipier, Jean-François Millet. Il les introduisit au salon. Rachel, après s'être brièvement informée de sa santé, ne mâcha pas ses mots et lui assena des vérités peu agréables à entendre :

« Nous venons d'arrêter un homme dans l'appartement de Connie Suisseau... Nous avons découvert que votre fiancée et lui étaient liés à une affaire de fraudes. »

Guillaume était devenu livide. Bart, puis maintenant un autre homme. Cela commençait à faire beaucoup. Il ne commenta pas pourtant et préféra attendre la suite.

« Ce qui nous ramène à vous...

— À moi? »

La détective poursuivit :

« D'importantes sommes d'argent ont été versées à Connie Suisseau depuis un compte spécial ouvert sous le nom de votre entreprise. Peut-être étiez-vous au courant, monsieur Bélanger?

— Qu'est-ce que c'est que cette histoire?

— Nous pensons que l'homme que nous avons arrêté et Connie Suisseau ont agi sous le couvert de votre entreprise.

— Mais de quel homme parlez-vous?

— Grégoire Mongoufier, votre directeur... »

Guillaume encaissa, incrédule.

« Grégoire? Mais ce n'est pas possible, voyons! Grégoire est plus qu'un de mes directeurs. C'est un ami. Je ne vous crois pas.

— Pourtant, il faudra bien, monsieur Bélanger. Grégoire Mongoufier trafiquait les comptes de votre entreprise depuis plusieurs mois déjà. »

Cette fois, Guillaume secoua la tête en riant à demi.

« C'est insensé. Vous me faites marcher... »

C'est l'enquêteur Millet qui reprit :

« C'est la stricte vérité, monsieur Bélanger. Connie Suisseau gardait des traces de toutes ses transactions sur son ordinateur. Pas très prudent, mais, bon, on en a vu d'autres... »

Guillaume se passa la main dans les cheveux. Il n'en croyait pas ses oreilles.

« J'avais toute confiance en Grégoire, et en Connie aussi... C'est vrai qu'elle m'interrogeait souvent sur l'entreprise, mais je croyais qu'elle s'intéressait à ce que je faisais, c'est tout... Jamais je n'aurais pensé... »

Guillaume s'arrêta. Il revit soudain toutes les fois où Connie s'était faite insistante sur certains points particuliers de ses affaires. Elle prétextait qu'elle devait tout connaître pour être une compagne à la hauteur. Guillaume entendit aussi sa sœur insinuer que Connie n'était qu'une arriviste. Et Grégoire qui entrait dans le tableau...

La détective Toury poursuivit :

« Connie Suisseau et Grégoire Mongoufier ont soigneusement tout planifié ensemble.

— Je connais Grégoire depuis des années. Je lui ai confié bien des choses personnelles... »

Guillaume se rappela avoir récemment encore entretenu Mongoufier à propos de Mady. Il ne mit pas longtemps à faire le rapprochement entre la grossesse de Connie et sa conversation avec Grégoire. C'était le même matin... Se pouvait-il que...

« Connie était-elle vraiment enceinte? » questionna-t-il soudain.

Ce à quoi Rachel acquiesça sans hésiter. D'autres idées germaient chez Guillaume.

« Est-ce que Connie et Grégoire avaient aussi une liaison?

— Non.

— Et est-ce que Bart était bien le père du bébé?

— Nous ne le savons pas. Pour cela, il aurait fallu que des analyses soient pratiquées sur le fœtus, mais je crains qu'il ne soit trop tard maintenant.

— Et vous avez tout découvert comme ça... tout à coup?

— En fait, nous étions sur le point de classer l'affaire. Mais nous avons surpris Mongoufier dans l'appartement de Connie Suisseau. Sans doute voulait-il s'assurer qu'elle ne possédait rien de compromettant. Nous l'avions déjà aperçu le jour où elle a tué Bart Viscont. Il s'était enfui en nous voyant. »

Guillaume était sous le choc. Il avait du mal à réaliser ce qui se passait.

« Mais pourquoi? lâcha-t-il, comme dans un cauchemar.

— Les interrogatoires n'ont pas été faciles à mener, affirma Rachel.

— Mais les aveux sont tombés, précisa Jeff.

— L'escroquerie de Suisseau et Mongoufier allait bon train. L'erreur de Connie a été de s'enticher d'un gars comme

Bart Viscont. Il était fiché par nos services depuis ses dix-huit ans. Il était connu pour son comportement jaloux et violent. En fréquentant Viscont, Connie Suisseau mettait définitivement en péril son affaire de fraude avec Mongoufier. Bart Viscont a été le grain de sable qui a enraillé la machine. Dans ce sens, c'est une bonne chose, conclut la détective.

— Oh! Connie! Connie! Quel besoin avais-tu? s'interrogea Guillaume, amer. Que va-t-il lui arriver maintenant? demanda-t-il aux policiers.

— Pour Viscont, il s'agit bien de légitime défense... Mais pour la fraude, c'est une autre paire de manches. Son sort est entre les mains de la justice dorénavant. On devra déterminer si elle est apte à subir un procès...

— Comment ça? Je ne comprends pas.

— Eh bien, toute cette histoire lui a causé de graves dommages psychologiques. Depuis l'agression, Connie Suisseau semble s'être totalement déconnectée de la réalité. Elle est persuadée que l'enfant qu'elle a perdu est en vie.

— Mon Dieu, c'est terrible! Et tout ça pour une affaire de fraude. Quel gâchis!

— Oui, comme vous dites. En tout cas, c'est ici que se termine notre enquête. Le département concerné est en chargé de l'affaire maintenant.

— Avez-vous idée de la somme qu'ils auraient détournée? » Rachel haussa les épaules.

« Je ne pourrais pas vous dire. Mais vous serez très vite avisé par le département des fraudes. Espérons que les manigances de ces deux-là ne porteront pas trop préjudice à votre entreprise. Votre affaire semble bien marcher. »

Cette fois, Guillaume eut un sourire amer. Il ne pouvait s'empêcher de penser aux mises en garde de sa sœur...

* * *

Au moment de quitter Luc Marquis et sa mère Carole, Mady ne put cacher sa tristesse. Les yeux humides, elle les salua chaleureusement en souhaitant de tout cœur les revoir bientôt. Au-delà des mots, l'espoir entretenu par leurs visites à l'hôpital St. Paul demeurait. Luc déclinait rapidement. Ses reins semblaient à bout... Dans une longue étreinte, ils se promirent de garder contact. Qu'ils seraient fixés très vite...

Au moment de prendre son vol, Mady se demanda encore comment un lien aussi fort avait pu naître entre eux.

D'un autre côté, elle était soulagée de rentrer à Montréal. Après son retour du pont Capilano, la mère de Luc lui avait remis un message de Manon la prévenant que Guillaume avait été victime d'une agression. Lorsqu'elle avait rappelé plus tard pour avoir des précisions, Manon, sans entrer dans les détails de l'agression, força un peu la note sur l'état de son frère. Mady avait raccroché en disant qu'elle rentrait à Montréal.

Chapitre XXI

Le lendemain, à la première heure, Guillaume convoqua ses directeurs pour leur annoncer les fraudes et l'arrestation de Grégoire Mongoufier. Sandy, sa fidèle secrétaire, était présente également. L'heure était grave. Il demanda à ce que chacun demeure discret avec les employés afin de n'inquiéter personne. Les décisions seraient prises selon les résultats de l'enquête. Il répartit les tâches de façon équitable. Ensuite, il leur laissa la parole. Juste avant de conclure, il leur demanda de le joindre sur son cellulaire en cas de besoin et de consulter Sandy pour centraliser les demandes. Tout le monde retourna à son poste à l'exception du directeur financier. Guillaume lui demanda de préparer tous les dossiers de Grégoire Mongoufier et de tenir tous les documents nécessaires à la disposition des enquêteurs qui allaient se présenter. Deux heures plus tard, il s'envolait pour Vancouver. Quand l'avion se posa, il fut l'un des premiers à attendre en ligne que les portes s'ouvrent. C'est à pas pressés qu'il passa le long corridor et se retrouva dans le hall.

* * *

Manon retrouva son mari et son fils en train de mettre la table pour le petit-déjeuner. Elle les embrassa tendrement, puis Jake lui annonça que Guillaume avait appelé.

« Il voulait avoir une adresse. Tu sais, l'adresse que tu as trouvée sur un papier près du téléphone de la maison de Rivière-des-Prairies.

— Pourquoi?

— Eh bien, pour aller rejoindre Mady.

— L'adresse que Mady avait notée? Celle de Luc Marquis?

— C'est ça... Comme tu étais sous la douche, je la lui ai donnée directement.

— Oh non! c'est pas vrai!

— Quoi? Qu'est-ce qu'il y a? Qu'est-ce que j'ai fait?

— Eh bien, j'ai eu Mady au téléphone, hier. Je l'ai prévenue pour l'agression de Guillaume. Elle m'a dit qu'elle prendrait le premier avion pour Montréal.

— Quoi? Mais pourquoi ne me l'avoir pas dit, Manon?

— Je n'y ai pas pensé, voilà tout. Je n'avais pas la moindre idée que Guillaume penserait à rejoindre Mady à Vancouver.

— Ah, mince! Ils risquent de se manquer. Quoique... avec le décalage horaire, ce ne soit pas si sûr... Si on essayait de joindre Guillaume sur son cellulaire? Peut-être qu'il n'est pas trop tard.

— Bonne idée. »

Jake se dépêcha de prendre le téléphone sur le comptoir et composa sans plus tarder le numéro de Guillaume. Manon trépignait sur place, priant pour que son frère ait laissé son cellulaire allumé. En voyant la mine basse de son mari, elle comprit. Jake n'eut d'autre choix que de laisser un message sur la boîte vocale en espérant que Guillaume pense à consulter ses messages avant de prendre l'avion.

L'attente fut interminable.

* * *

Mady arriva à l'aéroport de Vancouver largement en avance. Elle avait insisté pour venir en taxi et ne pas déranger davantage ses hôtes qui l'avaient si chaleureusement accueillie. Elle traînait une petite valise à roulettes qu'elle s'était contentée d'amener du Québec.

L'aéroport vivait sûrement son heure de pointe à en juger par la fébrilité des lieux. Dans le corridor menant au grand hall, quand Mady voulut consulter le panneau central pour se diriger, sa mallette buta contre un treillis métallique du sol et son talon resta coincé. La cheville douloureuse, elle retira sa chaussure et détacha rageusement le talon en pestant sur sa maladresse. L'instant d'après, sans qu'elle ait pu faire quoi que ce soit, un voyageur la percuta et elle se retrouva projetée sur le sol. L'homme s'excusa aussitôt, l'aida à se relever, puis s'arrêta au beau milieu de sa phrase lorsque son visage fit face au sien.

« Mady?

— Guillaume? Mais que fais-tu là? Je croyais... »

Ils se regardèrent longuement sans prononcer un mot de plus. Guillaume était sous l'emprise de ces yeux bruns qui le hantaient depuis plus de vingt ans. Ces mêmes yeux qu'il avait tenté de repousser farouchement un peu trop souvent. Puis soudain, leur incrédulité réciproque fit place à l'hilarité.

Après une accalmie et en voyant deux petits pansements sur la pommette gauche de Guillaume, Mady ne put s'empêcher de faire un rapprochement avec le pansement en croix du personnage d'Hercule, de la BD *Pif et Hercule*. Malgré l'inquiétude qui lui avait rongé le cœur plus tôt, Mady essayait à présent de se retenir pour ne pas éclater de rire. Devant son air, Guillaume se mit à sourire à son tour, le cœur heureux.

L'extraordinaire coïncidence de leur rencontre de même que l'incongruité de leur immobilité au beau milieu de la foule déclencha un nouveau fou rire. Les regards interrogateurs de certains voyageurs glissaient sur eux. Enfin, reprenant à peine son souffle, Guillaume jeta :

« Voyez ce que vous m'avez fait, madame, en ne regardant pas devant vous? Je suis tout couvert d'ecchymoses maintenant.

— Avec les pansements qui vont avec... Hercule! répliqua Mady avant de pouffer de plus belle.

— Je comprends pourquoi tu trouves ça si drôle. C'est noté! Je m'en souviendrai la prochaine fois qu'on voudra m'assassiner.

— Je suis désolée, Guillaume. Ç'a été plus fort que moi. J'étais pourtant si inquiète... »

Le ton changea. Les boutades laissaient la place à présent à ce lien invisible qui semblait ne jamais vouloir se rompre entre eux. Guillaume enlaça Mady et ils s'embrassèrent avec une passion non feinte. L'étreinte dura. Guillaume huma longuement les cheveux de Mady en fermant les yeux et en la tenant tout contre lui. Il avait l'impression de renaître. Il était grand temps de prendre des décisions. Il relâcha enfin Mady, doucement... Elle avait subitement l'impression de faire partie d'un film dont on ne lui avait pas fourni le scénario.

« Comment ça va, Guillaume? Manon m'a dit que c'était grave... Et je te vois là...

— En train de t'embrasser? »

Mady inspira, gauche, à la recherche d'une réplique qui tardait.

« Ça va. Comme tu vois... Quelques côtes malmenées... »

À ce moment, Guillaume remarqua la chaussure avec le talon abîmé dans la main de Mady.

« Ce n'est tout de même pas à cause de moi que ton talon est *brisé*?

— Non. C'est moi. Je venais de le casser juste avant que tu me bouscules. Ça ne fait rien. Enfin, si, c'est embêtant, c'étaient mes chaussures préférées. Mais, bon, j'en ai une autre paire dans mes bagages. Si tu promets de ne plus me tomber dessus, je vais les changer. »

Guillaume la conduisit à l'écart pour éviter un nouvel incident et, pendant qu'elle fouillait dans sa valise, il sortit une petite boîte noire. Quand Mady se retourna, elle le trouva un genou sur le sol.

« Qu'est-ce que tu fais, Guillaume?

— Je crois qu'on ne peut plus continuer à vivre séparément sur deux continents, Mady. Accepterais-tu de devenir ma femme? »

Les mots étaient sortis avec aisance et Guillaume attendit sa réaction, anxieux soudain.

Sa paire de chaussures à la main, Mady scrutait Guillaume à la recherche d'un je-ne-sais-quoi. Elle était émue et stupéfaite. Guillaume continua sur sa lancée :

« Je sais, je te prends un peu par surprise.

— Et Connie?

— Connie, c'est du passé. Elle s'est jouée de moi. C'est une longue histoire... Je suis fou de toi, Mady. Je t'aime depuis le premier jour où je t'ai rencontrée dans ta belle Normandie. Je te le demande encore une fois, veux-tu devenir ma femme? »

Sans même réfléchir plus avant, elle laissa les mots sortir :

« Oui... Oui... »

Guillaume se releva les yeux brillants. Les doigts tremblants, Mady prit l'écrin dans ses mains et l'ouvrit.

Le diamant jeta ses rais généreusement aux alentours,

accrochant les multiples lumières de l'aéroport international de Vancouver.

« Je ne sais que dire, Guillaume. Elle est magnifique...

— Elle sera encore plus belle à ton doigt. »

Guillaume s'exécuta aussitôt et termina son geste par un baisemain très tendre.

En se redressant toutefois, une douleur lui étira une grimace qui inquiéta Mady.

« Tu es sûr que ça va?

— Disons que je ne voudrais pas me faire boxer tous les jours... J'ai passé l'âge! »

Il proposa d'aller s'asseoir à une terrasse, puis expliqua les derniers événements... Elle-même avait connu des expériences si insolites depuis plusieurs semaines.

Guillaume soupirait d'aise. Mady était à ses côtés et il n'avait soudain pas envie que cela change. Ils prirent un petit-déjeuner. D'une voix un peu bourrue, Guillaume ajouta :

« Je crois que c'était une erreur de te loger dans la maison de Rivière-des-Prairies... Tu aurais dû venir dans mon appartement. Il y avait assez de place...

— Je ne trouve pas... Tu sortais avec Connie. Il était tout à fait normal que je n'habite pas directement chez toi.

— Oui, peut-être... Mais je savais que je me mentais au fond de moi. Je crois que je cherchais à fuir les sentiments que j'avais toujours pour toi... »

Le souffle court, Mady attendit. Elle se rendait compte qu'elle avait envie de lui crier qu'elle l'aimait. Elle avait un peu peur de tout ça soudain. Ses rêves prémonitoires lui revenaient en tête encore et encore... Tout comme sa migraine qui pointait...

« Il y a quelques jours, j'ai enlevé le tableau au-dessus de la cheminée, avoua encore Guillaume.

— Ah! »

Mady se trouva idiote et ne put rien dire de mieux. Guillaume haussa les épaules.

« Je voulais te le donner avant ton départ, en pensant que j'allais mettre un trait à notre histoire, mais je n'ai pas pu. Cela ne sert à rien de fuir ses sentiments... »

Faiblement, Mady murmura :

335

« Nous ferons un pas à la fois...

— Nous avons beaucoup d'années à rattraper, Mady. Alors, en faisant un pas à la fois, on risque de perdre pas mal de temps.

— C'est peut-être vrai, mais, en voulant aller trop vite, on peut aussi risquer de ne pas en profiter pleinement ou bien de tomber et de se faire très mal.

— Tu as toujours su trouver les mots justes, Mady, expliqua Guillaume, les yeux brillants, sans la lâcher du regard.

— Guillaume, arrête. Tu me gênes.

— Tu n'as jamais aimé que je t'observe trop longtemps.

— Oui, c'est vrai. Et c'est toujours pareil.

— Tu as voulu rencontrer Luc Marquis, il paraît. »

L'instant perdura. Une idée complètement folle venait de passer par la tête de Guillaume. Il préféra attendre encore avant d'en parler à Mady et se rabattit plutôt sur son séjour en Colombie-Britannique.

« Oui. Sa mère et lui ont été merveilleux avec moi. Ils m'ont accueillie très chaleureusement. J'étais venue leur parler de Yolande... »

Cette fois, ce fut au tour de Mady de relater sa singulière expérience. Inconsciemment, Guillaume tournait sa cuillère dans sa tasse vide. Il se rendait compte qu'il était mal à l'aise d'évoquer Yolande avec Mady. Il lâcha finalement :

« J'aurais sans doute dû t'en parler plus tôt. C'est une partie de ma vie que je refoule depuis si longtemps. J'en rêve encore quelquefois. Je suis dans l'eau glacée et je cherche la sortie. Je tiens Yolande dans mes bras sans arriver à trouver une issue. Ce cauchemar ne cessera jamais de me hanter. »

Mady enchaîna :

« Tout a sa raison d'être en définitive, j'en suis sûre. Tu dois affronter ton passé, aussi tragique qu'il soit. Il faut certainement que tu renoues avec Luc... pendant qu'il en est encore temps...

— Pourquoi dis-tu ça?

— Luc est très malade, Guillaume. Il a besoin d'un nouveau rein. Ses jours sont en danger. J'ai proposé le mien, pour ne rien te cacher. Son médecin m'a fait passer des tests de compatibilité. Nous verrons bien.

— Tu veux donner un rein, comme ça, à quelqu'un que tu connais à peine?

— Il y a des sympathies naturelles qui ne s'expliquent pas... Je l'ai côtoyé pendant ces quelques jours. On vit très bien avec un seul rein. C'est pour cette raison que Yolande est venue, j'en suis sûre. Elle voulait sauver son frère. Là où elle est, elle doit savoir qu'on est compatibles.

— Wow! c'est fou, ça.

— Je sais... Mais c'est la seule explication pour que tout ceci retrouve un sens... Ou sinon je deviens folle! »

Mady avait voulu finir sur une note plus légère. Ils échangèrent un sourire de connivence, laissant de côté la partie mystérieuse qu'ils étaient loin de maîtriser... La musique ambiante entonnait un morceau de jazz que Mady aimait. Le solo à la trompette enroulait ses notes voluptueuses, apaisant la douleur à la tête de Mady...

« Quand dois-tu recevoir des nouvelles pour le rein?

— Très bientôt. Il faut faire vite... Pourquoi?

— Où doivent-ils te joindre? À la maison de Rivière-des-Prairies?

— Oui. Je voulais attendre ici, mais quand Manon m'a annoncé hier ce qui t'était arrivé, j'ai décidé de rentrer. À ce propos, je crois vraiment que ta sœur a exagéré ton état...

— Pourquoi? »

Mady leva les sourcils et esquissa un sourire.

« Ta sœur est quelqu'un de bien spécial... »

Guillaume comprit à demi-mot, puis continua son idée :

« Il va falloir rappeler Luc pour lui donner mon numéro de cellulaire. Il pourra ainsi te joindre plus facilement. À compter de maintenant, je dois le laisser allumer en permanence. Mes directeurs doivent aussi pouvoir m'appeler...

— Comme tu veux.

— Je présume que tu as ton passeport sur toi?

— Bien sûr. Quelques autres papiers aussi. Je ne suis pas canadienne. Pourquoi me demandes-tu ça? »

Guillaume régla le petit-déjeuner et attrapa la main de Mady en prenant sa valise de l'autre.

« Je t'emmène à Las Vegas!

— Quoi?

— Pour nous marier! jeta Guillaume. Pourquoi attendre?

— C'est complètement insensé!

— Allez, Mady. Un peu de folie.

— Un peu? Tu ne trouves pas que la folie est un peu trop présente ces derniers temps?

— Raison de plus! »

Le rire de Mady se perdit avec les dernières notes de jazz. Main dans la main, ils partirent s'informer du prochain vol pour Las Vegas.

Ils chantaient déjà *Viva Las Vegas* tandis que l'avion se posait sur le sol américain... Dès l'aéroport international McCarran, Mady semblait ne pas avoir assez d'yeux pour admirer la splendeur de l'endroit. Elle tournait en tous sens, abasourdie devant la profusion des néons et des méga-hôtels. La chaleur ajoutait au dépaysement. Son lainage sembla soudain superflu et elle l'ôta pour ne garder que son tee-shirt.

Guillaume retrouvait ses vingt ans. Il l'enjoignit de faire abstraction de tout ce qu'ils traînaient derrière eux et de profiter pleinement de l'instant présent.

La ville de tous les possibles les attendait. Ils devaient jouer le jeu et se montrer à la hauteur! Guillaume s'arrêta devant un guichet et s'adressa dans un anglais impeccable au préposé à l'information. L'air mystérieux, il entraîna Mady qui eut l'intuition qu'il valait mieux laisser son compagnon aller jusqu'au bout de son idée. Elle se contenta de lui adresser un sourire complice. Ils plongèrent dans un taxi. Guillaume indiqua l'hôtel Venitian puis se tourna vers Mady :

« Nous pouvons nous marier dès demain matin.

— Si tôt!

— Oui, pourquoi? Tu as changé d'avis?

— Pas du tout!

— Très bien alors. Laissons-nous entraîner dans une douce folie... »

Mady eut le souffle coupé devant l'élégance racée de la tour de l'hôtel Venitian. Guillaume lui prit la main et c'est ensemble qu'ils entrèrent dans ce raffinement typiquement italien en plein cœur du Nevada!

Le bâtiment, de construction récente, se flattait de sa situation : en plein cœur du très fameux Strip (le boulevard Las Vegas). Les plafonds de l'hôtel montraient des fresques italiennes rivalisant toutes les unes avec les autres. Un garçon stylé les accompagna jusqu'à leur luxueuse chambre. Après avoir donné un généreux pourboire, Mady et Guillaume se retrouvèrent seuls dans ce qui se révéla être une suite sous la thématique de Venise. Mady, telle une petite fille devant un sapin de Noël, virevoltait.

« C'est un appartement à lui tout seul, cet endroit!

— C'est la suite Prima. »

Elle poursuivit sa visite et tomba sur la salle de bains. Les lumières qu'elle venait d'allumer se reflétèrent en tous sens, éclairant les dalles de marbre tout autant que les grands miroirs. La baignoire, vaste, invitante, l'appelait avec insistance. Mady refusa de succomber et se retourna. Elle se retrouva dans les bras de Guillaume qui l'avait suivie. Ils s'enlacèrent dans un baiser long et passionné. Aucun n'émettait plus de réserves et cela n'en était que mieux. Enfin, Guillaume relâcha doucement Mady et demanda :

« Tu es bien?

— Oui. Je n'ai jamais rien vu de si beau. C'est grandiose.

— Je suis sûr que tu meurs d'envie de te plonger dans ce bain...

— Tout juste!

— Alors, vas-y. Je dois faire un tour en bas et prendre des informations. Prends ton temps. N'oublie pas, Mady : je t'aime. »

Guillaume sortit tandis que Mady chantonnait, encore sous l'emprise de sa présence. Le bain coulé, elle s'y glissa et pensa aux dernières heures. Son impulsivité lui faisait un peu peur. Devait-elle continuer dans cette voie? songea-t-elle en jouant avec la mousse de son bain.

* * *

Manon et Jake discutaient dans le salon. Ils venaient de partager une délicieuse soirée. Malgré sa fatigue, Manon se sentait prête à discuter de son tout nouveau projet. Elle savait qu'elle allait produire son petit effet. Aussi, c'est d'une voix volontairement frondeuse qu'elle lança, les yeux pétillants :

« Je me suis enfin décidée! Je vais lancer mon propre magazine. À la maison. J'ai un large réseau d'amies un peu partout qui pourraient se répartir les rubriques selon leurs expériences particulières.

— Tu avais toujours cette idée alors? »

Manon fronça les sourcils devant le commentaire de Jake, aussi il expliqua :

« Quand nous nous sommes rencontrés, tu m'avais dit que tu voudrais créer ton propre magazine un jour.

— C'est vrai? J'ai dit ça?

— Si Guillaume était là, il confirmerait. Il m'a dit un jour que tu en parlais déjà quand tu étais adolescente.

— Wow! Il est donc temps que je m'y mette alors, plaisanta Manon. En tout cas, tu as raison, j'y pense depuis si longtemps que je crois fermement que c'est maintenant le temps. Je le sens vibrer en moi tout comme cette grossesse. Cette nouvelle vie qui croît va justement me permettre de m'y consacrer à plein temps.

— Oui. D'autant que tu arrêtes de travailler dans trois semaines. Et pour te changer les idées, tu vas te plonger à corps perdu... dans un autre travail!

— Jake, ne sois pas sarcastique!

— Ce n'est pas le cas. C'est de l'humour!

— Mmm! Ne t'inquiète pas, je prendrai toujours soin de vous.

— Ce n'est pas "nous" qui m'inquiète. C'est le bébé, et toi. Tu dois aussi te reposer. Le congé de maternité n'est pas là pour rien.

— Je ne risque pas de l'oublier. Je veux tellement ce bébé. Et tu te rends compte, je pourrais travailler et être avec les enfants, à la maison.

— Tu verras moins de monde.

— Non, pas avec mon idée de magazine. Il faudra bien organiser des réunions. Il y aura des échanges.

— Je vois que ce projet t'emballe. Tu en parles comme si tu étais déjà lancée dedans. »

Manon se mit à rire et expliqua :

« Je crois que tu n'as pas tort, Jake. Dans ma tête, tout est déjà établi. Est-ce que tu vas me supporter? »

Manon plissa son nez en une attitude enfantine et Jake lui fit un clin d'œil.

« Oui, sans l'ombre d'un doute. Tu es une femme absolument divine et créative. Je suis derrière toi. Tu as tout pour réussir. Sans compter justement que tu as un mari génial!

— Ce qui ne gâche rien, n'est-ce pas! »

Le rire faisait du bien au couple. Plus sérieusement, Manon reprit :

« Merci, Jake. J'avais besoin de l'entendre.

— Et je suis sûr que Guillaume sera là pour t'épauler. »

* * *

Mady s'astreignit enfin à sortir de son bain voluptueux. Elle s'enveloppa d'un peignoir moelleux aux couleurs de l'hôtel Venitian. Puis, le corps encore humide, elle déposa le vêtement sur la baignoire qui se vidait. Elle examina avec attention les crèmes à sa disposition et commença à s'oindre le corps. Un délicat parfum se répandit dans la pièce. Mady se sentait vraiment bien. Elle croyait presque rêver. Elle passa dans la pièce voisine, une serviette autour d'elle, appréciant à chaque pas la profondeur de la moquette sous ses pieds nus. Elle s'arrêta devant plusieurs boîtes de carton empilées à même le sol. Intriguée, elle ouvrit celle du haut et souleva doucement le papier de soie. Du bout des doigts, elle tâta l'étoffe soyeuse qui s'y trouvait et reporta son attention sur la petite carte en bristol. Guillaume la priait d'accepter ces présents en gage de son amour. En post-scriptum, il lui annonçait qu'il avait pensé aux chaussures pour remplacer celles de l'aéroport de Vancouver. Le dessin de son bonhomme sourire ajouté à sa signature amusa Mady.

Elle se mordit les lèvres, le cœur palpitant. Son esprit se disait que c'était trop et, pourtant, ses doigts tiraient déjà le tissu en peau de soie pour extraire la robe parme de son emballage. Le geste peu sûr, elle s'en enveloppa.

Avec précaution, Mady ouvrit les autres paquets et trouva un long châle, toujours en peau de soie, pour compléter la toilette qu'elle portait. Des chaussures à talon fin et aux entrelacs compliqués, mais non moins élégants, lui enjoignirent de les glisser aux pieds.

Encore sous le choc, elle parada dans la pièce, s'examinant dans les miroirs.

Telle une fillette, Mady exécuta encore quelques sauts de danse avant de réaliser ce qu'elle faisait. Elle avait l'impression d'être dans la vie d'une autre, un peu à l'image de ces comédies musicales qu'elle affectionnait tant... Guillaume était son Gene Kelly...

Encore un regard vers le miroir lui coupa le souffle. Ce n'était pas Mady Lestrey qui était devant elle. Elle regarda encore, s'approcha et vit cette petite flamme dans ses yeux. Oui, elle était heureuse, là, à ce moment précis. Tournant sur elle-même, elle décida d'accepter sans protester cette avalanche de cadeaux luxueux. Après tout, elle n'aurait certainement pas l'occasion de fêter ces moments si souvent. Le rouge lui monta aux joues et elle se déshabilla sans hâte. Elle rangea soigneusement les vêtements dans les boîtes. Puis, le cœur palpitant, elle ouvrit une grande enveloppe qui se trouvait sous les boîtes et qu'elle venait de découvrir. Sur le dessus, il n'y avait que son nom. L'enseigne d'un magasin, sans doute de l'hôtel, prenait presque tout le haut du large bristol de couleur vert émeraude. Guillaume y avait inscrit une adresse en lui demandant de se choisir sa robe de mariée. Il lui écrivait également qu'il avait ouvert un compte pour elle et qu'elle ne devait pas se soucier de ce détail. Il précisait qu'il avait lui-même choisi son costume.

Mady reposa le bristol. En proie à un examen de conscience, elle regarda la bague à son doigt. Elle se laissa glisser sur le fauteuil puis pleura. Tout allait trop vite.

Quelque part, une voix s'insurgea. Il avait fallu plus de vingt ans tout de même...

Elle se revit soudain en compagnie de son père, la dernière fois qu'elle avait été le voir. Il était dans le couloir. Elle l'entendait encore :

« Tu étais la chair de ma chair! J'ai empoisonné ta vie à petit feu! Il n'y a rien de pire que de ne pas savoir... »

Mady se boucha les oreilles en criant à son tour aux murs.

« Je refuse de m'abaisser à te haïr, tu m'entends? Je préfère la route du bonheur! Je veux continuer à vivre... Et c'est avec Guillaume que je veux le faire. Tu n'as rien détruit. »

Mady releva la tête et sécha ses larmes. Une nouvelle lueur brillait dans ses yeux. Elle enfila rapidement un pantalon et un polo, puis alla s'asseoir au bureau pour écrire. Un bloc de papier à lettres avec la photo du lion ailé doré, symbole de l'hôtel Venitian, se trouvait là. Elle inscrivit la date puis écrivit « Cher papa » en haut.

Elle s'arrêta, soupira plusieurs fois, puis le stylo se mit à glisser sur le papier épais sans plus s'arrêter. Elle expliquait son cheminement, l'arrivée de Marianne dans sa vie, jusqu'à ses récentes retrouvailles avec Guillaume. Elle parlait de bonheur, de mariage, d'acceptation. Elle termina sa lettre en inscrivant : « Je te pardonne » et signa : « Mady, ta fille ». Elle plia la lettre en trois. Sans la relire, elle la rangea soigneusement dans ses bagages. Une idée avait germé et, déjà, la rédaction de ce courrier lui avait procuré un grand bien. Elle enchaîna deux pirouettes et décida d'aller choisir sa robe pour le lendemain.

Quand elle entra dans la boutique au luxe effronté, elle ressentit encore cette timidité et ce malaise typique aux gens peu habitués à ce style de vie. Elle se fit violence et laissa derrière elle ses dernières réticences. Elle voulait un beau mariage, décida-t-elle en chassant ses dernières réticences. Et elle était à Las Vegas!

Le choix dura plus d'une heure, non par manque de décision, mais plutôt par plaisir de prolonger ces instants qui ne se représenteraient plus. La jeune femme qui s'occupa de Mady était minutieuse et intuitive. Elle fut particulièrement attentionnée et guida judicieusement la future mariée. Rose de plaisir, Mady ressortit de la boutique en la remerciant vivement pour sa gentillesse. On lui livrerait le tout d'ici une heure dans la suite Prima.

Chapitre XXII

Quand Guillaume revint dans la chambre, leurs regards se croisèrent et les yeux brillants de l'homme flattèrent Mady plus qu'aucun mot n'aurait pu le faire.

Elle avait enfilé la robe parme, de même que les chaussures. L'écharpe de soie dissimulait en partie ses épaules. Elle avait monté ses cheveux en un chignon particulièrement réussi. Il est vrai qu'elle s'y était prise à trois fois avant d'obtenir le résultat escompté. Guillaume lui tendit son bras. Sentant son désir monter, l'idée de remettre leur soirée à plus tard l'effleura un instant. Mady se laissa emporter dans le couloir, l'œil pétillant devant l'élégance de Guillaume.

Dans l'ascenseur, il informa Mady qu'il allait vendre son appartement du centre-ville. Timidement, elle lui glissa :

« Tu sais, c'est vrai qu'il n'est guère attrayant. Il fait, comment dire, enfin, je ne veux pas te froisser...

— Non, vas-y, je t'écoute.

— Bien, il est impersonnel. On dirait le siège d'une entreprise. Tu y ajoutes quelques meubles fonctionnels de cet ordre et tu as vraiment l'impression qu'une secrétaire va surgir... »

Comme Guillaume ne répondit pas tout de suite, Mady se mordit la lèvre inférieure. Elle ne regrettait pas ses paroles. Elle se voulait honnête. Enfin, Guillaume secoua la tête.

« Je crois que tu viens d'avoir une idée de génie.

— Pardon?

— Mais oui. Je ne vais pas le vendre, cet appartement. Je vais le donner à Manon pour qu'elle y aménage ses locaux. Elle rêve depuis toujours d'avoir son propre magazine. Elle n'a que trop attendu aussi, tout comme moi. Si elle ne le lance pas maintenant, elle ne le fera jamais. »

Le couple arriva à l'entrée du restaurant Postrio. Guillaume donna leur nom et on les conduisit avec empressement à une table. Les chaises en velours rouge incitaient déjà au romantisme et invitaient à l'amour. Pourtant, Mady ne s'y attarda pas. Elle semblait en questionnement. Les apéritifs commandés, Guillaume expliqua enfin, les yeux flamboyants :

« J'ai appelé Manon tout à l'heure, juste pour lui dire que tout va bien et que je suis avec toi.

— Elle sait tout alors?

— Non. Je ne me suis pas attardé. Elle m'a, par contre, annoncé qu'elle va enfin créer son magazine. Et voilà où ton idée intervient! Tu es mon étoile, Mady. »

Guillaume termina son verre, puis continua :

« Elle n'a pas parlé de locaux, mais je suis sûr que c'est parce qu'elle n'a pas vraiment les moyens d'investir. Il y a des amis qui doivent se joindre à elle... Et il pourrait même y avoir un endroit aménagé pour les enfants.

— On dirait que tu as pensé à tout...

— Mon entreprise a une garderie... Trop de sociétés négligent cet aspect... Mais bon, Manon aura le dernier mot. C'est évident. Je ne peux pas décider à sa place... Je peux me tromper... »

Mady acquiesça. Ils se tournèrent ensuite sur leur propre histoire. Au moment du dessert, deux musiciens entourèrent les amoureux.

Dehors, Guillaume proposa de poursuivre la soirée en visitant le musée de cire de Madame Tussaud. Il expliqua bien vite qu'il s'agissait d'un musée où l'on trouvait une collection très réaliste et impressionnante de figures légendaires de l'histoire américaine tels John F. Kennedy, Neil Armstrong ou bien John Wayne, Elvis Presley...

« Un peu comme le musée Grévin à Paris?

— Oui, un peu... mais en mieux, je crois.

— Tu y es déjà allé?

— Non. J'ai juste vu les publicités.

— Je suis partante... »

Ils adorèrent l'exposition. S'arrêtant dans un club chic près de l'hôtel, ils partagèrent quelques danses puis se décidèrent à déambuler, main dans la main, sur le Strip trop brièvement aperçu à leur arrivée de l'aéroport. En foulant l'immense boulevard, mélange d'extravagance et de gigantisme, leurs yeux couraient partout et semblaient faire le tour du monde. Guillaume, qui n'avait jamais eu la chance de visiter Paris, se trouvait soudain au pied de la tour Eiffel, autour de laquelle on avait reconstitué les boutiques de la rue de la Paix. Quelques pas plus loin et ils étaient soudainement propulsés sur un autre continent. Le Louxor, sa pyramide et son splendide Sphinx firent s'exclamer Mady, qui conclut que rien au monde ne pouvait rivaliser avec ce boulevard...

« Pourquoi a-t-on surnommé cet endroit le Strip? » questionna-t-elle, rose de plaisir.

Guillaume se pencha vers elle et murmura, en souriant :

« J'ai lu quelque part que c'est parce qu'on risque d'y perdre sa chemise! Mais je ne sais pas si c'est vrai...

— C'est tout à fait vraisemblable! Il n'y a pas un seul endroit sans machine à sous.

— C'est vrai. Même à l'aéroport! Tu as remarqué, je suppose!

— Et comment! Mais en dehors des machines à sous, je crois que ce serait une erreur de ne pas venir ici. C'est vraiment fantastique, même sans jouer. »

À la hauteur du Caesars Palace, Mady s'interrompit pour admirer le quartier de la Rome antique puis secoua la tête, ébahie devant l'Excalibur, avec son château médiéval et ses tournois de chevaliers. Elle se glissa en riant sans contrainte dans les bras de Guillaume tout en longeant le New York, New York et l'Empire State Building. Enfin, ils partagèrent des instants magiques et inoubliables devant le superbe spectacle de jeux d'eau et de lumière du Belegio. Tard dans la nuit aux mille néons, ils retrouvèrent l'hôtel Venitian avec son canal et ses gondoliers.

De retour dans leur suite, Guillaume aida Mady à se déshabiller tout en commençant à lui embrasser les épaules, le cou.

« Je suis fou de désir. »

Mady sourit de bonheur et lui caressa tendrement la joue. Guillaume poursuivit :

« Tu ne veux pas ce soir, n'est-ce pas? »

Le sourire taquin, Mady hocha la tête :

« Gardons ces instants magiques pour demain. C'est peut-être un peu puéril...

— Mais romantique. Et tu es une romantique, à l'image de tout ce que nous avons vu ce soir... Tu es superbe. Les années t'ont rendue encore plus belle. »

Ils s'allongèrent dans les bras l'un de l'autre dans le grand lit. Mady s'endormit rapidement, la tête pleine de cette journée féerique. Guillaume, quant à lui, avait du mal à réaliser son bonheur. La promiscuité avec Mady enivrait ses sens. Pourtant, il se contenait et s'endormit à son tour, sûr d'une promesse de lendemains plus langoureux encore...

Deux heures plus tard, Mady ouvrit les yeux, presque sûre qu'elle avait rêvé ces instants. Quand elle remarqua Guillaume allongé tout contre elle, elle se mit à sourire. D'une main, elle caressa l'homme à qui elle allait dire oui d'ici peu. Guillaume bougea dans son sommeil. Mady s'enhardit et précisa ses caresses. Quand leurs regards s'échangèrent, elle s'approcha de son oreille et murmura :

« Nous avons déjà perdu vingt et un ans... Alors, je pense qu'il est inutile d'attendre demain pour témoigner de notre amour... »

L'œil coquin, Guillaume ajouta :

« Et nous avons déjà consommé notre mariage... »

Un sourire de part et d'autre les emporta dans un complet réveil où leurs corps entrèrent en une danse animale qui les laissa surpris l'un l'autre. L'audace des deux partenaires connut une extase digne des lieux. Guillaume explosa, rejoignant Mady qui jouissait pour la troisième fois.

* * *

Au réveil, Mady prit quelque temps avant de réaliser où elle se trouvait, puis elle rencontra l'oreiller voisin. Du bout des doigts, elle effleura l'endroit où Guillaume avait posé sa tête. Elle sourit en entendant la douche.

« C'est aujourd'hui! » souffla-t-elle pour elle-même.

Elle n'arrivait toujours pas à mesurer cette vague de folie. Tout venait si vite. Hier matin, elle était encore chez Luc Marquis et aujourd'hui, elle allait se marier à Las Vegas!

Cette ville aux extravagances multiples, où Elvis Presley, Frank Sinatra, Clark Gable ou même Bruce Willis avaient échangé leurs vœux d'amour... pas toujours éternels...

Mady sursauta quand elle découvrit Guillaume qui sortait de la salle de bain, les cheveux ébouriffés et une serviette autour des reins. Son sourire radieux l'enveloppa aussitôt. Il la salua et confirma :

« Toujours décidée, j'espère... »

Mady se contenta d'opiner de la tête en partageant son sourire. Guillaume s'installa à côté d'elle sur le lit.

« Le petit-déjeuner va être servi d'ici une dizaine de minutes. Il faudra ensuite se préparer. Vers dix heures cinquante, une limousine vient nous chercher pour nous conduire à la Chapelle de mariage Princesse. Tout est pris en charge là-bas. Je m'en suis occupé hier, juste après que nous avons apporté les documents et signé les papiers requis. C'est extraordinaire. Nous n'avons plus rien à faire, si ce n'est nous soucier de nous deux!

— J'ai l'impression que c'est une autre que moi qui est en train de vivre cette journée.

— C'est pourtant ma Mady que j'ai sous les yeux! »

La journée fut féerique à souhait. Jamais Mady n'aurait songé à un tel faste. Lorsque, fin prête, elle quitta la salle de bain, Guillaume l'admira sans retenue, avec un air qu'elle n'était pas près d'oublier.

Il fallait en convenir, de ligne pourtant toute simple, sa robe bleue rehaussée aux fines bretelles par un lacis de perles lui donnait une séduction indéniable. Le futur époux découvrait avec bonheur que la femme de ses rêves était plus radieuse que jamais. Enfin, il remarqua la fine élégance, typiquement française à son avis, de sa couronne de myosotis et du bouquet aux mêmes fleurs qu'elle avait à la main. Mady lui retourna les compliments, car, malgré les marques encore présentes sur sa joue, que la jeune fille du salon avait savamment maquillées, il avait vraiment fière allure dans son smoking. Il tenait sous le bras un haut-de-forme qui le rendait irrésistible, pour réutiliser les mots de la future mariée.

À leur arrivée à la chapelle, les doubles portes s'ouvrirent sur un intérieur royal. Les chaises qui bordaient l'allée centrale étaient enlacées de rubans blancs de soie brillante, et les arrangements floraux, sous les tableaux aux scènes venues de l'Antiquité, empêchaient de reprendre son souffle dans ce cadre grandiose provenant tout droit d'un conte de fées... Mady resserra plus fort la main de Guillaume, et c'est ensemble qu'ils avancèrent au son d'une musique qui ne jouait que pour eux. Aucun invité sur les chaises pourtant nombreuses. Cela ne gêna aucunement les futurs mariés, au contraire, l'instant leur appartenait... Guillaume et Mady échangèrent avec assurance leurs vœux et se glissèrent les alliances aux doigts. Mady refoulait ses larmes, son cœur prêt à exploser. Quant à Guillaume, il dévorait son épouse avec un désir non dissimulé.

Gil Grissom, le pasteur, un homme trapu et à la barbe bien entretenue, arriva pour les féliciter personnellement et, très fier de toute évidence, leur annonça qu'aujourd'hui, c'était sa mille cinq centième célébration. Dans sa main, il tenait une boîte de forme carrée qu'il tendit au couple en ajoutant qu'il serait honoré s'ils acceptaient ce présent en souvenir de cette magnifique journée.

Mady et Guillaume le remercièrent avec chaleur et découvrirent deux insectes soigneusement identifiés sous le verre. Gil Grissom posa une main sur le bras de Mady et expliqua, en remontant ses lunettes :

« Je suis un entomologiste amateur depuis maintenant vingt ans. J'ai choisi ces insectes, car ils ont la particularité de rester ensemble durant toute leur vie. »

Après la somptueuse cérémonie, une séance de photographie s'organisa dans un décor époustouflant.

Sous l'effet de l'euphorie, les baisers s'intensifièrent et les rires de bonheur sortirent librement. C'est en courant presque qu'ils se retrouvèrent dans la rue sous la chaleur déjà écrasante du début d'après-midi. Une limousine les conduisit de nouveau à l'hôtel. Dans leur suite, une table avait été dressée à la demande de Guillaume, et deux bouquets de roses rouges éclataient littéralement de chaque côté. Mady les huma longuement et une larme glissa :

« C'est trop!

— Rien n'est trop beau... Nos vingt années d'attente méritent bien tout ça...

— Peut-être...

— Non, il n'y a pas de peut-être qui tienne, c'est sûr! »

Le repas fut léger et délicieux.

L'après-repas aussi...

Guillaume entreprit de déshabiller Mady et il l'allongea avec douceur sur le lit. Les yeux brillants, ils consommèrent leur premier dessert charnel en tant que mari et femme. Repus, ils se laissèrent aller vers un sommeil non prémédité mais bienvenu. En fin d'après-midi, Guillaume s'éveilla le premier, suivi de près par Mady. Les baisers furent suivis d'une nouvelle montée de désir qui les submergea tous les deux. Mady chevaucha Guillaume avec assurance et cambra les reins sous les sensations qui se répercutaient dans tout son corps. Des sons de gorge s'entendaient et c'est ensemble que l'orgasme les prit. Le corps en sueur, ils s'allongèrent côte à côte.

Une douche en duo les ressourça et ils sortirent pour un tour en gondole offert dans l'hôtel Venitian même. Un canal avait été aménagé à cette intention.

« Nous irons dans la vraie Venise un jour! murmura Guillaume à l'oreille de sa bien-aimée. En attendant, je pense que c'est une agréable façon de terminer notre séjour... »

Le lendemain matin, la tête de Mady sur son bras, Guillaume se réveilla encore une fois le premier. Il caressa les cheveux de sa nouvelle épouse en savourant son bonheur. Il se sentait merveilleusement bien. Il avait dormi profondément. Les cauchemars ne venaient plus le hanter depuis plusieurs nuits, réalisait-il avec bonheur. Son cellulaire sonna à ce moment et il prit toutes les précautions pour aller répondre au petit salon attenant. Mady ne bougea pas.

En entendant « néphrologue » et « hôpital St. Paul de Vancouver », Guillaume comprit qu'il s'agissait des résultats attendus. L'homme, intraitable, refusa de les lui divulguer.

Guillaume prit ses coordonnées et promit que Mady allait le rappeler rapidement. Il raccrocha, le poing serré, puis tourna en rond, hésitant. Il sursauta à l'arrivée de Mady derrière lui.

« Qu'est-ce qui ne va pas?

— Je voulais venir te réveiller... Je viens de recevoir l'appel du spécialiste pour Luc...

— Et?

— Il n'a rien voulu me dire. »

Guillaume montra le numéro et Mady soupira. Ils seraient fixés dans peu de temps...

Après l'appel, Mady accrocha un sourire, mais le cœur n'y était pas. Elle s'assit sur le fauteuil rouge et y invita Guillaume. Mady était tendue. Distraitement, elle lui caressa les cheveux et annonça douloureusement :

« Je ne suis pas compatible.

— Je suis navré... »

Guillaume trouvait les mots faibles face à ce qu'il ressentait et ce qu'exprimait l'attitude de Mady. Elle continua :

« Il y a autre chose aussi... Pendant les analyses sanguines, ils ont trouvé une anomalie avec mes globules blancs. On me suggère fortement de passer des tests plus poussés dès mon retour en France...

— As-tu éprouvé des symptômes particuliers ces derniers temps? demanda Guillaume, inquiet.

— Pas vraiment... à part des petites fatigues à l'occasion, et quelques migraines. Mais c'est tout, je t'assure. »

Le spectre du père de Mady flotta un instant dans son esprit. Elle refoula cette pensée nocive.

« Il peut y avoir bien des causes... Inutile de s'alarmer outre mesure...

— Il ne faut rien laisser au hasard. Pas maintenant, Mady, j'ai besoin de toi...

— Et j'ai aussi besoin de toi... »

Mady posa une main à plat sur la poitrine de Guillaume et continua :

« Je ferai les examens nécessaires une fois rentrée en France et... »

Mady s'interrompit soudain au beau milieu de sa phrase. Devant l'inquiétude évidente de Guillaume, elle expliqua, volubile, comme si ce nouveau nuage au-dessus de leur bonheur tout neuf n'avait plus de prise sur elle :

« Pour le moment, ce n'est pas à ma santé que je pense mais à celle de Luc. Il y a un élément qui me turlupine! Je ne comprends pas pourquoi je ne suis pas compatible... Pourquoi Yolande me serait-elle apparue si ce n'est pas pour que je puisse permettre à son frère d'avoir un nouveau rein?

— Ce n'est pas ta faute. »

Mady restait perplexe. Soudain, elle s'exclama, les yeux brillants :

« Et si c'était toi, Guillaume?

— Comment ça, moi?

— Oui. Si ce n'est pas moi, c'est forcément toi qui es compatible avec Luc... J'en suis presque sûre. Voilà le lien.

— Écoute, Mady. On est en plein délire, là.

— Peut-être, mais n'oublions pas que la vie de ton ami d'enfance est en jeu. Chaque jour qui passe lui est décompté. »

Guillaume réfléchit longuement à l'hypothèse de Mady. Elle lui demanda finalement :

« Dis-moi, Guillaume. Est-ce que tu serais prêt à faire ces mêmes tests? »

Après un autre temps de réflexion, Guillaume se laissa entraîner par l'enthousiasme de Mady.

« Et comment... Si ton instinct dit vrai, ce serait peut-être pour moi l'occasion de me racheter. En donnant l'un de mes reins à Luc pour qu'il puisse vivre, c'est comme si je rendais un peu la vie à Yolande.

— C'est bien que tu voies les choses ainsi, mais tu ne dois pas oublier que tu ne pouvais rien faire de plus à l'époque.

— Je crois qu'on ne le saura jamais, Mady. Mais bon, peut-être qu'il n'est pas encore trop tard pour Luc. Après tout, qu'est-ce que je risque en me proposant... »

Mady se mit à rire, et Guillaume haussa les épaules, prêt soudain à poser mille questions. Mady se sentait devenir spécialiste. Il est vrai que le néphrologue lui avait bien expliqué toutes les étapes. D'une voix assurée, elle commença à lui tracer les grandes lignes :

« Tout d'abord, le donneur, toi en l'occurrence, doit être

hospitalisé quarante-huit heures avant le prélèvement et entre trois à sept jours après. Il faudra cesser tes activités professionnelles durant un mois, d'après ce que Luc m'a dit.

— Pas de soucis de ce côté. »

Mady hocha la tête pour poursuivre bien vite ses explications :

« Oh! bien sûr, je te dis ça sous toutes réserves, car le spécialiste va te préciser les choses beaucoup mieux que moi.

— C'est bien que je sache à quoi m'en tenir à l'avance et tu fais ça très bien.

— Actuellement, Luc est en dialyse. Cela devient critique pour la greffe. Il se fatigue beaucoup. Pourtant, il garde l'espoir d'obtenir un rein. »

Mady se tut et observa Guillaume. Il avait le regard au loin. Sortant enfin de sa bulle, il sourit.

« Luc a toujours été quelqu'un de positif, d'aussi loin que je me souvienne. C'était vraiment un bon copain.

— C'est dommage d'avoir perdu le contact.

— Il m'était impossible de faire autrement.

— Luc m'a dit qu'il t'avait écrit.

— C'est vrai. Je n'ai jamais pu lire ses lettres. C'était trop dur.

— Il sera très heureux de te revoir.

— Cela me fait peur. C'est étrange, ce n'est pas tant de donner mon rein qui me fait peur, mais la perspective de me retrouver en présence de mon ami. Est-ce qu'il a du ressentiment? Et madame Marquis?

— Guillaume, tout va bien chez eux à ce propos. Madame Marquis est quelqu'un d'exceptionnel. Il est vrai que je ne l'ai pas vue très longtemps mais tout de même. Elle t'aime beaucoup. Elle a parfaitement compris ton attitude de retrait, je crois. Elle le regrette pourtant.

— Je me souviens bien d'elle. Elle faisait de succulents brownies. Maman a toujours essayé de faire les mêmes en suivant sa recette, mais c'était peine perdue.

— J'y ai goûté, figure-toi. Mais on s'égare, Guillaume.

— Oui, tu as raison. Et tu penses que je ne suis pas trop vieux pour faire don de l'un de mes reins? Quelles sont mes chances de compatibilité, selon toi? »

Le flot de questions fit sourire Mady qui leva une main comme pour crier grâce. Elle commença par la première :

« Il semble que l'âge n'a pas réellement d'importance. Ce qui compte, c'est la forme physique du donneur. Pour être admis, il y a plusieurs conditions à réunir, entre autres une compatibilité sanguine ABO entre le donneur et le receveur, si je ne me trompe pas. Il te faudra aussi subir une série d'examens pour le bilan prégreffe. Bref, si elle est accessible, la route est assez longue.

— Et tu as passé tous ces tests pendant ton séjour à Vancouver?

— Non, pas tous. C'était impossible! Seulement les tests préliminaires. Et comme tu peux voir, il est inutile de poursuivre... »

* * *

De retour à Vancouver, Guillaume se présenta chez Luc Marquis avec une émotion non feinte. Carole Marquis embrassa longuement et avec moult larmes l'homme qu'il était devenu. Elle ne cessait de remercier Mady de lui avoir ramené ce souvenir du Québec. Embrassades et félicitations concernant leur mariage fusèrent, puis la discussion s'intensifia autour du besoin de greffe de Luc. Les Marquis n'étaient pas du tout amers du fait que Mady ne se soit pas révélée compatible. La mère, surtout, gardait espoir. Elle avait toujours ce regard brillant et direct, cette perspicacité qui ne trompait pas. Guillaume lâcha enfin le sujet de sa visite et leur annonça sans détour qu'il souhaitait à son tour passer des tests de compatibilité.

Sous l'effet de l'émotion, chacun chercha à dire quelque chose de circonstance, mais les gorges restaient nouées. Ce fut Carole Marquis qui rompit ce silence :

« Mon fils et moi te serons toujours reconnaissants, quoi qu'il advienne. »

Guillaume et Luc partirent dans les rues animées de Vancouver. Bien consciente que les deux hommes avaient besoin de se retrouver après tout ce temps, Mady avait décliné l'invitation en prétextant être plus utile à Mme Marquis. Elle savait intuitivement qu'elle n'avait rien à faire avec eux dans ce temps des retrouvailles. Du reste, elle passa un agréable moment en compagnie de la mère de Luc qui tenait à prendre une revanche sur leur précédente partie de *Trivial Pursuit*.

Pour savourer sa victoire, l'hôtesse offrit ensuite un verre de lait à son invitée et l'accompagna de brownies. Puis, elle s'informa avec tact du retour prochain de Mady en France et de la séparation momentanée des nouveaux époux. Après un silence, Mme Marquis posa une main ridée sur celle de Mady et jeta, en la regardant droit dans les yeux :

« Tout ira bien pour vous, Mady. Foncez à présent...

— Pourquoi me dites-vous ça? »

Mady sentait qu'il y avait plus que de l'empathie dans cette affirmation. Son interlocutrice haussa les épaules et eut un sourire si particulier et si brillant que Mady reçut un choc en réalisant que Yolande avait parfois ces mêmes mimiques...

* * *

Mady secoua la tête et se retrouva avec nostalgie dans l'avion, s'éloignant de Montréal et de Guillaume par la même occasion. Elle s'interrogeait à présent sur ce qu'ils avaient reconstruit pendant ce séjour. C'était si inattendu... Tout avait plutôt mal commencé. Guillaume s'était révélé si peu accessible, si froid! Il s'en était fallu de peu.

Les derniers jours avaient été fantastiques. Son compagnon s'était montré si prévenant, si attentionné. Elle avait l'impression de faire un pied de nez à son père... Ce père qui avait voulu assassiner sa vie... Elle projetait de lui rendre une visite à son dernier repos.

Elle abaissa le dossier de son siège pour essayer de dormir un peu. Son esprit partit vers Sarah qui voudrait tout savoir de son séjour. Désireuse de lui faire la surprise, elle ne l'avait pas avertie de son retour. Mady essaya d'imaginer la tête de sa sœur quand elle apprendrait son mariage avec Guillaume... Elle avait aussi très hâte de l'annoncer à Marianne. Elle se demanda quand Guillaume et elle auraient la chance de se rencontrer. Cela lui paraissait si étrange quand elle analysait tout cela...

Le sommeil l'emporta finalement. Elle se retrouva soudain en face d'une maison familière. Un homme soulevait les rideaux pour la regarder. Ses yeux marron enfoncés dans leurs orbites semblaient vouloir s'inscrire dans la fenêtre. Sa barbe mal entretenue arrivait presque jusqu'au nez de Mady qui pinça inconsciemment des narines dans l'avion silencieux. L'image s'effaça pour être remplacée par le regard dur de Jeremiah Lezimann... Mady sentit un froid la pénétrer et se réveilla en sursaut. Le reste du voyage, elle fut incapable de fermer l'œil. Un malaise persistant cognait en elle... Tout n'était pas fini, sentait-elle confusément... Mais quoi? Que devait-elle faire à présent? Mady se rendit soudain compte que ses poings s'étaient crispés sur les accoudoirs. Elle desserra son emprise et massa ses avant-bras douloureux...

* * *

Manon était au salon avec Jake. Duncan jouait dans la salle de jeux. La jeune femme ne cachait pas son inquiétude face à son frère :

« Comment va-t-il faire s'il est compatible?

— Tu sais, on vit très bien avec un rein. C'est un geste extraordinaire qu'il veut faire.

— Quand je pense que Mady voulait en faire autant! J'ai honte, je crois que j'en serais incapable, sauf à ma mort...

— Chérie, tu n'as pas à avoir honte. C'est une partie de toi que tu donnes en offrant ton propre rein. Et on ne donne pas une partie de soi comme ça.

— Tu le ferais, toi? »

La question était abrupte. Jake se gratta l'oreille, songeur.

« J'y ai beaucoup pensé depuis que Guillaume nous en a parlé. Je ne sais pas, je crois que oui. Par exemple, si tu en avais besoin, je n'hésiterais pas une seconde...

— Luc était comme un frère pour nous. Cette histoire est si insensée. Je crois que si ce n'était pas aussi fou justement, je n'y croirais pas!

— Malheureusement, Guillaume ne saura pas tout de suite s'il est compatible. Il ne faut pas aller trop vite.

— Il reste tout de même extraordinaire qu'une partie de notre être puisse tant aider... »

Jake se mit à rire doucement :

« Tout comme il est extraordinaire pour une femme de fabriquer un autre être dans ses chairs. »

Manon sourit à son tour en caressant son ventre.

« Oui, c'est magique, tout simplement, et mystérieux aussi... Des os qui se construisent, des yeux, de la peau... »

Jake enlaça sa femme et ils restèrent ainsi un long moment.

* * *

Ces derniers jours s'étaient révélés éprouvants et étranges pour Guillaume. Il avait subi tous les tests, complété toutes les analyses nécessaires. Maintenant, de retour chez lui, il devait attendre. Attendre seul puisque Mady avait dû rentrer en France.

Guillaume déambulait dans son immense appartement du centre-ville devenu totalement vide et froid. Il attrapa ses clés de voiture et sortit. C'est sans préméditation qu'il se retrouva sur le boulevard Gouin. Il se gara devant la maison de Rivière-des-Prairies en espérant presque pouvoir y découvrir Mady à la fenêtre ou dans le jardin. En entrant, il ne ressentit pas ce malaise qui subsistait toujours ces derniers temps. Il respira à fond et contempla en détail et pour la première fois tous les travaux et les aménagements que sa sœur avait soigneusement gérés. C'était vraiment du bon travail. Il se sentait chez lui. Il sentait même la présence de Mady en ces lieux. Il se mit à sourire en déambulant dans les pièces.

Dans la chambre, un galet était posé sur la table de nuit. Guillaume l'effleura avec nostalgie. Des ricochets d'antan montèrent à sa mémoire...

Dehors, il croisa une femme qui promenait son fox-terrier. Ils se saluèrent silencieusement.

Il laissa ses pas le diriger vers le parc de la Visitation. Son pas s'accéléra soudain à la vue du pont de bois. Puis Guillaume courut vers le dernier obstacle qu'il se refusait pourtant à franchir depuis tant d'années.

Il reprit son souffle et ses yeux tombèrent sur un pied de pissenlits, juste au bout de sa chaussure. Il se souvenait que c'étaient les fleurs préférées de Yolande. Il se baissa et les cueillit. En descendant près de la rivière, il trouva trois autres pieds qu'il ajouta pour former un bouquet. Le soleil radieux qui se reflétait sur l'eau et le clapotis léger rassérénèrent Guillaume. Il s'accroupit et s'adressa à Yolande en esprit. Il s'excusa une fois de plus de ne pas l'avoir sauvée et il lui dit qu'il se pardonnait enfin.

C'était incongru sans doute à entendre.

L'esprit a ses mystères que les mots ne connaissent pas... Dans un geste large, Guillaume lança les fleurs dans l'eau. Quelques ondoiements les emmenèrent un instant plus loin pour former un cercle. Certains le qualifieraient de couronne. Était-ce le vent ou bien son esprit? Guillaume était sûr d'avoir entendu quelque chose. Un rire, un rire qui cascadait comme Yolande savait seule le faire. Il prêta l'oreille, mais plus rien ne se passa. Son regard se perdit dans la contemplation des fleurs qui dérivaient tout en restant groupées...

* * *

Mady n'avait guère perdu de temps depuis son retour. Elle avait demandé à son médecin traitant un bilan de santé complet.

Debout devant la fenêtre de sa cuisine, un verre d'eau à la main, elle pensait encore à ses maux de tête qui la tiraillaient régulièrement depuis plusieurs semaines.

La sonnerie de la porte d'entrée la fit sursauter. Elle songea aussitôt à Sarah et se dépêcha d'aller ouvrir.

« Tu es devenue un véritable courant d'air depuis ton retour! » se plaignit sa sœur en la voyant.

La boutade ne dérangea pas Mady. Elle ne se justifia pas pour autant. Elle n'avait pas encore annoncé à Sarah qu'elle avait dû passer des examens. Elle éluda pour l'instant le sujet et se plia de bonne grâce aux questions de sa sœur :

« Au téléphone, tu es restée assez évasive. Tu n'as pas bonne mine par contre... Le voyage sans doute... Allez! Je veux tout savoir! Enfin, tout ce qu'il est raisonnable de savoir...

— Tu veux vraiment tout savoir? »

Sarah se mit à rire, mais Mady gardait un visage un peu trop sérieux à son goût.

« Ça ne s'est pas bien passé, c'est ça?

— Guillaume m'a demandé en mariage...

— Quoi? Et tu as attendu tout ce temps pour me l'annoncer! Et alors? Que lui as-tu répondu? Il n'a pas perdu de temps, dis-moi... Il est toujours aussi beau garçon? Et sa petite amie? Tu m'avais dit qu'il était fiancé, il me semble... »

Mady esquissa un sourire et prit le temps d'avaler son café. Elle sentait sa sœur prête à exploser. Elle l'avait rarement vue aussi expéditive :

« Guillaume a vieilli. Bien vieilli. Je dirais même qu'il est encore plus beau que dans mon souvenir.

— Mmm! Tu es retombée sous le charme alors?

— Disons que je n'en suis jamais vraiment sortie. Ce serait plus juste. »

Un voile de tristesse traversa encore le visage de Mady, et Sarah se mordit les lèvres.

« Bon! Et ta réponse? Que lui as-tu dit? Que tu allais y réfléchir?

— Je lui ai dit oui. »

Sarah se mit à crier en entendant sa sœur lui annoncer la nouvelle.

« Vous avez prévu une date?

— C'est-à-dire que...

— Qu'est-ce qu'il y a?

— Eh bien, on s'est déjà mariés...

— Quoi? »

Mady ne put s'empêcher de rire.

« Si tu voyais ta tête... »

Sarah rit à son tour. Mady enchaîna :

« Tout s'est passé si vite.

— T'aurais pu au moins me l'annoncer par téléphone!

— Nous étions à l'aéroport international de Vancouver, Guillaume et moi. C'est là qu'il m'a fait sa demande, puis nous avons aussitôt pris l'avion pour Las Vegas.

— Tu veux dire que vous vous êtes mariés à Las Vegas?

— C'est ça.

— Ça alors! Et comment c'était?

— Merveilleux! Extraordinaire! Inoubliable! s'exclama

Mady, en manque de qualificatifs pour exprimer tout ce qu'elle ressentait.

— Eh bien, quand je vais raconter ça à André et aux enfants, ils n'en reviendront pas, crois-moi. Tu préfères peut-être le leur annoncer toi-même?

— Je te laisse ce plaisir, puisque tu en meurs d'envie. »

Sarah s'extasia encore sur les révélations de sa sœur tout en admirant l'alliance et la bague de fiançailles. Mady décrivit son mariage à Las Vegas et les moments magiques qu'elle y avait vécus avec Guillaume. Les deux sœurs s'engagèrent très vite dans une discussion joyeuse. Sarah riait aux commentaires amusants ou loufoques de Mady, et poussait plutôt des cris dans les passages plus romantiques. Quand sa sœur en vint à la robe offerte par Guillaume, Sarah pleura à nouveau, mais de joie cette fois. Mady expliqua aussi qu'elle avait dû aller choisir sa robe de mariée.

« Et où est-elle? »

Mady sortit des photos et les lui montra. Sarah les regarda longuement, attendrie.

« J'ai retourné ma robe de mariée. J'avais pris une entente avec la vendeuse du magasin de l'hôtel pour la louer. Cette fille était vraiment gentille. La robe offerte par Guillaume était largement suffisante à mon bonheur. Je pourrai la reporter pour d'autres occasions. Je sais que Guillaume a les moyens, mais j'étais mal à l'aise tout de même.

— Tu n'as jamais apprécié le gaspillage, confirma Sarah. Et comment Guillaume a-t-il pris ta décision?

— Bien. Il a compris mon geste. Nous en avons discuté, bien sûr. De toute façon, ce que nous avons vécu est inoubliable. Romantique à souhait, et incroyablement fou!

— Je veux bien te croire! Tu pars pour fermer ta porte sur ton passé et, finalement, tu reviens mariée... avec l'homme de ton passé... »

Mady changea de ton et glissa :

« Il s'est également passé d'autres choses... Des événements quelque peu surréalistes en fait... Si, si, je t'assure! Une vraie histoire de science-fiction, digne des films de Spielberg. J'ai voulu offrir mon rein à un ami d'enfance de Guillaume. »

Cette fois, Sarah ouvrit la bouche de surprise.

« Tu as voulu faire un don de rein? T'es vraiment sérieuse?

— Oui, tout à fait, mais je n'étais pas compatible. Guillaume a également passé les mêmes tests. Il ne devrait pas tarder à avoir les résultats, je pense...

— Quelle histoire! »

Mady relata l'accident vécu par Guillaume et sa sœur dans leur enfance, ainsi que la mort de la petite Yolande. Confusément, Mady sentait que c'était le moment de parler d'elle. La perche était tendue. Elle devait la saisir.

« Il y a autre chose aussi, Sarah, de plus personnel...

— Je t'écoute... Ce séjour n'a pas été de tout repos, dis-moi!

— En faisant les tests de compatibilité pour le rein, ils ont trouvé quelque chose d'anormal dans mon sang. On m'a suggéré de faire d'autres examens plus poussés.

— Tu les as passés? demanda Sarah, inquiète tout à coup.

— Oui, dès mon retour. J'attends les résultats. »

Sarah fit promettre à sa sœur de l'avertir dès qu'elle les aurait, puis raconta, à son tour, le dénouement des événements qui avaient eu lieu durant son absence. Sarah confia son désarroi face aux révélations de Maurice, ses hypothèses sur l'attitude de leur père. Mady consola sa sœur quand les remords se voulaient trop forts. Enfin, les confidences glissèrent vers Vanessa et le racket au collège. Le choc de la nouvelle fut heureusement atténué par les mesures qui avaient été prises à temps pour y mettre fin.

Chapitre XXIII

Quand Guillaume ouvrit sa porte, il eut la surprise de découvrir la détective Rachel Toury.

« Je croyais que l'enquête était classée? se rembrunit-il.

— Oui, elle l'est.

— Dans ce cas, en quoi puis-je vous être encore utile? »

Guillaume avait fait entrer la détective au salon. La femme pinça les lèvres et pointa les tableaux aux murs.

« Mon père est peintre. Oh! Il n'a pas autant de renom que les peintres de vos toiles... »

Guillaume suivit son regard et haussa les épaules.

« Je suis loin d'apprécier l'art à sa juste valeur, commenta-t-il simplement.

— Alors, pourquoi ces tableaux? Pour l'apparence? »

La question dérangea Guillaume, car il se rendait compte qu'il y avait une partie de vrai dans tout ça. Pourtant, il se justifia encore :

« C'est Connie qui choisissait les toiles.

— Et c'est vous qui payiez, acheva Rachel.

— C'est vrai. Mais elle me demandait mon avis.

— Vous n'avez pas à vous défendre ou à défendre Connie Suisseau.

— Disons qu'elle en a assez fait dans ma vie... Alors, inutile d'en rajouter avec ce qu'elle laisse derrière elle.

— C'est ce qu'elle laisse justement qui m'amène aujourd'hui...

— Je ne comprends pas...

— La première fois que je suis venue, je n'ai pas pu m'empêcher de faire le tour de vos toiles. Je pensais à mon père. Il y en a une ou deux que je trouve jolies. Les autres, c'est de l'art abstrait et je n'y entends rien. Mon père a beau s'acharner à me faire comprendre la subtilité, j'y reste insensible en dépit du fait que cela vaut une petite fortune.

— Vous êtes venue me remonter le moral? C'est pour me dire que j'ai encore de l'argent en banque?

— Non. J'ai aussi appris votre récent mariage. Toutes mes félicitations. »

Cette fois, Guillaume fronça les sourcils. Il sentait soudain poindre une insinuation. Sur la défensive, il songea à se justifier, mais finalement se contenta de hocher de la tête, montrant qu'il attendait la suite.

« Nous avons perquisitionné l'appartement de votre directeur, Grégoire Mongoufier. Il y avait une toile dans une pièce. »

* * *

Mady entra au cimetière avec une certaine réserve. Son pas la conduisit pourtant sans mal à l'endroit où son père et sa mère reposaient. Le soleil éblouissait presque les plaques de marbre alentours. Mady adressa une prière à ses deux parents et versa une larme. Sincère.

D'une main tremblante, elle sortit ensuite de son sac la lettre composée à Las Vegas quelques jours plus tôt, puis se mit à la lire à haute voix.

Au son de pas sur le gravier, elle se retourna pour partager, l'espace de quelques secondes, un regard avec une vieille femme en robe bleue. La voix de Mady se fit plus douce en se retournant. À la dernière ligne, elle se pencha en avant et souffla :

« Je te pardonne, papa! Je te pardonne et je reprends le bonheur dont tu m'as privée. »

Elle essuya une nouvelle larme persistante et glissa la lettre dans un vase scellé à même la tombe. Elle la recouvrit de terre noire, puis planta un chèvrefeuille qu'elle avait apporté pour l'occasion.

Hishimo, l'amoureux de Marianne, lui avait glissé, au cours d'une visite où ils avaient fait connaissance, que cette fleur permettait de gérer un passé de façon différente. Il avait ajouté avec un clin d'œil que le chèvrefeuille agissait comme un tremplin positif et constructif pour l'avenir qui s'offrait à elle. Mady avait ri en secouant la tête. Elle était consciente que de pardonner à son père était déjà suffisant à son bien-être. Ce geste n'était tout simplement qu'un prétexte pour enfouir son pardon et le garder à tout jamais là où il devait être, avec les restes de son père... Son âme était ailleurs, voulait-elle croire, là où des biens terrestres n'avaient aucune valeur...

Mady se lava soigneusement les mains au robinet du bout de l'allée et croisa de nouveau la vieille femme à la robe bleue. Elle la salua en souriant, mais l'autre femme choisit de rester dans sa solitude et dans son regard lointain... Le pas vif, Mady sortit du cimetière. Elle se permit même, juste avant de mettre le contact, un soupir de soulagement devant son volant.

* * *

« Monsieur Bélanger, je ne vais pas vous faire languir plus longtemps... Je dois reconnaître que mon attitude peut être qualifiée d'étrange. J'avais besoin de voir votre réaction. Entendre vos réponses...

— Vous me soupçonnez de quoi?

— De rien en définitive... Un instant, j'ai songé que... Enfin, que vous pouviez avoir quelque chose à voir dans toute cette histoire...

— Ridicule, se fâcha Guillaume.

— Oh! Vous savez, dans ma profession, on en voit de toutes les couleurs... Et votre mariage précipité m'a, disons, fait réfléchir...

— Ce n'était pas si précipité que ça... Ma femme est dans mon cœur depuis plus de vingt ans... »

Rachel Toury leva un sourcil, curieuse, mais secoua la tête.

« Votre vie privée ne me regarde pas, monsieur Bélanger. Enfin, ne me regarde plus. Je voulais juste vous prévenir que vos tableaux sont des faux...

— Quoi?

— L'original de l'une de vos toiles a été retrouvé chez Grégoire Mongoufier. Cette toile pour être exacte. »

La détective pointait une œuvre derrière Guillaume. Il se retourna et avança vers l'objet en question.

« Vous voulez dire?

— Connie Suisseau et Grégoire Mongoufier, non contents de vous spolier dans votre entreprise, vous ont aussi volé à votre domicile.

— Qu'est-ce que vous racontez?

— Un expert a examiné la toile récupérée chez Grégoire Mongoufier. Elle vous appartient bien, nous avons vérifié. C'est l'œuvre originale. Celle qui est sur votre mur est une imitation. Je dirais très réussie de prime abord... Bien sûr, je ne suis pas une experte accréditée. Il viendra demain d'ailleurs, si vous êtes disponible...

— Connie est derrière tout ça encore?

— Je le crains... Avez-vous une idée de la façon dont elle a pu s'y prendre? »

Et là, après un temps d'hésitation et d'incrédulité, Guillaume se lança dans une explication plausible. Connie emportait certains tableaux à l'occasion, soit pour les accrocher dans son appartement, soit pour les faire nettoyer par un spécialiste...

« Elle devait en profiter pour les photographier ou carrément les remettre à Grégoire Mongoufier pour que le travail du copiste soit fait. »

Guillaume tourna dans la pièce et soupira.

« Je ne suis pas au bout de mes surprises, on dirait... »

Rachel Toury ne s'y trompa pas. Compatissante, elle posa une main sur l'épaule de l'homme et continua :

« Votre assurance va vous apporter un certain réconfort. Puis, le dossier ne fait que démarrer dans ce domaine.

— Nous aurons l'occasion de nous revoir alors. J'apprécie votre franchise... »

Rachel secoua la tête en souriant :

« Merci, mais ce n'est pas mon service qui gère cet aspect. Les vols de tableaux, ce n'est pas ma partie. Demain, vous aurez affaire au spécialiste en la matière. C'est un grand, l'un des meilleurs. Vous ne devriez pas être déçu. Il est un peu soupe au lait et d'aspect froid, mais, une fois ce premier pas franchi, c'est un vrai renard! »

Rachel se dirigeait à présent vers la porte. Guillaume la remercia encore et se retrouva seul dans cet intérieur qui, décidément, ne lui ressemblait plus du tout, mélange de faux et de vrai... C'est ce qu'il avait été pendant ces vingt dernières années... Il était grand temps de ressortir le vrai Guillaume Bélanger du placard...

* * *

Mady se gara non loin de chez elle, en face d'une petite maison qui ressemblait à la sienne, qui aurait pu être la sienne si... si elle n'avait pas épousé Guillaume. Elle frappa timidement sur le bois un peu mûr et écaillé. Elle reconnut sans peine les pas lourds et tranquilles de Jeremiah Lezimann. Lui et Mady s'étreignirent longuement en silence. D'un geste doux, l'homme ôta la veste de fin lainage de Mady et les explications commencèrent. Difficiles. Pénibles.

De la colère perça soudain sous les paroles polies. Puis, un état d'abattement suivit. Enfin, l'amitié ressurgit et, avec un sourire sincère et ému, Jeremiah félicita Mady pour son mariage. La gorge sèche et le cœur en peine, la femme s'en retourna chez elle, soulagée toutefois d'avoir enfin avoué ce lourd secret à l'homme qui avait tant formulé d'espoir d'une vie à deux...

* * *

Flanqué de son fils qui s'était proposé de le soutenir dans sa démarche, Valery de Runay entra dans le commissariat avec à la main une mallette remplie de dossiers relatant les agissements de l'organisation.

Ils passèrent tout l'après-midi au commissariat pour répondre aux questions préliminaires, puis une enquête fut aussitôt ouverte.

Fabian de Runay fut peu après contraint de s'en aller seul tandis que son père était écroué. Dans une dernière accolade, il promit de tout expliquer à la famille et de revenir le voir. Valéry de Runay chercha encore à comprendre :

« Comment fais-tu pour m'épauler? Tu devrais me cracher au visage après tout ça... »

Fabian eut une mimique des lèvres, puis regarda longuement son père.

« J'ai un père qui voulait faire du bien, mais qui a dérapé. Moi aussi, en moto, ça m'arrive... Je mets toujours mon casque maintenant... »

* * *

Mady arriva sans avertir chez sa sœur. Elle venait de recevoir le résultat de ses examens.

« J'ai une tumeur au cerveau. »

Sarah ne répondit pas tout de suite, puis elle éclata en sanglots en serrant sa sœur très fort dans ses bras.

Mady souffla encore :

« Je suis brutale. Je ne savais pas comment te l'annoncer... »

Sarah demanda, l'espoir aux lèvres :

« Est-ce qu'ils ont dit qu'ils allaient pouvoir te?...

— Rassure-toi. La tumeur est opérable... délicate mais opérable. J'ai de grandes chances de m'en sortir, selon eux, même s'il y a toujours un risque... Enfin, je suis très confiante.

— Est-ce que tu as mal?

— Non, pas vraiment, à part ces migraines et cette fatigue. J'ai aussi appris que la pression causée par cette tumeur pourrait être à l'origine des visions que j'ai eues. »

Sarah posa une main tremblante devant sa bouche et regarda de nouveau Mady.

« Comment une telle chose peut-elle arriver? Tu ne méritais pas ça, Mady, après tout ce que tu as enduré... Ce n'est pas juste. »

Mady enlaça sa sœur à son tour pour la tranquilliser. Elle se rendait compte soudain que Sarah était beaucoup plus affectée qu'elle-même.

« Tout se passera bien, crois-moi.

— Et Guillaume? Il est au courant?

— Oui, je le lui ai annoncé au téléphone, tout à l'heure. Lui qui était si heureux de m'annoncer hier qu'il était compatible, voilà que je lui annonce aujourd'hui que j'ai une tumeur. Ça n'a pas été facile. Il voulait à tout prix venir me rejoindre, le temps que je me fasse opérer. Mais l'état de Luc s'aggrave et il doit subir d'autres examens pour la greffe. Il ne pourra pas être là...

— Je serai là, moi, s'empressa de dire sa sœur.

— Je sais, Sarah. J'aurai besoin de ta présence à mes côtés, c'est sûr. »

* * *

Un homme grand et sec se présenta chez Guillaume, comme Rachel le lui avait annoncé. Il n'était effectivement pas d'un abord chaleureux, tout à fait le genre d'homme à ne pas s'en laisser conter. Guillaume l'écouta pourtant avec une grande attention.

« Nous étions sur des affaires similaires depuis quelque temps. Ce Grégoire Mongoufier n'en est pas à son premier vol de tableaux. C'est sans doute par le biais d'une association qu'il repère ses proies. Il a mis sur la paille plusieurs hommes d'affaires puissants. Vous êtes chanceux. »

Guillaume n'était pas sûr d'être de cet avis. L'autre répliqua, grignotant presque son vieil havane éteint :

« Si, vous êtes chanceux. Je le répète. Les autres n'ont plus rien. Tout juste une chemise restée chez le blanchisseur! »

L'humour parut bien sec aux oreilles de Guillaume.

« S'il était connu, pourquoi ne pas l'avoir interpellé plus tôt?

— Il travaillait sous différentes identités. C'est pourquoi je m'occupe de cette affaire. Cela relève d'Interpol. »

Après le long monologue de l'enquêteur, Guillaume réalisa qu'il avait effectivement eu de la chance!

En songeant à Mady dans le décor, sur le tableau replacé au mur, il se permit même un franc sourire. L'homme aux yeux de lynx suivit le regard et questionna :

« Votre épouse?

— Oui.

— Très belle femme, si je peux me permettre.

— Merci. »

* * *

Sarah se présenta chez sa sœur pour lui annoncer qu'une enquête avait été réouverte sur l'hôpital où elle avait accouché de Marianne. Mady apprit ainsi qu'à la suite de nouveaux éléments, un groupe de personnes exerçant dans divers centres hospitaliers de plusieurs régions ainsi que d'autres professionnels du milieu juridique avaient été mis en examen.

Certains détails rapportés dans les journaux étaient assez crus à lire. Il y était question de nouveau-nés qui avaient été retirés à la naissance à leur mère, soi-disant avec leur consentement, puis offerts illégalement par la voie secrète d'une organisation à des couples stériles. Certains éléments de l'enquête révélés dans les médias parlaient de plusieurs dizaines de nouveau-nés ainsi échangés sur une période de plus de vingt-cinq ans. Quelques journalistes affirmaient même, selon des sources sûres, que, malgré la grande rigueur exercée par cette organisation pour s'assurer que toutes les parties concernées étaient traitées humainement, il s'avérait que quelques cas pouvaient avoir échappé à leur contrôle. On y apprenait entre autres que deux jeunes mères, et probablement une troisième, s'étaient vues retirer leur enfant sans leur consentement.

Les deux sœurs avaient échangé un regard lourd.

Enfin, un dernier témoignage, plus terrible encore, faisait mention d'un spécialiste en génétique qui aurait réussi à se procurer des nouveau-nés par cette voie illégale. Ayant perdu son jeune fils, noyé accidentellement dans la piscine familiale, l'éminent généticien s'était lancé dans diverses recherches pour tenter de greffer des branchies sur des nouveau-nés.

Son but ultime était de permettre à l'être humain de pouvoir vivre aussi bien sur terre que dans l'eau et ce, de façon naturelle, sans appareillage. Les détails rapportés paraissaient sortir tout droit d'un film d'horreur. Aucune de ses expériences n'avait abouti, et l'homme avait été écroué.

Immédiatement après la mise en accusation, plusieurs journalistes profitèrent de cette scandaleuse affaire pour lancer le débat sur les expériences génétiques avec tous les débordements et les questions d'éthique inhérents.

Mady et Sarah étaient sous le choc. Mady évoqua le nom de Gérard Bouduvent, l'ami et compagnon de bars de leur père qui était venu à l'enterrement et qu'elle avait fini par retrouver. Il était sans doute le seul à pouvoir donner une explication sur l'enlèvement de Marianne. Voulant en avoir le cœur net, les deux sœurs décidèrent de lui rendre aussitôt une visite.

À leur arrivée, elles durent insister pour que le barbu mesquin leur ouvre. Sarah poussa la porte du plat de la main et Gérard Bouduvent recula, déséquilibré et le regard apeuré. De toute évidence, il avait bu. Dans la cuisine, cette même pièce où Mady était déjà venue quelque temps auparavant, une bouteille à moitié entamée trônait sur la table. « L'histoire se répète », songea-t-elle, se revoyant soudain chez son père. Sarah se chargea de la conversation. L'air vicié de la pièce mettait Mady mal à l'aise, à moins que ce ne fût l'homme lui-même.

Les jambes flageolantes, elle finit par s'asseoir. Sarah resta debout. L'homme s'assit aussi et voulut attraper la bouteille. Mady l'écarta un peu trop brutalement. Le verre rencontra le sol bruyamment.

Les accusations se mirent soudain à pleuvoir. La rancune soudain tenace, Gérard Bouduvent sortit de ses gonds :

« C'est d'la faute d'Arthur! Tout est sa faute! J'ai tout dit à la police de toute façon. Ils m'ont arrêté hier, puis relâché... Ils n'avaient rien contre moi. C'est vot' père qui a voulu séparer l'enfant de sa mère... C'était pas un ange, vous savez. »

Les deux sœurs acquiescèrent sans peine. Bouduvent expliqua du bout des lèvres comment il avait tout organisé avec Arthur...

« Vot' mère n'a pas eu la vie facile avec lui. Il était fou amoureux d'elle pourtant. Mais au fond de lui, je crois qu'il avait des doutes sur l'amour qu'elle lui portait. Vot' mère était déjà enceinte d'un autre quand elle s'est mariée avec Arthur! »

L'homme voulait faire mal en apportant cette nouvelle révélation, mais il échoua en constatant l'absence de réaction des deux femmes. Calmement, Sarah répondit :

« Nous sommes au courant. C'est moi, le bébé en question. »

Bouduvent sembla perdre de sa superbe quand il jeta un

regard sur le liquide répandu sur le plancher. Le fiel se mit soudain à sortir encore.

« Arthur, il n'aurait jamais dû me demander de participer à tout ça...

— Pourquoi l'avez-vous fait alors?

— Une dette. Il m'a sauvé la mise à deux reprises. La première fois, j'avais quinze ans... Je suis un homme d'honneur, vous comprenez. »

Sarah et Mady ne firent aucun commentaire sur le sujet. Mady demanda :

« Qu'est-ce que notre père vous a demandé de faire exactement?

— De l'accompagner au cas où il aurait un problème...

— L'accompagner où?

— Eh bien, rencontrer ce type...

— Bon! Est-ce que vous allez parler à la fin? s'énerva Sarah. N'attendez pas que l'on vous pose chaque question. Quel type deviez-vous rencontrer?

— Je ne sais pas, moi. Tout ce que je sais, c'est qu'il était médecin et qu'il devait se charger de prendre la petite. Voilà.

— C'est tout?

— Oui, c'est tout.

— Vous n'avez pas su son nom? À quoi il ressemblait?

— Son nom, vous pensez bien que non. Tout s'est passé dans le plus grand secret. Il faisait nuit. J'ai donné son signalement à la police. Ils m'ont montré une photo d'un homme que j'ai reconnu. C'était le prix de ma liberté. Je ne les intéressais pas de toute façon. Les prisons sont pleines de types comme vot' père et moi.

— Vous vous en tirez bien, on dirait! lança Mady, écœurée.

— Peut-être... J'ai pourtant longtemps vécu dans la bibine... Puis je m'en suis sorti... et je replonge maintenant. J'aurais jamais dû arrêter. Ça fait tellement du bien de picoler pour oublier...

— C'était quoi, l'autre dette dont vous vous êtes acquitté? » questionna soudain Sarah, prête pourtant à battre en retraite.

L'homme hésita, jeta un œil torve vers le verre éclaté, puis lâcha brusquement, sans remords :

« Adrien...

— Adrien?

— L'amoureux de vot' mère! »

Les deux sœurs se regardèrent discrètement.

« Il appelait Gisèle sa petite paloma. Ça veut dire colombe en espagnol, je crois. »

Mady manqua une respiration et lui arriva l'image soudaine de ces lettres qui étaient encore chez elle et qui commençaient toutes de la sorte... Elle avait cru que son père en était l'expéditeur. Se pouvait-il que ce ne soit pas le cas? En colère, elle questionna à son tour :

« Qu'est-ce qui s'est passé? »

L'homme répondit du tac au tac :

« Arthur voulait lui régler son compte. Je l'ai aidé pour que l'on croie que c'était un accident.

— Quoi? Mais quel genre de personne êtes-vous pour avoir accepté de tuer un homme de sang-froid?

— Je n'avais pas tellement le choix. J'avais promis à Arthur que je ferais n'importe quoi pour lui après ce qu'il avait fait pour moi. Il n'avait qu'à demander.

— Même tuer un homme?

— Oui, jeta Bouduvent.

— Vous l'avez dit à la police aussi? interrogea Mady.

— Pourquoi j'aurais fait ça? Ils n'étaient pas venus pour ça. De toute façon, c'est impossible aujourd'hui de prouver not' crime. Ils n'y ont vu que du feu à l'époque. Il y a prescription depuis...

— Encore une fois, vous vous en sortez bien. Votre amitié et votre sens de l'honneur n'ont pas de limites, on dirait! »

L'homme haussa les épaules, le regard mauvais. Sarah enchaîna :

« Pourquoi notre père voulait se débarrasser de cet Adrien? Ça ne tient pas debout... Notre mère venait de quitter Maurice et était amoureuse de son frère.

— Adrien était le seul homme qu'elle aimait. Ils s'étaient querellés un soir, je sais pas pourquoi. Elle a ensuite fricoté avec Maurice... pour le faire enrager, je crois. Adrien l'a su. Il voulait se battre avec Maurice, mais Arthur est intervenu à temps...

— Pourquoi?

— Arthur était déjà amoureux de Gisèle... Adrien était un obstacle.

— Et comment avez-vous fait pour vous débarrasser de lui?

— Vous aimeriez le savoir, hein? Bah! Après tout, je m'en fous. Vous pourrez dire ce que vous voudrez à la police. Ça m'est complètement égal maintenant. Arthur a assommé Adrien à la sortie d'un bar. Il faisait nuit. Nous l'avons porté jusque dans sa voiture. On a roulé quelques kilomètres en direction des falaises. Moi, je suivais Arthur avec ma propre voiture pour le ramener ensuite... On s'est arrêtés à un endroit pas très fréquenté... On avait une caisse de bière avec nous. Arthur a fait boire Adrien et il a vidé une bouteille sur ses vêtements et sur son siège. Après ça, il a bloqué l'accélérateur pour que la voiture parte dans le précipice. Le meurtre parfait quoi... Il était fort à ce jeu, Arthur. »

Gérard Bouduvent jubilait en racontant son histoire. Sarah et Mady en étaient dégoûtées. Sarah se retenait de lui dire tout ce qu'elle pensait de lui, de son geste. Elle lui demanda plutôt :

« Comment avez-vous su que notre mère était enceinte de Maurice et non de son frère?

— Enceinte de Maurice? Qui vous a dit que vot' mère était enceinte de lui? C'est Maurice, c'est ça?

— Peu importe! jeta Sarah, surprise par les interrogations de l'homme.

— Gisèle était enceinte d'Adrien! Pas de Maurice, et encore moins d'Arthur.

— Qu'est-ce que vous racontez?

— C'est Gisèle, enfin vot' mère qui l'a dit à Simone... C'était la fille avec qui je sortais à cette époque. Vot' mère était sa meilleure amie... Elle lui a avoué qu'elle était enceinte d'Adrien, puis Simone me l'a répété. Adrien ne l'a jamais su. Il a pas eu le temps. Puis après sa mort, quand elle s'est mise avec Arthur, vot' mère est allée raconter à Maurice qu'elle était enceinte.

— Comment l'avez-vous su aussi? Toujours par Simone?

— On était justement là quand Gisèle et Maurice se sont donné rendez-vous. On fréquentait tous plus ou moins les mêmes endroits. On était allongés derrière un buisson, la Simone et moi, quand on les a entendus discuter tous les deux. Simone le savait... moi je le savais. Ça faisait déjà beaucoup. Elle voulait surtout pas qu'Arthur l'apprenne... Elle l'aimait bien, plus que bien d'ailleurs. Les femmes sont difficiles à comprendre...

— Ma mère a bien dû dire le nom du père de l'enfant dans sa conversation avec Maurice... »

Gérard Bouduvent secoua la tête.

« Jamais... Y a que Simone qui l'a su... Et moi.

— C'est donc Maurice qui en a déduit qu'il était mon père... »

Mady et Sarah se regardèrent, effarées. Puis, se tournant encore vers l'ivrogne :

« Et vous n'avez rien dit? questionna Sarah.

— Non.

— Pourquoi? C'était votre ami? Ils étaient tous vos amis...

— J'ai plus rien à vous dire. Laissez-moi tranquille. »

Gérard Bouduvent se dirigea vers le frigo et l'ouvrit. Il en sortit une bouteille et se rassit lourdement en avalant une longue gorgée à même le goulot.

Mady et Sarah savaient qu'elles n'avaient plus rien à en tirer. Elles repartirent le cœur lourd, sans doute plus lourd qu'en venant. Ce que l'homme leur avait révélé était largement plus que ce à quoi elles s'étaient attendues.

* * *

Guillaume apprit qu'il était en tous points compatible pour la greffe. Les derniers résultats le confirmaient à tous les niveaux. Il allait pouvoir faire don de l'un de ses reins à son ami Luc. Curieusement, il l'apprit exactement au moment où le chirurgien exécutait la délicate intervention au cerveau de Mady. Il appela aussi bien pour apprendre cette bonne nouvelle que pour connaître le résultat de l'opération. Le personnel lui répondit aimablement qu'il était encore trop tôt pour se prononcer.

Dans son bureau, Guillaume observait régulièrement les

deux insectes offerts par le pasteur Grissom. L'absence de Mady était difficile à supporter, mais ce lien tangible l'aidait. D'un geste tendu, il décrocha le téléphone et composa le numéro de Marianne. Quand elle prit la communication, ils discutèrent longuement ensemble. C'était assez étrange. Malgré la distance et le côté impersonnel du moyen technique utilisé, ils s'avouèrent avoir l'impression de se connaître, de se comprendre. C'était sa fille et il ne l'avait encore jamais vue. C'était son père et elle n'avait maintenant qu'une envie, c'était de lui parler de visu...

Trois jours plus tard, Mady, toujours hospitalisée, put converser quelques minutes avec son mari. Tout allait bien, la tumeur avait été ôtée sans causer de dommages au cerveau. Elle dormait souvent, mais sans rêves étranges.

« Chante, ma vie », murmura-t-elle au téléphone à Guillaume.

Son mari rit doucement, puis il lui apprit qu'il partait le lendemain pour Vancouver où il allait subir une laparoscopie après une hospitalisation de deux jours. Mady regretta de ne pas pouvoir être là et Guillaume compléta avec les mêmes contrariétés pour l'opération de Mady. Ils éclatèrent de rire devant l'incongruité de la situation et se promirent des jours de soleil sous peu...

« Où est ma vie? souffla encore Mady en songeant à la France et au Canada...

— Elle est avec moi, peu importe où... » répondit sans hésiter Guillaume...

DISTRIBUTEURS EXCLUSIFS

Distributeur pour le Canada et les États-Unis
LES MESSAGERIES ADP
MONTRÉAL (Canada)
Téléphone : (450) 640-1234 ou 1 800 771-3022
Télécopieur : (450) 640-1251 ou 1 800 603-0433
www.messageries-adp.com

Distributeur pour la France et autres pays européens
HISTOIRE ET DOCUMENTS
CHENNEVIÈRES (France)
Téléphone : 01 45 76 77 41
Télécopieur : 01 45 93 34 70
www.histoire-et-documents.fr

Distributeur pour la Suisse
TRANSAT S.A.
GENÈVE
Téléphone : 022/342 77 40
Télécopieur : 022/343 46 46

Dépôts légaux
Bibliothèque nationale du Canada
Bibliothèque et Archives nationales du Québec, 2006